Le Temps retrouvé
LIX

MÉMOIRES, SOUVENIRS ET JOURNAUX

DE LA

COMTESSE D'AGOULT

(DANIEL STERN)

PRÉSENTATION ET NOTES
DE CHARLES F. DUPÊCHEZ

II

*Ouvrage publié avec le Concours
du Centre National des Lettres*

MERCURE DE FRANCE

MCMXC

ISSN 0497-1957
ISBN 2-7152-1639-4
© MERCURE DE FRANCE, 1990
26, rue de Condé 75006 Paris
Imprimé en France

Quatrième partie

ANNÉES INCERTAINES
LA VIE LITTÉRAIRE (1840-1847)

NOTE DE L'ÉDITEUR

Comme on le constatera, cette partie n'a pas été achevée par la comtesse d'Agoult. Des notes interrompent la rédaction de chacun des deux chapitres. N'ayant pas retrouvé le manuscrit original, nous la publions telle qu'elle figure dans l'édition réalisée par Daniel Ollivier.

AVANT-PROPOS

Un sentiment aisé à comprendre ne me permet pas de dire ce que fut cette destinée aussi longtemps qu'elle unit, du lien le plus étroit, l'existence de Franz avec la mienne. Les années que nous passâmes ensemble dans des conditions tout à fait extraordinaires, hors du monde, hors de la loi, et en quelque sorte hors de la conscience publique, appuyés uniquement sur notre force propre, ne relevant plus que de nous-mêmes et voulant soumettre toutes choses, en nous et autour de nous, à la conscience héroïque de la passion, opérèrent une révolution complète, non seulement dans ma vie de relation, mais dans les profondeurs intimes de mon être. Lorsque je revins en France, après cinq années de l'épreuve la plus forte à laquelle puissent être soumis le cœur, l'esprit, le caractère, le courage et la fierté d'une femme, je me retrouvai, dans un milieu tout nouveau, une personne nouvelle.

Quel était ce milieu et quelle était cette personne? On le verra dans la suite de mon récit. Je n'éprouve à le reprendre ni embarras ni scrupule, car ma vie ne se confondant plus avec celle de Franz je ne cours plus le risque, comme il eût pu m'arriver auparavant, tout en ne pensant faire que ma propre confession, de faire du même coup la confession d'autrui, ce qui n'est ni mon droit ni mon désir.

CHAPITRE PREMIER

Retour à Paris. – Mes incertitudes. – Suggestions et conseils. – L'abbé de Lamennais. – Madame Sand. – M. Émile de Girardin. – Mes premiers essais littéraires. – *Nélida.* – Béranger.

En revenant à Paris je n'avais aucun parti pris, aucun plan de conduite, aucun projet arrêté, et je ne me formais, à vrai dire, aucune idée de la vie que j'allais pouvoir mener. Le désir de réparer le mal que j'avais fait et d'adoucir, dans la mesure du possible, les peines que j'avais causées était en moi très vif; mais je n'étais mue en cela par aucun retour de ma conscience vers le devoir catholique, moins encore par le regret du monde, ou la considération des avantages que me rendrait un rapprochement avec ma famille. La pensée d'obtenir de mon mari un pardon que sa générosité de cœur, son amour pour sa fille et les sentiments qu'il m'avait gardés eussent probablement rendu facile ne s'offrait pas même à mon esprit. Effrayée de ce tourbillon de la vie d'artiste où Franz s'était laissé entraîner, de la façon la plus inattendue et pour moi la plus incompréhensible, j'avais senti douloureusement que je ne pouvais ni ne devais l'y suivre.

Mais mon amour avait été trop grand et, j'oserai le dire, trop pur en son exaltation romanesque, pour que je consentisse jamais à le renier. Plus il m'avait fait souffrir, plus il m'était entré avant dans l'âme. Refoulé au plus

profond, il y gardait sa fierté; et je me serais jugée indigne
de ma propre estime, si je m'étais laissé persuader de
prendre aucun engagement, de quelque nature qu'il fût,
qui me séparât d'une manière absolue et définitive de
l'homme que j'avais aimé, que j'aimais encore peut-être,
malgré ma résolution de le quitter, par-dessus toutes choses
au monde.

Un autre motif encore et très puissant me déterminait à
maintenir dans ma situation, si difficile qu'elle dût être,
une indépendance entière. Je ne voulais pas éloigner de
moi les enfants qui m'étaient nés dans des conditions où,
selon la légalité française, je ne pouvais rien être pour eux.
Ni mon nom n'avait pu leur être donné, ni ma fortune ne
devait leur appartenir; d'autant plus tenais-je à leur garder
toute ma tendresse et à ne jamais paraître désavouer une
maternité contre laquelle conjuraient ensemble toutes les
sévérités de la loi et de l'opinion.

Mes relations de famille se ressentirent également de ce
besoin de sincérité un peu hautaine qui l'emporta en moi
constamment sur les affections les plus vives, à plus forte
raison sur les intérêts.

Si j'avais beaucoup changé pendant les cinq années que
j'avais passées loin de la France, il s'était fait aussi de
notables changements dans l'esprit, et, si je puis ainsi dire,
dans le tempérament de notre famille. La mort de mon
père et de mon aïeule, le mariage de mon frère et son
ralliement, après 1830, au gouvernement du « juste milieu »,
la conversion de ma mère qui, sous l'influence de ma belle-
sœur, avait abjuré le protestantisme, tout un ensemble de
circonstances que j'aperçus peu à peu, avaient substitué
dans la maison paternelle, à l'indifférence en matière de
religion et aux habitudes frondeuses en matière de politique
qui caractérisaient la société de la vieille noblesse française,
une dévotion stricte, sans examen, avec la « satisfaction » [1]
des conservateurs de la royauté bourgeoise; ce qui faisait,
réuni, quelque chose d'antipathique à tout mouvement et

de très peu compatible avec la nature de mon esprit libre et chercheur. Il y eut donc de ce côté, malgré la joie de ma mère à me revoir, malgré l'empressement de son accueil, et mon extrême désir de lui complaire, une difficulté, un empêchement; et, de part et d'autre, dans les meilleures intentions, beaucoup de malaises et de mécomptes.

Quant à mes amitiés d'autrefois, elles s'étaient montrées, pour la plupart, si légères en leur jugement, si vaines, si promptes à l'oubli que je n'avais rien plus à cœur que les tenir à distance.

Ainsi donc rien ne s'offrait à moi pleinement : aucun point d'appui solide, aucune ancre où attacher ma pauvre barque désemparée, aucun but distinct à poursuivre, prochain ou lointain. Mes devoirs étaient contradictoires; je ne concevais clairement ni ce que je devais, ni ce que je pouvais vouloir; je me sentais découragée avant d'avoir rien tenté; seule, absolument seule, égarée comme le poète, dans la nuit de mon cœur et de ma conscience.

Les sept années qui vont s'écouler entre mon retour en France et la mort de ma mère, dans de telles circonstances, dans de telles dispositions, furent, comme on peut croire, extrêmement troublées. Il ne fallait pas un moindre temps pour m'arracher à mes indécisions, à mes obscurités. Car, s'il y avait en moi beaucoup de force, il y avait aussi beaucoup de faiblesse, et très longues furent les hésitations de mon cœur, très chancelantes les résolutions de ma volonté, avant que de suivre la voix qui m'appelait timidement aux ambitions hardies.

J'ai tort d'écrire ici le mot ambition, car on y entend d'ordinaire une soif de renommée, une cupidité de crédit, de richesses, de grandeurs et de pouvoir qui étaient bien loin de moi. Les mobiles qui me poussèrent à entrer dans la carrière des lettres et qui me firent affronter courageusement, à moi si timide et si fière, les hasards et les rudesses de la publicité, furent autres. Mais, avant de toucher ce point délicat, il faut que je remonte un peu en arrière, pour faire voir le chemin qu'avait parcouru mon esprit et comment il fut amené à se répandre au-dehors.

J'ai dit, dans la première partie de *Mes Souvenirs,* quelles étaient les facultés que j'apportais en naissant. Dès mon enfance, dans mes jeux il y avait de l'imagination, de l'invention; très jeune, je m'étais sentie portée à écrire, tantôt selon la coutume allemande un journal de mes impressions, tantôt même de petits romans; et ces essais enfantins dont j'ai retrouvé quelques-uns plus tard montrent un certain talent naturel. Pendant ma vie mondaine, de nombreuses correspondances avaient continué d'exercer ma plume et le succès de mes lettres, que l'on se communiquait, m'ayant rendue attentive, j'avais fait des progrès sensibles dans le choix de l'expression, dans le tour; j'avais pris goût aux élégances de style et, comme à toutes les autres parures, à ce que j'appelais volontiers la parure de la pensée.

Mais la pensée elle-même, faute de la nourriture saine et forte dont elle aurait eu besoin, faute d'impulsion surtout, était restée languissante. Elle sommeillait en quelque sorte au-dedans de moi quand la passion l'éveilla, lui donna le mouvement, lui communiqua sa flamme.

Dans l'atmosphère orageuse où je me vis tout à coup jetée, l'amour ne fut point pour moi cette douce ivresse, cet oubli de toutes choses, cette félicité, cette volupté de l'âme et des sens où s'absorbent les amants heureux, tels que nous les peignent les poètes. Jamais exempt de souffrances, et de souffrances cruelles, toujours inquiet, combattu, en proie à mille angoisses, l'amour suscita en moi des puissances d'émotion, de réflexion, de concentration, de lutte; il donna à mon esprit une activité, une intensité que rien auparavant ne m'avait fait soupçonner.

A Genève où j'étais restée longtemps, en Allemagne, en Italie où j'habitai tour à tour Turin, Milan, Venise, Florence et Rome, j'avais mené une vie très retirée dans la société intime de quelques hommes éminents dont l'entretien, l'exemple et la sympathie m'animaient et m'encourageaient aux études sérieuses. Le milieu protestant et républicain de Genève, la conversation avec des esprits tels que les Sismondi, les Pictet, les de Candolle, les Coindet, les Diodati [2], etc., avaient rapidement développé en moi la faculté d'examen et l'indépendance du jugement. Dans des compagnies si différentes de celles où j'avais été élevée, je m'aperçus très vite, à ma grande tristesse, de l'ignorance où me laissait une éducation qui passait pour la plus brillante du monde et j'entrepris tout aussitôt de la recommencer dans toutes ses parties. A ce peu de philosophie française qui s'accorde chez nous avec le catéchisme et que l'on m'avait enseigné de même façon, je substituai, de l'avis de mon docte ami, Adolphe Pictet, les concepts de la philosophie allemande, au sein desquels, à l'aide des conseils qu'il voulut bien me donner, je rangeai, je classai, je rectifiai, selon l'ordre naturel à mon entendement, les notions éparses, incohérentes ou contradictoires que j'avais retenues d'un enseignement superficiel. La langue de Kant, de Schelling, de Fichte, de Hegel m'était connue [3]. Les profondeurs de la métaphysique, loin de m'effrayer, m'attiraient. Spinoza, quand j'osai l'aborder, répandit sur mon intelligence une merveilleuse lumière; et, des lèvres de cet athée, de ce réprouvé de Rome, je recueillis tout ce que je pus jamais comprendre et adorer de l'essence et de la noblesse de Dieu. Le vide qu'avaient laissé dans mon âme, en s'en retirant, les croyances catholiques fut instantanément comblé; et quand je vis si bien s'accorder à la philosophie de Spinoza la morale des sages de l'Antiquité, la vie d'un Épictète et d'un Marc-Aurèle, l'idéal de toute sainteté, de toute béatitude humaine me fut révélé [4].

Désormais, il n'y eut plus en moi ni doute ni regret des croyances que j'avais perdues. Le bien et le mal, le ciel et l'enfer bibliques disparurent entièrement de ma pensée. Le petit univers de la création où elle s'était mue jusque-là s'évanouit dans l'éternité infinie des mondes de Spinoza.

Afin d'aider ma mémoire et ma réflexion dans des études

auxquelles j'étais si peu accoutumée, afin aussi de rompre ma plume au langage de l'abstraction métaphysique, j'avais trouvé utile de traduire et d'expliquer par quelques commentaires à mon usage les passages les plus importants de mes lectures.

En France, dans la société où j'avais vécu, de telles occupations, en admettant qu'elles ne m'eussent pas été interdites par mes guides spirituels, m'eussent rendue ridicule. Mais en vue de Coppet, dans la patrie de madame de Staël [5] et de madame Necker de Saussure, on ne trouvait rien d'étonnant à ce qu'une femme voulût connaître les lois qui gouvernent son propre esprit; on ne contestait pas, comme on le faisait alors chez nous, au sexe féminin la capacité et conséquemment le droit et le devoir de chercher à comprendre la raison des choses. Aussi ne fis-je point de difficulté, malgré ma grande défiance de moi-même et la timidité qu'elle m'inspirait, de communiquer mes *Essais* (je me rappelle entre autres des réflexions sur Schelling et des pensées que m'avait suggérées l'*Éthique* [6] de Spinoza) à quelques-unes des personnes dont la bienveillance et l'intérêt m'étaient le mieux connus. Elles m'encouragèrent à continuer; elles parurent même croire que le talent d'écrire répondrait chez moi à la force de penser; quelques-uns allèrent jusqu'à me prédire, dans la carrière des lettres, si je voulais y entrer, de brillants succès. Mais je ne vis là qu'une illusion de l'amitié et je continuai mes études avec une entière modestie, sans autre but que d'apprendre.

Quand mes premières ardeurs philosophiques furent quelque peu apaisées, je me tournai vers l'histoire; là également j'avais tout à apprendre ou à rapprendre. Je n'y épargnai point ma peine. Sismondi et ses *Républiques italiennes,* puis Augustin Thierry, puis Guizot, Thiers, Mignet m'ouvrirent des perspectives entièrement nouvelles [7].

L'Italie donna un charme et un attrait nouveaux à mes études. Mais, avant de dire l'influence qu'exercèrent sur moi ses arts, ses monuments, son histoire, son travail et sa lumière, il faut que j'introduise ici deux personnes qui, vers cette époque, produisirent sur mon imagination une impression vive et ne furent pas sans action, quoique indirectement, sur le cours de mes pensées.

Très peu de jours après le jour horrible où j'avais décidé de quitter ma maison, ma famille, tout mon passé pour me jeter aux hasards d'un avenir plein d'orages, étant seule un matin chez moi, le cœur oppressé, l'âme inquiète, agitée de mille craintes, un domestique entrant dans ma chambre, sans être appelé, m'annonça qu'un monsieur qu'il ne connaissait pas demandait à être introduit [8]. « Je ne veux voir personne », m'écriai-je. Le domestique sortit et revint presque aussitôt. « Ce monsieur prie bien Madame de le recevoir; il repart pour la campagne et il paraît qu'il a quelque chose de très pressé à lui dire. – Lui avez-vous demandé son nom? – Il n'a pas voulu le dire. – Vous ne l'avez jamais vu? Quel air a-t-il? – Pas trop bon air; il est tout petit, maigre, de gros souliers, des bas bleus... une vieille redingote. »

Un éclair traversa mon esprit. Je savais par Franz que l'abbé de Lamennais était attendu à Paris; je savais que mon nom avait été prononcé entre eux à La Chênaie [9]. La description de mon domestique pouvait se rapporter à ce qui m'avait été dit de sa physionomie de vieux Breton et ses accoutrements rustiques... Si c'était lui! « Faites entrer », dis-je, sans plus de réflexion, et le cœur me battait, car j'avais pour l'illustre auteur des *Paroles d'un croyant,* pour son génie, pour sa conscience superbe, son magnifique renoncement, une admiration, un respect sans bornes.

C'était lui, en effet; il se nomma quand il fut près de moi, d'une voix faible, hésitante, avec un accent craintif qui ne répondait guère à l'idée que tout le monde s'était faite alors et que je m'étais faite de sa parole puissante. Il s'excusa gauchement de venir ainsi chez moi sans s'être annoncé; mais le temps pressait, ajouta-t-il, le motif qui l'amenait était des plus graves. Il espérait donc... Le voyant en peine de poursuivre, je l'interrompis pour lui dire en peu de mots quels étaient à son égard mes sentiments, pour l'assurer qu'à aucun moment, en aucune circonstance sa visite ne pouvait m'être importune.

Pendant que je lui parlais, il ne leva pas sur moi les yeux; et, lorsqu'il eut repris la parole [10], pendant un long monologue que je n'interrompis que par quelques exclamations sans suite, je crois qu'il ne lui arriva pas une seule fois de me regarder en face. Ses yeux se portaient à droite, à gauche, ou bien il les baissait et regardait ses genoux comme aurait pu faire un campagnard embarrassé dans un salon de ville, en présence d'une femme. Je pus donc, quoique très émue, pendant qu'il me parlait avec beaucoup de feu, satisfaire ma curiosité et graver dans ma mémoire la figure ascétique du prêtre révolté.

Félicité de Lamennais, monsieur Féli, comme l'appelaient entre eux ses jeunes disciples, devait avoir à cette époque environ soixante-cinq ans. Il était de petite taille, d'aspect étroit et mesquin; son visage était creusé de rides effrayantes. Son grand nez aquilin, son œil oblique, perçant, lui donnaient quelque chose de la bête de proie. Aucune tranquillité, aucune harmonie dans aucune partie de sa personne, ni dans son attitude qui changeait à chaque instant, ni dans les gestes crispés de sa main aux longs doigts maigres, ni à son front offusqué de longs cheveux plats et grisonnants, qui se plissait à la moindre apparence de contradiction, ni dans son sourire contracté, ni dans sa parole qui tantôt se précipitait comme un torrent et tantôt s'embarrassait et s'obstruait.

Cependant, après un premier étonnement à le voir si peu semblable à l'image qu'on s'était faite, on sentait en lui une force, une puissance de domination qui, peu à peu, commandaient et s'imposaient. Il se mêlait à cette force, dont les dehors n'avaient rien qui altérât sa bonté d'âme, une naturelle tendresse, des candeurs, des éléments de bienveillance et de sympathie, avec un désir d'aimer et d'être aimé, qui donnaient à ce vieillard sur la jeunesse qu'il appelait à lui un empire sans borne. Sous les ombrages de La Chênaie, il rassemblait, il enthousiasmait, il évangélisait des jeunes hommes qui pour lui auraient tout bravé et donné mille fois leur vie. Des esprits, des cœurs, tels que les Lacordaire, les Montalembert, les Gerbet, les Boré [11] le chérissaient comme un père – « le bon père », ainsi l'appelait-on à La Chênaie –, formaient autour de lui une église ardente, qui l'adorait comme un saint des temps primitifs, comme le divin précurseur d'une incarnation nouvelle.

Franz, sans s'être engagé dans cette église, y trouvait l'accueil le plus tendre. Monsieur Féli, charmé par son beau génie, lui marquait une prédilection toute paternelle; il aimait ces âmes troublées que rien ici ne satisfait; il avait pour les égarements de la passion les indulgences du confesseur catholique, avec quelque chose de plus que lui inspiraient peut-être de douloureux souvenirs. On lui cachait peu de chose. Ce qu'on ne lui disait pas, il le devinait. Il avait deviné à quelques faibles indices une crise prochaine dans l'âme et l'existence de Franz. Confirmé dans ses appréhensions par quelques bruits venus du dehors, il s'était alarmé pour ce fils de prédilection. Il avait soudainement quitté sa retraite, sans avertir personne de son dessein; il accourait et, dans un embrassement paternel, il arrachait à Franz notre secret tout entier.

Après avoir épuisé auprès de lui, pour le dissuader d'une résolution funeste, toutes les forces du raisonnement, le voyant inébranlable, l'abbé de Lamennais, sans se décourager, se flattant sans doute qu'il aurait plus de puissance sur la volonté plus faible d'une femme, venait vers moi et de la manière qu'on a vue, abordait un sujet extrêmement délicat. Il commençait un entretien dont l'issue, favorable ou défavorable, allait, dans sa conviction, décider de tout l'avenir de deux personnes auxquelles, à des degrés différents, il portait intérêt.

Longtemps je l'écoutai dans un silence respectueux, mais, je l'avoue, je ne me sentis point persuadée. En me peignant avec éloquence – car l'éloquence lui venait dès qu'il avait passé les préambules et qu'il entrait à fond dans le sujet qu'il avait à cœur – le malheur de celui qu'entraîne l'esprit de révolte, le blâme des honnêtes gens qui peu à peu font autour de lui le vide, les doutes, les repentirs qui l'assaillent dans sa solitude et cette force occulte des choses, ces nécessités d'un ordre implacable qui, tôt ou tard, triomphent des plus hauts courages et se vengent du téméraire qui vainement croyait échapper à leur étreinte, l'abbé de Lamennais soulevait en moi une protestation muette tirée de son propre exemple. Mais lui! me disais-je tout bas, qu'a-t-il donc fait autre chose? Mais le prêtre qui rompt avec son Église, mais le « croyant » qui rejette les confessions de la foi, mais l'apôtre qui s'arrache à la loi écrite et qui brave tous les anathèmes pour suivre l'inspiration de son cœur, s'est-il donc repenti, voudrait-il reprendre ses chaînes? La sincérité ne serait-elle plus à ses yeux la première vertu des âmes nobles?

Mon silence ne trompa pas l'abbé de Lamennais; avec cette vive perception que lui donnait l'habitude de l'apostolat, il sentit en moi une protestation, il s'aperçut qu'il n'ébranlait rien dans mon esprit et, renonçant à me convaincre par la raison, il attaqua ma sensibilité et me remit devant les yeux les peines que j'allais causer : ma mère désolée, ma fille privée des caresses maternelles sur qui j'allais perdre tous mes droits maternels. Il me fit verser des larmes amères.

Ému lui-même d'une émotion vive et vraie à l'idée de l'affliction que j'allais causer à tous les miens et se croyant sur le point de l'emporter sur ma résistance, il se jeta à mes pieds, embrassa mes genoux. D'un accent devenu tout à coup suppliant et presque humble, il me conjura de différer une démarche irrévocable, d'accorder à sa prière quelques semaines, quelques jours de réflexion. Il ne me demandait rien de plus, mais cela il me conjurait de le lui accorder. « A Dieu ne plaise, s'écria-t-il, toujours à mes genoux, pour atténuer encore sans doute la portée du sacrifice qu'il espérait m'arracher, à Dieu ne plaise que je songe à séparer deux âmes si dignes l'une de l'autre, si bien faites pour s'aimer, pour s'élever ensemble vers les régions pures de l'amour et de la foi. Mon unique désir, c'est de les rendre plus aimantes encore, plus dignes de se bien aimer, plus dignes du Dieu d'amour qui veut les unir dans son sein... Recueillez-vous, belle âme, laissez-moi emmener Franz dans sa solitude... Ne vous laissez pas emporter à la passion qui égare; purifiez cette flamme d'amour divin qui est en vous... Conversez ensemble, mais à distance, jusqu'à ce que vous sentiez pacifiée, purifiée en vous la passion qui trouble... Oh! alors, quel exemple vous donnerez au monde! quelle force vous trouverez en vous-même pour agir sur d'autres âmes, pour faire l'œuvre de Dieu! Dites, dites-moi que vous y consentez... Un mot, un seul mot, et je pars le plus heureux des hommes...! »

Je saisis ses deux mains dans les miennes et le relevant doucement : « Je ne puis vous voir ainsi suppliant et ne pas céder à ce que vous demandez de moi; mais, de grâce, n'arrachez pas à mon émotion cette promesse que ma volonté ne confirmera pas. Je sens que je vais vous dire tout ce que vous exigez, mais je sens aussi qu'à peine une heure écoulée vous recevrez de moi une lettre où je retirerai ma parole [12]. Ce ne serait digne ni de vous ni de moi. Laissez-moi suivre ma destinée, elle est terrible, je le sais, je le sens mais il est trop tard pour en vouloir une autre. »

L'abbé de Lamennais se releva. Pour la première fois depuis une heure environ que nous étions ensemble, il me regarda; dans ce regard je lus un étonnement profond et la compassion la plus grande. Après un silence de quelques secondes : « Adieu, madame, me dit-il, je ne vous demande rien, je vais prier Dieu qu'il vous éclaire, car il vous aime... Je repars pour La Chênaie où j'attendrai un mot de vous...

quel qu'il soit, n'est-ce pas? reprit-il en voyant que j'hésitais à répondre... [13]. Quoi que vous fassiez, mon cœur vous suivra avec la plus grande anxiété... J'espère encore. » Je lui baisai la main en pleurant.

Il s'éloigna. J'ai appris depuis qu'il avait dit, en sortant de chez moi, à un ami [14] qui l'attendait : « Je n'ai jamais rencontré chez aucune femme une telle résistance de la volonté... Une seule corde vibre en elle à cette heure. Lorsqu'elle se rompra tout sera brisé. »

A quelques mois de là, j'écrivis à l'abbé de Lamennais, ainsi qu'il m'y avait autorisée, et l'extrême indulgence, la bonté parfaite de sa réponse nouaient entre nous une correspondance qui se continua jusqu'à mon retour. Quand je revins à Paris, l'une de mes premières pensées fut de l'aller chercher dans la mansarde qu'il habitait au cinquième étage d'une maison de l'avenue Chateaubriand dans le quartier Beaujon. Il me reçut très affectueusement, vint chez moi, y dîna souvent, tantôt avec quelques amis, tantôt en tête à tête, causant abondamment sans jamais faire allusion à la circonstance qui nous avait rapprochés [15], mais de manière à me faire sentir qu'il continuait à s'intéresser sincèrement à ma vie morale et intellectuelle. Un jour qu'il m'avait trouvée plus triste que d'ordinaire, silencieuse dans ce petit cercle d'amis qui m'entourait, comme il descendait avec l'un d'eux, échangeant à ce sujet quelques réflexions : « Qu'on serait heureux, s'écria-t-il avec feu, de pouvoir aider cette belle plante à demi brisée à relever sa tige; que l'on aurait de contentement, si l'on pouvait lui servir d'appui, de tuteur! » Dans cette pensée qu'il nourrissait à part lui, il accueillit avec beaucoup d'empressement mes premiers essais littéraires... il me donna ses conseils... Il m'amena Béranger [16] avec qui, chose bizarre, il s'était lié intimement, et qu'il estimait le plus parfait critique que l'on pût consulter sur un ouvrage de l'esprit. Il croyait voir dans le don de mon talent une force.

Notre amitié cependant ne fut pas exempte de nuages.

Il était d'un tempérament bilieux, violent, soupçonneux ensemble et crédule; il portait dans ses affections une fougue, des revirements brusques qui le jetaient dans des injustices criantes [17]. Jamais de mesure, rien de tempéré, peu d'attention, peu de réflexion. Ange ou démon; on n'était jamais à ses yeux un simple mortel. A chaque instant par exemple, il me recommandait – car il était extrêmement charitable et très exploité par les mendiants politiques et autres – telle ou telle personne comme étant douée d'un caractère [18] sublime, d'un génie extraordinaire, d'une vertu sans tache. Le lendemain, je recevais un mot à peu près ainsi conçu : « Fermez votre porte à monsieur X... C'est un fourbe, un gueux, un fripon, un faussaire, un homme capable de toutes les vilenies, le plus dangereux des êtres. » Monsieur X... n'était le plus souvent qu'un sot, un importun ou un important de troisième ordre qui avait abusé, comme tant d'autres, de la crédulité de l'abbé.

Je fus à mon tour victime de ces brusques revirements de son esprit. Après m'avoir de très bonne foi exaltée au-dessus de toutes les personnes de mon sexe, peu s'en fallut qu'il ne me jugeât capable des sentiments les plus bas. Mon *Essai sur la Liberté* le mit en colère. Le chapitre sur le divorce lui parut une monstruosité; il trouva matérialiste un chapitre où je peignais la douleur de l'enfantement et les joies de la délivrance [19]. J'appris qu'il disait : « Madame d'Agoult parle d'une femme qui enfante comme elle pourrait le faire d'une vache qui met bas. » Et, pourtant, si j'en dois croire mon sentiment intime et l'impression que les passages de mes écrits relatifs à l'enfantement ont produite sur la plupart de mes lecteurs, jamais on n'avait encore exprimé la grandeur, la sublimité de ce moment comme je l'ai fait, d'une plume hardie sans doute, mais assurément chaste et pénétrée de ce qu'il y a de divin dans ce grand acte de la nature amenant à la lumière un être d'essence immortelle.

Lorsque, dans sa collaboration au journal *Le Monde* que

dirigeait monsieur de Lamennais, madame Sand voulut traiter la question du divorce, il la rembarra (dans une lettre qu'elle me fit voir et qui la blessa profondément), la renvoyant en des termes d'une galanterie dédaigneuse à ces jolis romans qu'elle écrivait si bien [20].

Quoique emporté à toutes les ardeurs du mouvement révolutionnaire, révolté contre Rome, il restait dans l'abbé de Lamennais quelque chose de la prêtrise, des préventions, des étroitesses, des amertumes. Le divorce lui était en aversion; il ne daignait pas même examiner si dans les pays protestants où il est admis la morale est moins pure, la famille moins bien assurée. Il condamnait. « Sans nul doute, sans aucune espèce de doute » était la formule qui revenait le plus souvent dans son discours impétueux. C'était l'homme le plus étranger aux conceptions goethéennes de la vie. Fanatique dans l'un ou l'autre sens. Il était exclusivement français, un peu borné, très ignorant sur beaucoup de points, l'histoire entre autres.

Je fus blessée de ce jugement que je trouvai injuste et je cessai d'aller chez lui. Je crois qu'au fond, entre nous, il y avait, malgré bien des rapports d'idées et de sentiments, une antipathie de nature; je l'admirais, je le respectais, il ne me plaisait pas [21].

De son côté, attiré par certains actes de mon esprit, il sentait toujours cette sourde résistance de notre première entrevue. Il ne s'était pas emparé de moi. Il le sentait. Mon esprit était trop goethéen. Il n'exerçait pas l'empire absolu qu'il cherchait. Ce qu'il y avait en moi d'allemand, la fille de Goethe, ne lui plaisait pas.

En 1848, le mouvement républicain auquel je me trouvai mêlée me rapprocha davantage de monsieur de Lamennais. Monsieur de Lamartine souhaitait de le voir et de s'entretenir avec lui des choses de la politique. Il me chargea de plusieurs messages pour monsieur de Lamennais et facilita, par mon entremise, la publicité du *Peuple constituant,* qui avait ouvert une campagne très hardie contre les communistes et les ouvriers rassemblés au Luxembourg par Louis Blanc [22].

Plusieurs fois pendant le Gouvernement provisoire, ces deux hommes illustres dînèrent ensemble chez moi et causèrent confidentiellement. Ils faisaient beaucoup de frais l'un pour l'autre. Monsieur de Lamartine s'extasiait ou feignait de s'extasier sur la modération, la parfaite *raison* de monsieur de Lamennais. « On le considère comme un révolutionnaire aveugle, me dit-il un jour, si cela dépendait de moi, je voudrais lui confier le département des Affaires étrangères. »

Un soir, il y eut chez moi lecture du projet de constitution de monsieur de Lamennais. Il avait désiré qu'il y eût toutes les notabilités du parti républicain et m'avait priée de faire les invitations, mais monsieur de Lamartine, pour le mieux pouvoir discuter, disait-il, demanda que nous fussions seuls. Un avocat, monsieur Auvillain [23], fit cette lecture. Monsieur de Lamennais, ardent, passionné pour son œuvre, interrompait fréquemment pour en développer les beautés. Monsieur de Lamartine, étendu sur son divan, écoutait nonchalamment.

A peu de temps de là, monsieur de Lamennais donnait sa démission du Comité de Constitution, son projet n'y ayant pas trouvé plus de faveur qu'auprès de monsieur de Lamartine.

Au 13 juin (journée de Ledru-Rollin aux Arts et Métiers [24]), pensant qu'il devait être compromis dans cette affaire et la jugeant dès le matin manquée, je courus chez lui (il demeurait alors au quartier Beaujon) pour me mettre à sa disposition, moi et ma bourse. Je le trouvai tranquillement assis dans son fauteuil, comme un homme qui n'avait nulle part à ce qui se passait et qui ne s'y intéressait que médiocrement. J'ai appris depuis qu'il avait toujours, en toute éventualité, huit à dix mille francs dans son tiroir. Il dut me trouver naïve dans mes offres de services. Nous le croyions et il paraissait être extrêmement pauvre.

L'autre personne de qui, avant de passer outre, je dois
parler ici (parce que si, pas plus que monsieur de Lamennais, elle n'eut d'influence durable sur moi, elle contribua
aussi à donner à mon esprit une impulsion) exerçait à cette
époque sur les imaginations une puissance agitatrice de
même nature que monsieur de Lamennais. Madame Aurore
Dudevant, alors dans tout l'éclat de sa jeunesse et de son
talent, sous un pseudonyme viril qui longtemps excita et
troubla la curiosité, venait de publier ses premiers romans.
C'était encore la révolte contre la société, sous une autre
forme. Le cri de la femme contre la tyrannie de l'homme,
la révolte contre le mariage indissoluble; *Lélia,* la superbe,
maudissait l'amour [25]. La lecture de ces livres, dans l'état
de mes esprits, dans le trouble de la passion, m'avait
troublée comme tant d'autres. L'étrangeté, le mystère ajou-
taient beaucoup à l'admiration. On se contait de cette jeune
femme mille histoires byroniennes. Elle portait des vêtements d'homme, fumait; intrépide amazone, elle parcourait
les lieux sauvages, les forêts; elle conspirait aussi, mur-
murait-on, elle fréquentait les conciliabules républicains.
Était-ce un homme, une femme, un ange, un démon?
Venait-elle, comme sa Lélia, « du Ciel ou de l'Enfer »?
    J'avais lu, comme tout le monde, ses romans étranges et
mon admiration était grande pour leur auteur. Aussi fus-
je très agréablement surprise en apprenant qu'elle désirait
me connaître. Elle avait appris par Franz, que monsieur de
Musset [26] lui avait présenté, que j'étais à la veille de quitter
la France et pourquoi. Une si grande hardiesse de passion
lui avait paru extraordinaire; elle était à cette époque
curieuse de toutes les individualités. Franz nous fit dîner
ensemble chez sa mère. Notre entrevue fut très singulière...
    Adolphe Pictet, qui nous vit plus tard ensemble, a marqué
le contraste entre nous dans sa *Course à Chamonix.* Ce
contraste était aussi complet qu'il est possible à un artiste
de l'imaginer. Madame Sand était de très petite taille et
paraissait plus petite encore dans les vêtements d'homme

qu'elle portait avec aisance et non sans une certaine grâce de jeunesse virile. Ni le développement du buste, ni la saillie des hanches ne trahissaient en elle le sexe féminin. La redingote en velours noir qui lui serrait la taille, les bottes à talons qui chaussaient son petit pied très cambré, la cravate qui serrait son cou rond et plein, son chapeau masculin, quand elle le posait cavalièrement sur les touffes épaisses de sa chevelure courte, ne gênaient en rien ni la liberté de son allure ni la franchise de son maintien qui donnaient l'idée d'une force tranquille. Sa tête, d'un galbe très pur, était de proportion plus grande, plus belle, plus noble que son corps. Son œil noir, comme sa chevelure, avait dans sa beauté quelque chose de très étrange. Il paraissait voir sans regarder et, bien que très puissant, ne laissait rien pénétrer; un calme qui inquiétait, quelque chose de froid comme on se figure le sphinx antique. Le front était bien modelé, ni trop haut ni trop bas. Le bas du visage ne correspondait pas à la noblesse du haut.

Elle fut pour moi d'une grande prévenance, me pria de la venir voir, me promit de me rendre ma visite à Genève, si j'y étais encore quand ses affaires n'exigeraient plus sa présence (le procès en séparation avec Monsieur Dudevant qui s'allait plaider), me demanda la permission de me dédier le roman qu'elle achevait en ce moment (*Simon*, 1836) et me demanda de lui écrire.

Elle-même a décrit dans ses *Lettres d'un voyageur*, où elle me donne le nom d'« Arabella », les huit jours que nous passâmes ensemble à Chamonix. Ce qu'elle n'a pu dire, c'est l'impression qu'elle fit sur moi. Phénomène étrange! J'éprouvais comme pour l'abbé de Lamennais quelque chose qui m'attirait et quelque chose qui m'éloignait, une vive admiration pour ce génie, une sorte d'effroi. Mais elle aussi était trop catholique même dans sa révolte, un être trop exclusivement d'imagination, une organisation trop exceptionnelle. Elle non plus ne se livra pas. Je n'eus jamais sa confiance, mais elle m'encouragea beaucoup aussi à écrire.

« Vous avez envie d'écrire, m'écrivait-elle, eh bien! écrivez. » Elle développa en moi l'amour de la nature et le sens poétique des choses, et par ses louanges, m'ôta une partie de la défiance que j'avais de moi-même.

Elle me fit connaître ses amis républicains. Elle me fit scruter, sonder beaucoup plus que je ne l'avais fait les mystères de mon propre cœur; elle m'aida à me connaître moi-même, à m'analyser.

Au commencement de l'année 1837, au moment où j'allais descendre en Italie, le choléra ayant éclaté, elle m'écrivit pour me demander avec la plus aimable insistance de venir à Nohant. J'y passai trois mois d'une vie très contemplative. Nous montâmes à cheval ensemble dans ces « traînes » de la Vallée Noire qu'elle a si bien décrits. Ses deux enfants étaient là. Solange portait aussi des vêtements de garçon [27].

De belles lectures, des entretiens élevés, l'astronomie, la botanique, la musique qu'elle aimait passionnément.

Des dissertations sur l'abolition de la peine de mort, sur toutes les idées qu'on appelait alors humanitaires, sur la République.

Ces trois mois restèrent un souvenir très poétique dans ma vie.

On voulait tout réformer... le théâtre, la poésie, la musique, la religion et la société.

Tout cela était fébrile, maladif, mais généreux.

Quelle exaltation pour l'imagination, pour toutes les facultés! L'amour du peuple, des humbles, des souffrants, du christianisme qui ne voulait plus attendre la vie future.

....

Une des premières personnes que je revis, c'était Delphine Gay [28], devenue madame Émile de Girardin. Nous nous étions connues jeunes filles, comme je l'ai raconté. Dans une rencontre fortuite, elle vint à moi au sortir d'une représentation de *Chatterton,* si je ne me trompe, me tendit la main, s'informa vivement de ma santé et des heures où l'on pouvait venir me voir, et le lendemain elle venait chez moi. Nous causâmes longuement; elle ne parut pas trop comprendre mon isolement, me parla du monde, des salons en dehors desquels on ne pouvait pas vivre, comme si ce devait être mon désir d'y rentrer; je vis que dans son esprit elle en cherchait les moyens pour moi et qu'elle me servirait volontiers d'intermédiaire. Elle me pria à dîner chez elle avec Lamartine, Victor Hugo, Théophile Gautier [29]. J'ai su qu'elle avait beaucoup vanté mon caractère, mon amabilité, les grâces de mon esprit.

J'allai chez elle; elle me fit faire la connaissance de son mari; je vis ses grands hommes. Le plus silencieux fut celui qui m'intéressa le plus. Émile de Girardin ne parlait presque pas; cela n'était pas nécessaire chez lui, où Delphine avait une verve prodigieuse. Il était très occupé de son journal, n'allait pas dans le monde. Il était très pâle, observateur concentré, un peu ironique, mais doux et parfaitement comme il faut de manières, singulier, sans du tout chercher à le paraître.

Lorsque j'invitai à mon tour Delphine à dîner chez moi, il accepta, ce qu'il ne faisait jamais, dit-il. Il parut se plaire chez moi, y revint et bientôt nous en vînmes à causer de ce qui me concernait, de ma situation étrange, de mes projets... « Mes projets! je n'en ai pas, lui dis-je, je ne veux pas rentrer dans le monde, j'étudie, je travaille, j'aime les arts. » A ce mot de travail, il sous-entendit aussitôt le travail pour la publicité. « C'est bien, me dit-il, c'est très bien. Si vous voulez me donner ce que vous faites, cela paraîtra dans *La Presse*. » Il me pressa longtemps, il y revenait toujours. Il ne venait pas chez moi sans me dire : « Eh bien! y a-t-il quelque chose de prêt? Est-ce aujourd'hui que j'emporte quelque chose?... Voyons!... »

Un soir, je lui annonçai qu'ayant été le matin à l'École des beaux-arts voir les peintures de l'hémicycle par P. Delaroche [30], j'avais analysé mes impressions; je lui lus ce que j'avais fait. Il saisit les feuillets. « C'est excellent, me dit-il. Je n'y entends rien, je ne sais si vous avez raison, mais c'est écrit comme peu de gens écrivent et vous donnez l'idée de quelqu'un qui a le droit d'avoir son jugement à elle; j'emporte cela, demain matin je vous enverrai les épreuves. » Je ne savais pas ce que c'était que des épreuves... Cela me donna un léger frisson... Il était déjà à ma porte. « Vous n'avez pas signé, me dit monsieur de Girardin. – Mais non. – Il faut signer. – Je ne peux pas. – Pourquoi? – Je ne peux pas disposer d'un nom qui ne m'appartient pas à moi seule; je ne veux pas demander d'autorisation. Si je dois être critiquée dans les journaux, je veux que personne ne soit engagé d'honneur à me défendre. – C'est juste, s'écria monsieur de Girardin. Eh bien alors, prenez un pseudonyme. – Lequel? – Essayez un nom », me dit-il. – Il y avait là sur la table mon buvard et un crayon. Je pris machinalement le crayon et j'écrivis *Daniel.* C'était le nom que j'avais donné à l'un de mes enfants, le nom du prophète sauvé de la fosse aux lions, qui lisait dans les songes. Cette histoire me plaisait entre toutes les histoires de la Bible. Probablement je faisais un retour sur moi-même, seule hélas! en butte à bien des haines. *Daniel...* mais après? Je cherchais un nom allemand, me sentant Allemande... *Daniel Wahr;* je voulais être vraie avant tout. *Daniel Stern,* j'aurais peut-être une étoile. *Daniel Stern!* Le nom était trouvé, le secret promis. Je me couchai et m'endormis sans plus penser à rien. Le lendemain matin, en voyant arriver les épreuves, le cœur me battait bien fort. Monsieur de Girardin y avait joint l'indication des signes d'imprimerie. Je corrigeai fort mal, comme on peut croire; et, le soir même, quelques personnes qui se rencontraient chez moi se demandaient qui pouvait bien être ce Daniel Stern qui jugeait avec tant de sévérité le peintre le plus en renom du moment et se permettait de trouver des défauts à une œuvre aussi magnifique que l'« Hémicycle ».

Le secret fut bien gardé. Madame de Girardin sollicita vainement son mari; elle n'obtint qu'un sourire mystérieux;

il s'amusa à lui donner à entendre que ce pourrait bien être monsieur Ballanche [31]. La famille et les amis de monsieur Delaroche furent indignés de tant d'audace. C'était la première fois qu'on se permettait une telle critique. Elle était rude en effet, d'une plume inexpérimentée qui n'avait pas l'habitude des euphémismes, d'une personne qui ne songeait pas aux inconvénients de la sincérité, qui ne songeait à rien ménager, qui ne disait que ce qu'elle pensait, voilà tout. C'était inacceptable. Mais il y avait dans cette indépendance une certaine force, dans l'expression une spontanéité encore embarrassée, mais sensible pourtant.

Ce fut donc un succès. Cela fit du bruit et monsieur de Girardin qui aimait pour son journal le bruit ne me laissa plus de repos que je ne lui eusse donné autre chose. Le moment de l'exposition, du *Salon,* comme on disait alors, approchait. Monsieur Ch... [32], depuis quelques années, y apportait de l'ennui; il se plaignait de cette besogne fastidieuse, monotone, qu'il faisait depuis de longues années. Monsieur de Girardin lui déclara qu'il l'en dégageait. Grande surprise, grand déplaisir, grande mauvaise humeur, grand mauvais vouloir contre ce pauvre écrivain, cet intrus de la presse, venu on ne savait d'où, qui ne parlait pas le langage de l'atelier, qui n'était le camarade de personne, qu'on ne rencontrait pas sur les boulevards... Monsieur de Girardin aussi s'irritait, et j'avais déjà pour ennemie toute la rédaction du journal dont j'étais devenue un collaborateur malgré lui.

Deux petites nouvelles, *Hervé* et *Julien,* suivirent ces articles d'art [33]. Monsieur de Girardin m'assurait toujours que le succès était grand. Je m'enhardissais peu à peu; enfin pendant un été que je passai dans le village d'Herblay, où j'avais loué une petite maisonnette en vue de la Seine et de la forêt, j'écrivis tout un roman : *Nélida.* Pourquoi prenais-je cette forme du roman? Je n'avais guère les qualités du romancier; c'était une sottise de paraître vouloir suivre les traces de madame Sand, quand je n'avais rien de son génie. Ce qu'il y avait dans *Hervé,* dans *Julien,* dans *Nélida,* ce qui fit l'intérêt et le succès, c'étaient des qualités de moraliste, de réflexion; l'originalité, la personnalité de la pensée, une manière de dire qui, sans recherche d'originalité, était bien mienne. Mais j'étais extrêmement modeste. Je ne croyais pas qu'une femme, que moi surtout, je pusse aborder directement les idées, prendre une forme; j'y fus gauche, mais sincère, hardie, avec simplicité. Toute la première partie de mon roman plut beaucoup. La conclusion, le personnage de la religieuse qui laissait voir des tendances de rénovation sociale, un esprit de réforme, parurent insupportables...

J'avais confié le manuscrit à monsieur de Lamennais qui s'intéressait beaucoup à mon talent; après qu'il l'eut lu consciencieusement : « Cela me paraît fort distingué, me dit-il, mais je ne suis guère compétent en ces sortes d'ouvrages et je craindrais de me tromper. Mais il y a un homme incomparable en son jugement, un critique sûr, c'est Béranger. Voulez-vous me permettre de lui faire lire votre roman? » J'acceptai de grand cœur une offre si bienveillante. A quelques jours de là, Béranger entrait dans mon cabinet de travail. Après qu'il eut mis soigneusement dans un coin son chapeau et son parapluie : « L'abbé de Lamennais m'a dit que vous étiez une femme à qui l'on peut dire la vérité; c'est fort rare, ajouta-t-il en me regardant d'un air narquois. – C'est pourtant très exact. – Eh bien alors, je vous dirai que je ne vous conseille pas de publier ce roman. Il n'est pas mal, mais il ne vaut pas ceux de Balzac ni même ceux de madame Sand. On vous comparera inévitablement; cela vous fera du tort. Quelques gens croiront se reconnaître; on dira que vous avez fait des portraits; on vous en voudra; on vous dénigrera, vous et votre talent. Vous aurez des ennuis sans fin. Vous vous occupez des questions sociales (c'était le mot alors); que n'écrivez-vous sur la commune, l'instruction publique? Vous pourriez prendre rang tout à fait en première ligne. Lamennais dit que vous avez de l'instruction, de la modération, que vous êtes un peu Allemande, eh bien! dites-nous les opinions allemandes sur tout cela. » Il me parlait longtemps avec beaucoup de raison, de bienveillance; je trouvai qu'il avait raison. Ainsi qu'il arrive le plus souvent, je ne tins pas compte de son conseil. J'avais un besoin aveugle peut-être mais presque irrésistible de sortir d'un isolement de cœur et de l'esprit qui, plusieurs fois déjà, m'avait jetée en proie à la pensée du suicide. J'avais besoin de sortir de moi, de mettre dans ma vie un intérêt nouveau qui ne fût pas l'amour pour un homme, mais la relation intellectuelle avec ceux qui sentaient, pensaient et souffraient comme moi. Je publiai donc dans *La Revue Indépendante.* Béranger ne se fâcha pas plus que n'avait fait monsieur de Lamennais... Un an après, il me disait en post-scriptum d'un très aimable petit billet à propos du succès de *Nélida :* « Quel bon conseil je vous ai donné et que vous avez bien fait de ne pas le suivre! [34] »

Cependant ce qu'il m'avait dit m'était resté dans l'esprit et, sauf deux courtes nouvelles : *Valentia, la Boîte aux lettres* [35], qui parurent durant l'année 1847 et ne furent goûtées que d'un très petit nombre de mes amis, à cause de l'originalité singulière et d'une hardiesse tranquille qui fut trouvée immorale, je renonçai au roman, et, rassemblant mes réflexions, j'écrivis l'*Essai sur la Liberté,* considérée comme principe et fin.

« Le titre seul de ce livre est un beau livre », écrivait Anselme Petetin [36]. C'était en effet une manière de concevoir le mot, très nouvelle, du moins en France. Je considérais la liberté non comme le libre arbitre avec lequel on la confond d'ordinaire, mais comme le consentement de l'intelligence et de la raison, l'obéissance volontaire de l'esprit à ce que les dévots appellent la volonté de Dieu, à ce que les philosophes appellent l'ordre immuable des choses. Conception spinoziste, stoïcienne, goethéenne, si l'on veut, fort peu française – l'avant-propos donne l'état vrai de ma conscience littéraire; ce que je voulais, me soulager, aider les autres.

Ce livre n'eut pas de succès. Il eut quelques enthousiastes. Je reçus, parmi la jeunesse, des lettres d'admiration passionnée.

Bien que l'*Essai* n'eût pas eu de succès proprement dit, il avait attiré vers moi beaucoup d'esprits jeunes, de républicains, d'humanitaires, tout ce qui se groupait autour de la *Revue Indépendante,* tout ce qui, plus ou moins ouvertement, prônait la république, comme le docteur Guépin, Eugène Pelletan [37]. J'avais cependant des amis dans le parti libéral attaché à la royauté constitutionnelle, Messieurs de Viel-Castel, Mignet, de Lagrenée, de Bois-le-Comte, le général Delarue, dont la sœur était mon amie; je voyais aussi beaucoup d'étrangers : Sir Henry Bulwer, qui m'apportait ses idées anglaises; le baron d'Eckstein, Henri Heine, le prince Lubomirski, le comte Franz de Schönborn, Confalonieri, George Herweg, G. S..., madame L..., Emerson, Georges..., Bakounine, H... [38].

J'étais passionnée pour l'idée républicaine, mais je ne pouvais avoir le fanatisme. Je n'avais ni les traditions, ni le langage révolutionnaires.

J'aimais la hiérarchie.

Sentiment d'amour pour les humbles, pour les vertus populaires, les paysans, les ouvriers, mais sans l'illusion à la mode de leurs œuvres.

Une personne qui aurait pu m'être très utile, c'était Sainte-Beuve, mais il fut amer, fit du bel esprit, du précieux, voulut faire ses conditions, me quitta blessée, ne parla jamais de moi.

Mes études, mes travaux traversés par des déchirements affreux, mes enfants ôtés violemment, celle que j'élevais auprès de moi, Blandine. J'avais essayé de lutter, consulté les hommes de loi, Lamennais. Il n'est pas permis de choisir une mère à ses enfants. Cette mère qu'on leur choisit était une femme de race juive, qui achève dans les couloirs du Vatican une vie [39].

Mort de ma mère en 1847.

Le mariage de ma fille en 1849 [40] acheva mon entière liberté.

De longs intervalles de spleen.

Grands déchirements et beaucoup de douceur.

CHAPITRE DEUX

Au moment du coup d'État, 2 décembre 1851, je venais d'acheter, dans le haut des Champs-Élysées, un petit hôtel, et, revenant de Croissy, où j'avais laissé ma fille à peine relevée de couches, je m'occupais à disposer nos quartiers d'hiver. Dans cette habitation charmante, qui fut rasée en 1857 par mesure administrative et pour cause « d'utilité publique », j'eus durant l'espace de dix années un cercle de famille et d'amis, un « salon » que les journaux du temps appelèrent « l'Abbaye au Bois de la démocratie ». Ce titre manquait d'exactitude et la chose ne répondait pas au nom. Le nom de « Maison rose », dont nous appelions entre nous cette riante demeure, lui allait mieux. Nous le lui avions donné à cause du ton de brique pâle d'une partie de sa façade, et des massifs de rosiers qui lui faisaient en toutes saisons une florissante ceinture. Elle nous a laissé à tous des souvenirs si doux, que je ne puis me défendre du désir de la faire un moment revivre sous ma plume, avec tout ce qui s'y rassemblait pour me la rendre chère.

La « Maison rose » était située singulièrement, dans une avenue fermée de grilles à ses deux extrémités et plantée d'acacias, entourée de terrains vagues où paissaient les animaux; isolée de toute construction, elle recevait en plein la lumière des cieux.

Vers le couchant, elle avait en point de vue l'Arc de Triomphe. Un homme de goût, le peintre Jacquand [41] l'avait construite. Sa façade aux fines arêtes, en style Renaissance, avait, chose rare, du mouvement et de la simplicité; la distribution intérieure en était originale et néanmoins commode. Deux ateliers, l'un au rez-de-chaussée, l'autre au premier, se transformèrent aisément pour mon usage, l'un en salon, l'autre en bibliothèque; un troisième atelier, au fond du jardin, garda pour ma fille sa destination première. J'ai vu beaucoup d'habitations plus vastes et plus magnifiques; aucune qui dès l'abord donnât une impression plus harmonieuse. On y entrait par une grille flanquée de deux petits pavillons en brique, entrelacée de lierres et de vignes vierges, dont les longs festons se balançant avec grâce et discrètement, nous protégeaient contre les curiosités du dehors. Un colossal « terre-neuve », qui s'ennuyait un peu tout seul dans la cour, passait, à travers la verdure, entre les barreaux, son museau énorme, et, des fenêtres du salon, nous prétendions, à l'éventail de sa queue, deviner lequel de nos amis sonnait à la grille. Un perron de cinq ou six marches, recouvert d'une marquise, donnait accès à l'antichambre, d'où, entre les replis d'une épaisse tenture, on apercevait l'escalier, un petit chef-d'œuvre. Décoré de caissons bleus, rouges et or, sur un fond d'ébène, éclairé par un beau vitrail héraldique, recouvert d'un tapis orangé bordé de noir, il était si doux aux pieds, d'un tournant si agréable à l'œil, d'une lumière si tranquille et d'une si pittoresque élégance, que nous passions très souvent, assises sur ses degrés, nos heures de babil ou de lectures matinales.

A droite de l'antichambre, était un petit salon octogone d'une décoration charmante. La tenture et le divan qui régnait tout autour étaient en velours cramoisi; sur l'ébène et l'or mat de ses trois portes se détachaient, en médaillons, les portraits de grands artistes de la Renaissance italienne :

Dante, Giotto, Guido d'Arezzo, Léonard, Raphaël, etc.
L'image de *Monna Lisa* rappelait l'inspiration féminine
dans ces vies glorieuses. Au-dessus du portrait de Michel-
Ange, je fis écrire l'adage de Salluste : *Pulchrum est bene
facere reipublicae*, comme pour me donner l'illusion que
nous vivions, nous aussi, avec ces Florentins, au sein d'une
fière et belle république. Après ce petit salon venait celui
qui avait servi d'atelier. Il était beaucoup plus spacieux et
je l'avais voulu plus grave. Les peintures des portes et du
plafond étaient couleur de chêne, rehaussées d'or. Une
cheminée sculptée, des tentures en tapisseries flamandes,
le lustre en cristal de roche à reflets d'opale que j'avais
apporté de Croissy pour le suspendre là, un buste en marbre
de Carrare, ouvrage du statuaire toscan Bartolini, une
ouverture unique sur un jardin d'hiver où murmurait, entre
des mimosas, des rhododendrons, des gardénias, un jet d'eau
limpide, donnaient à ce salon un caractère étrange, à la
fois sombre et doux, une physionomie silencieuse et mystérieuse.

Qu'on se figure un tel lieu embelli, animé par toute une
floraison de jeunesse; qu'on y voie aller et venir, s'asseoir
au piano, au chevalet; qu'on y entende chanter, s'égayer
en groupes charmants, une belle jeune femme avec son
petit enfant, bras nus, jambes nues, roulant sur le tapis ou
dormant sur les coussins de velours, deux jeunes filles
blondes et blanches aux yeux d'azur, un adolescent, leur
frère, au front rêveur sous ses lauriers scolaires; un accord
merveilleux enfin de grâce et de suavité, d'intelligence et
d'amour, un printemps, un rêve de maternité... un rêve,
hélas! et l'on comprendra pourquoi, l'ayant eu, je ne me
sentirai jamais ni le pouvoir de l'oublier, ni l'envie d'accuser
le sort [42].

Dans notre douce existence nous avions le goût et l'ému-
lation du travail. La mère donnait l'exemple; tous, jusqu'au
petit enfant, suivaient.

La gouvernante anglaise, quand aboyait le terre-neuve,

le montrant du doigt, disait d'un air grave : « *Dog barking!*
– *Dog barking!* » balbutiait l'enfant avec gravité. C'était
un premier pas vers le monologue d'Hamlet et les chants
de Childe-Harold. La jeune femme, d'un crayon qu'encourageaient Ingres et Flandrin, faisait nos portraits [43]. Dès le
matin, elle s'en allait au Louvre copier les maîtres. Elle
expliquait les auteurs avec un lauréat de l'Université, monsieur Prévost-Paradol, académicien en espoir qui me servait
alors de secrétaire [44]. Ensemble les deux jeunes filles étu-
diaient Homère et Beethoven. Daniel Manin nous guidait
dans *L'Enfer* et *Le Paradis* de Dante [45]. Ni les sciences
naturelles ni les mathématiques n'étaient négligées dans
cette studieuse « Maison rose », sans rien de trop appliqué
pourtant, ni de pédant, ni d'austère; de nombreux amis
nous aidaient. Notre cercle était à la fois sérieux et aimable.
Mes voyages et mes écrits m'avaient mise en relation avec
beaucoup d'étrangers. *L'Histoire de la révolution de 1848* [46],
en cours de publication, m'amenait les hommes éminents
du parti républicain. Il se forma autour de nous un salon,
un salon véritable, animé d'un même esprit libéral, mais
très varié dans ses nuances. Je voyais avec mes relations
anciennes : messieurs le marquis de Montcalm, le baron de
Viel-Castel, de Bourgoing, de Bois-le-Comte, de Courteilles,
de Metz, de Penhoen, d'Eckstein, le général Delarue, etc.,
messieurs Carnot, Littré, Henri Martin, Jules Simon,
Dupont-White, Pelletan, Grévy, Freslon, de Tocqueville, etc., les jeunes illustres aussi dans les lettres et les
sciences, le barreau ou la politique : messieurs Ponsard,
Renan, Lanfrey, Berthelot, Dollfus, Émile Ollivier, Guillaume Guizot, Paul Janet, Louis Ratisbonne; l'émigration
hongroise, Ladislas Teleki, le général Klapka, etc., le moraliste Emerson, le poète Mickiewicz, Georges Herwegh, Karl
Gutzkow, Meyerbeer, etc., des femmes distinguées : la
comtesse de Lützow, la comtesse Pocastro, Fanny Lewald,
la comtesse Karolyi, la baronne de Marenholtz [47].
　　Un esprit de bienveillance régnait parmi nous. La pré-

sence d'une jeune femme et de deux jeunes filles mettait partout la grâce, la réserve délicate. On avait désir de plaire. On se consultait mutuellement sur ses projets, sur ses plans d'études; on se louait avec cordialité. Un jour que l'acteur Bocage venait de nous lire ma *Jeanne d'Arc :* « Vous portez d'un pied léger le fardeau de l'histoire », me dit Michelet avec un accent très fin d'enjouement et de sympathie [48]. De ces mots heureux et aimables, il s'en disait beaucoup à mon foyer, et je crois que les hôtes de la « Maison rose » ne se souviendront jamais sans regret des heures qu'ils y ont passées *.

Cette maison a disparu, il n'en reste pas vestige. Le lieu même où elle s'élevait est à tel point bouleversé, que je ne saurais à cette heure en retrouver aucune trace. Beaucoup d'autres maisons, humbles ou superbes, anciennes ou nouvelles, ont eu de nos jours même sort. Nos foyers s'éteignent un à un. Nos familles se dispersent, un vent aride s'est levé sur tout ce qui nous liait au passé et semble se jouer de tout ce que voudrait l'avenir. Traditions, souvenirs, habitudes, piétés du cœur, le monde serait-il las de vous? Seriez-vous une gêne à ses emportements? une étreinte trop douce aux inquiétudes qui le poussent vers les espaces inconnus? Flamme sacrée du foyer antique, divinité protectrice, beau génie tutélaire et maternel, symbole de perpétuité, vivante conscience de tout ce qui avait même nom et même sang, qu'êtes-vous devenus? Quel triste amas de cendres s'offre à nos yeux, quand nous venons chercher sous vos décombres les traces effacées de l'enceinte où furent nos berceaux!

Nous sommes fiers aujourd'hui de nos travaux immenses, nous parlons haut de nos découvertes, de nos calculs, de

---

* Voici ce que m'écrivait Ponsard dans une lettre datée du Mont-Salomon, près Vienne, le 20 septembre 1854 : « Je regrette peu Paris, mais je regrette beaucoup, et je parle du fond du cœur, votre calme petit palais des Champs-Élysées. Pourquoi est-ce à vous que j'écris? Si c'était à une autre je dirais : Comme cette petite retraite est délicieuse au bout de Paris! Comme la maîtresse de la maison en fait les honneurs élégamment, cordialement, simplement! Comme elle a bien peuplé ses soirées! Comme cela rappelle une épître d'Horace! Comme Voltaire en eût été jaloux à Ferney! »

nos entreprises inouïes. Nous célébrons notre génie, nos principes et nos vertus. Nous inscrivons sur nos drapeaux la fraternité des peuples; nous proclamons l'unité du genre humain. Nous allons loin, bien loin, aux extrémités du monde et de la pensée; nous en rapportons beaucoup de choses que nos pères n'ont point connues. Mais quand nous rentrons chez nous, le chant de nos femmes, le sourire de nos enfants ne nous attendent plus au seuil. La confiance n'est plus au foyer. Nous y sentons je ne sais quelle incertitude qui nous trouble. Notre voix n'éveille plus d'échos sous le toit paternel; hélas! nous n'avons plus de toit paternel.

Cinquième partie

MON ESPRIT ET MES LIVRES

NOTE DE L'ÉDITEUR

Dans son édition, Daniel Ollivier annonce qu'il ne reste rien de la cinquième partie des *Mémoires,* sinon le titre, « Mon esprit et mes livres ».

Le texte que nous donnons ici semblait pourtant bien concerner cette partie ainsi que l'a noté Claire de Charnacé sur la chemise qui l'enveloppe. Il se présente sous forme de quatre feuillets, datés *9 novembre* sans indication d'année, et conservés à la Bibliothèque municipale de Versailles (Ms. F. 770 (6)).

Ceux qui viendront après nous seront-ils émus, pour nos misères, de respect ou de pitié? Verseront-ils des larmes au récit de nos maux ou bien se détourneront-ils avec dédain du spectacle de nos agitations puériles? Nous sommes une génération malade. Une débile précocité nous rend tout à la fois avides et impuissants, pareils à des enfants dont on trompe l'instinct. Il semble que notre âme n'a point puisé aux divines mamelles de la nature le principe de vie. Elle s'est enivrée de breuvages amers. Aussi voyez comme elle chancelle dans sa triste ivresse, comme elle hésite et fléchit à chaque pas et comme se troublent à sa vue les rapports naturels, les providentiels desseins, et jusqu'aux lois de son être! Qui d'entre nous pourrait dire qu'il a vécu simplement, conformément à sa nature? N'avons-nous pas tous « changé nos voies », ne nous sommes-nous pas volontairement égarés et n'avons-nous pas, avec un sinistre enthousiasme, étouffé, broyé, anéanti dans nos cœurs jusqu'aux derniers germes de la joie et du contentement?

Saint-Preux, Werther, René, Obermann, Childe Harold, Manfred [49], nobles insensés, vous avez marché devant nous, tristes et le front levé dans votre désespérance. Vous avez éclairé de vos splendides flambeaux ces pentes fatales qui mènent à l'abîme. De vos lyres brisées, vous avez tiré de si sublimes accents que, pressés d'envie, nous nous sommes élancés sur vos traces, pensant vous atteindre et vous égaler ; mais nous n'avons atteint que votre misère et nous n'avons égalé que votre ennui.

Trois livres presque contemporains et qui appartiennent tous trois par le sentiment à la poésie du doute ont exercé sur moi une influence décisive. Depuis le jour où je les ai lus pour la première fois avec une âpreté fiévreuse, ils ne m'ont plus quittée. Ils m'ont suivie jusque dans cette cellule. Ils sont là, sur ma table. Quelque chose me manquerait si je ne voyais plus leur couverture fatiguée ; si je ne pouvais pas à toute heure ouvrir au hasard une de ces pages qui ont bu les larmes brûlantes de ma jeunesse. Ces trois livres sont *Faust* (il n'est question ici que de la première partie de *Faust,* la seconde n'est pas une lecture de jeunesse), *Volupté, Obermann.* Le premier m'a désabusée du désir de savoir, il a éteint en moi l'espoir de reconquérir par l'étude la foi perdue. L'autre m'a appris trop tôt qu'il est pour l'homme deux amours ; que l'idéal n'a point dans son cœur de sanctuaire où les grossières voluptés n'aient pénétré. Et que la femme aimée n'y trouve point d'abri, point de repli si profond qui n'ait été d'avance souillé par la présence de « l'étrangère ».

Le troisième, bien plus désolé, plus terne et plus morne que les deux premiers, m'a pourtant été moins funeste. Car avec son poison subtil, il apportait un souverain remède. Obermann, le poète d'Immenstrom et de Franchard, a éveillé en moi l'amour de la permanente nature, amour profond, tendre et religieux qu'aucun chagrin n'a pu éteindre, dont aucune passion ne m'a pu détourner et qui m'a fait trouver Dieu dans les entrailles de la terre quand, brisé, abattu, mon esprit se lassait en vain à le chercher dans les espaces infinis du ciel.

Faust est une œuvre dont la grandeur confond l'esprit. Peut-être la pensée humaine n'a-t-elle jamais approché Dieu de plus près que ne l'a fait Goethe. On a reproché à cet homme de ne point aimer. Savons-nous donc si à certaine élévation, il est encore possible d'aimer et de haïr? L'œuvre divine, universelle, infinie, considérée des hauteurs sereines de la contemplation pure, admet-elle un choix, une préférence? La souveraine harmonie des mondes, aperçue et sentie par un vaste génie, ne forme-t-elle pas le cœur à toutes nos passions si mesquines même dans leur héroïsme? Le jeune Werther se tue par amour pour une créature; mais Werther ressuscité par sa force propre, Werther enfant devenu homme, c'est Faust épris de la création tout entière. C'est Faust qui veut se faire Dieu pour la comprendre et l'étreindre dans l'immensité de son amour. Faust est un de ces êtres puissants et terribles dont il semble que la divinité même se soit effrayée lorsqu'elle a dit : « Voici que l'homme est devenu comme l'un de nous, sachant le bien et le mal. Empêchons donc maintenant qu'il ne porte la main à l'arbre de vie, que prenant de son fruit, il n'en mange et ne vive éternellement. »

Obermann, moins puissant, moins superbe, ne veut point être Dieu; il voudrait être homme : homme selon la vérité, selon la nature. Il se sent oppressé dans l'atmosphère viciée de nos civilisations. Il conçoit l'ordre primordial; il ne saurait se ployer aux convenances arbitraires. Il croit à la volonté droite de l'homme mais il gémit de ce que l'homme sincère ne sait plus que vouloir au sein d'une société où règne le mensonge. Obermann se réfugie dans les vallées solitaires. Il borne, il circonscrit la vie. Il en retranche l'activité, il en éloigne l'amour, il n'y veut pas même la vertu. Il va s'asseoir dans les bois de Franchard à l'ombre de la « Roche qui pleure ». Là, il évoque les fantômes de ses jours évanouis, qui glissent pâles à l'horizon en lui jetant ces sombres paroles : « Doute et meurs. »

Amaury, nom du héros dans le roman *Volupté,* plus chrétien dans la conclusion et dans la forme de son langage, assez fortuné pour pouvoir dire : la persuasion au christianisme était innée en moi... toutes les fois que je revenais à bien vivre, je redevenais spontanément chrétien..., Amaury laisse pourtant dans l'âme un secret malaise. Les faiblesses amoureuses, les tendres rêveries de sa jeunesse alanguissent l'esprit bien plus que la vertu trop désolée de sa maturité ne le raffermit. On se révolte contre l'impitoyable austérité d'une religion qui fait mourir Lucie, cette femme chaste et suave, cet ange qui ne se montre que voilé parce que sa beauté n'est pas faite pour des yeux mortels. La souffrance, dans ce livre, est trop continue, trop présente; la consolation trop éloignée, trop amère. Amaury, Amaury, vous n'êtes pas si chrétien que vous croyez l'être, car Lucie pouvait vous aimer sans se dégrader. C'est dans ses bras que vous chercheriez le ciel et vous n'offrez à Dieu, après tout, qu'un cœur que vous sentez indigne d'elle.

Quiconque a lu ces trois livres de toute son âme et de tout son esprit comme je l'ai fait a sucé le venin d'une tristesse irrémédiable; non de cette tristesse flottante des cœurs sensibles, qui se prend aux accidents de la vie, qui s'afflige des effets sans accuser les causes; mais de cette tristesse immobile et fixe de la pensée qui sait que la forme seule du mal varie et que nous portons le principe en nous depuis le berceau jusqu'à la tombe.

> *Wer nie sein Bröd mit Thränen as*
> *Wer nie die kummervollen Nächte*
> *Auf seinem Bette weinend sas*
> *Der kennt Euch nicht, Ihr himmlischen Mächte.*

> *Ihr führt in's Leben uns herein*
> *Ihr lässt den Armen schuldig werden*
> *Dann überlässt Ihr ihn der Pein*
> *Denn alle Schuld rächt sich auf Erden* [50].
>   GOETHE.

Sixième partie

MES RESPECTS
ET MES CURIOSITÉS

Les images et les réflexions qui naissent dans mon esprit, au souvenir de tant de choses et de tant de gens disparus pour la plupart, les comparaisons que j'en puis faire avec ceux qui m'entourent, je me propose de les rappeler ici brièvement, avant que de reprendre le récit plus personnel de ma vie intime. Je donne à ces souvenirs un titre qui pourrait sembler étrange, si je ne l'expliquais pas. « Mes curiosités et mes respects », qu'est-ce à dire ? Tout simplement ceci. Le premier mobile qui m'a fait parcourir, en l'espace de trois révolutions, c'est-à-dire de vingt-deux années, à peu près tous les degrés de la vie sociale, a été la curiosité, une curiosité d'intelligence, passionnée, insatiable, qui voulait surprendre et comprendre le secret des choses de mon temps. Le mobile qui m'a poussée dans les régions les plus distantes vers les hommes de savoir ou d'action dont j'ai pressenti, reconnu, quelquefois exagéré, quelquefois aussi suscité le mérite et les ambitions, a été aussi un respect passionné de cœur et de conscience, qui voulait honorer en eux la grandeur réelle ou présumée, qui souhaitait de s'associer à des desseins généreux et de les servir dans la mesure où je m'en croyais capable. Curiosité. Respect. Curiosité de tout ce qui me semblait nouveau, singulier. Respect de tout ce qui me semblait beau, vrai, héroïque. Ce sont là les deux penchants les plus prononcés, les plus caractérisés de ma vie de relation. Et c'est pourquoi j'inscris ces deux mots en tête d'un livre où j'entends uniquement parler, sans trop en chercher la suite, de ce qu'il y a eu de plus extérieur et de plus accidentel dans ma vie.

Enfin, voici les seules pages du chapitre dernier des Mémoires : *« Mes dernières pensées », qui aient été écrites par madame d'Agoult.*

DERNIÈRES PENSÉES

I

La vie est un privilège. Au sein de l'immensité, tout y aspire. Mais, selon l'adage fameux, s'il est beaucoup d'appelés, peu sont élus. Puis, dans l'univers des élus, sur la vaste scène du monde, tout encore n'est que privilège, inégale distribution, apparente injustice, disgrâce ou faveur divine.

Lorsqu'on songe à l'effroyable chaos d'où notre sphère a tiré sa forme harmonieuse et son paisible aspect, si, par le double effort de la science et de l'imagination, l'on parvient à se figurer la multitude des races ébauchées, avortées, disparues de la surface du globe, sans y avoir eu apparemment d'autre office que celui d'assouvir je ne sais quel appétit brutal et convulsif de la nature monstrueuse, si l'on considère ce qui se produit encore sous nos yeux de difformités et d'avortements, les nations, les familles, les hommes déshérités, sacrifiés, venus au monde sans beauté, sans génie, sans vertu, sans capacité de culture et de progrès, la pensée se confond et renonce à mesurer toute l'étendue du privilège dont on a été l'objet, en naissant de noble race, d'un sang pur, à une époque, dans une contrée, sous la loi d'un peuple de grande civilisation et de mœurs polies.

Ce privilège me fut dispensé libéralement. La vie fut pour moi le don brillant d'une puissance généreuse, et, s'il pouvait vouloir de la reconnaissance, j'en devrais assurément beaucoup au Dieu inconnu qui gouverne l'espace et la durée, distribue, combine et détermine toutes choses dans la métamorphose éternelle de l'Être infini.

De ce don gratuit de l'existence, qu'ai-je fait? De cette parcelle de l'infini qui m'est échue, quel compte ai-je à rendre à moi-même, à la famille humaine au sein de laquelle je suis née, et dont j'aurai été un membre digne ou indigne? S'il venait à m'interroger, que répondrais-je au Dieu inconnu qui, par une longue suite d'élections, a tiré du fond des ténèbres mon âme endormie et l'a fait surgir dans les plus hautes régions de la vie à la pleine clarté des cieux?

C'est la question que tout homme raisonnable ne peut manquer de se faire, lorsqu'il voit, sur le déclin des jours, ses heures couler plus rapides, à mesure qu'elles sont moins remplies, et se précipiter vers une fin fatale qui va le replonger dans ces ténèbres d'où il est à peine sorti.

A défaut de tout autre témoignage, une telle interrogation, quand il se la pose à lui-même, ne suffit-elle pas pour attester dans l'homme la conscience et, au fond de cette conscience, un idéal de justice et de liberté qui, n'étant jamais satisfait dans la vie d'ici-bas, semble lui promettre une vie supérieure?

Je n'entends pas dire que ce soit là une preuve, mais n'est-ce pas du moins une présomption très forte de notre immortalité?

Quoi qu'il en soit, la faculté, le besoin commun à tous les hommes de s'interroger, de s'examiner, de juger soi-même selon les notions désintéressées du bien et du mal, du beau et du laid, a été chez moi, plus que chez beaucoup d'autres, constant et vif. Je suis née consciencieuse et religieuse. Sévère envers moi-même dans mon for intérieur, jamais, au plus violent des passions, sous le coup des plus cruelles injustices, je n'ai rejeté la loi morale. J'ai toujours incliné à chercher en moi, plutôt qu'en dehors de moi, la cause de mes souffrances. Bien qu'incessamment ébranlée par le spectacle de la nature et l'étude de l'histoire, la croyance en une justice divine a toujours fini par l'emporter dans mon âme sur le doute ou le désespoir.

Mais de quelle manière s'exerce cette justice, et quelle est la loi où elle se fonde, pour y rapporter le devoir de l'homme, y mesurer son mérite ou son démérite, y conformer sa pensée ou sa récompense?

Une telle loi existe nécessairement, car sans elle nous ne saurions concevoir l'ordre et la durée des choses humaines. Mais, autant sa nécessité s'impose à notre entendement quand nous considérons l'absolu, autant, essayons-nous de la constater dans le contingent et le relatif, elle se dérobe à nos prises. Il faut bien en convenir, après tant de millions de siècles écoulés depuis son apparition sur le globe dont il se proclame roi, l'homme ne possède encore que des notions vagues sur sa propre nature et sa destinée. Il ignore quel il est, d'où il vient, où il va. Il en est réduit, pour se conduire, à des instincts plus confus que ceux des animaux, aux conjectures hasardées de son génie, aux clartés douteuses de sa raison.

A l'heure où nous sommes, il dispute plus que jamais sur toutes les matières importantes qui occupent sa pensée, et sur cette pensée elle-même. Est-elle esprit ou matière, cause ou effet, création ou génération? C'est en vain jusqu'ici qu'il a prié les dieux, interrogé la nature et sondé les replis de sa conscience, le mystère est partout, en lui, autour de lui; on dirait que plus il y plonge hardiment d'une curiosité plus intense, plus d'âge en âge l'abîme infini se creuse et la vérité s'obscurcit.

II

Tout homme apporte en naissant, dans un impénétrable mystère d'hérédité, les inclinations originelles qui, favorisées ou contrariées par les circonstances, redressées ou faussées par son éducation, dirigées ou abandonnées par sa volonté, conscientes ou inconscientes, détermineront son caractère et feront sa destinée.

Quand la destinée qui s'ouvre devant un homme se rapporte, selon notre jugement, à son caractère, nous le trouvons naturel et conforme à ce que nous croyons savoir de la loi divine, mais, le plus souvent, c'est le contraste qui s'accuse et par suite la souffrance, une souffrance profonde, inexplicable, irrémédiable et qui nous paraît contraire à Dieu.

Cette souffrance fut la mienne. J'apportais en moi en entrant dans l'existence, je tenais sans doute de l'hérédité du sang germanique deux inclinations passionnées : dans mon intelligence, la soif de tout connaître, dans mon cœur, l'impérieux besoin d'aimer et d'être aimée. Ces deux passions innées auxquelles des facultés, des dons peu communs semblaient promettre une satisfaction entière et qui, dans leur libre essor, eussent porté mon âme aux plus sereines hauteurs de la vie, n'ont été dans un milieu qui leur était contraire, en lutte avec des circonstances opposées, qu'une force perturbatrice. Elles ont été, en moi et autour de moi, une cause de trouble; elles m'ont jetée hors de la loi, en révolte contre l'opinion, contre tout ce que les hommes, de mon temps et de mon pays tenaient pour certain, nécessaire et sacré. Rien de moins conforme à ma nature. Tout en elle était douceur, piété, respect, soumission. Ni orgueil, ni emportement, ni audace, aucun entêtement à mon sens ou à ma volonté propre, le désir de la conformité non du conflit avec l'opinion reçue, et, ce qui n'est pas aussi rare qu'on pourrait le supposer, avec toutes les hardiesses, tous les enthousiasmes de l'esprit et de l'imagination, une timidité extrême.

Il est très difficile à cette heure de se bien représenter ce qu'était l'opinion et quelle était sa puissance dans la société aristocratique, superbe de son antiquité, exclusive et dédaigneuse où je fus nourrie. La vieille noblesse de cour revenue d'émigration avec ses Princes n'avait vu en tout pays autre chose qu'elle-même, dans la Révolution qu'une atteinte à ses droits imprescriptibles. Aux privilèges qu'elle avait perdus elle suppléait par un redoublement de mépris pour les idées, pour les mœurs, pour les personnes nouvelles. Elle en détournait la vue. En dehors de ses traditions, de ses bienséances, de ses superstitions catholiques et monarchiques, il n'existait à ses yeux qu'indignité, immoralité, impiété. Et, comme cette hauteur de jugement s'appuyait encore, même après de longs revers, sur une supériorité positive de richesse, de crédit, d'honneurs, comme elle se revêtait du prestige des grandes manières et des grandes élégances, comme elle parlait une langue chevaleresque, comme elle se faisait à elle-même une complète illusion, elle s'imposait noblement et régnait en souveraine.

Contre une telle domination de l'opinion établie que pouvaient les vagues instincts, les pressentiments confus, la faiblesse et l'ignorance d'une enfant, d'une jeune fille? Hélas! quand le discernement nous vient, c'est presque toujours trop tard. La connaissance de nous-même qui, plus tôt, nous eût sauvé, à quoi nous servira-t-elle désormais? A mesurer l'écart entre ce que nous sommes devenu et ce que nous aurions pu être.

Expier sans trop murmurer, s'efforcer courageusement mais vainement de réparer l'irréparable, n'est-ce pas la stérile vertu des meilleurs d'entre nous, quand la dure loi de la vie apparaît enfin à notre expérience tardive et inutile?

Le sens moral du peuple germanique s'est toujours révolté contre une aussi détestable perversion de l'idée de mariage. Mais chez nous, le scrupule ne fait que de naître et la coutume est si forte, que l'on risquerait encore de passer pour romanesque si l'on tenait plus de compte, en faisant une alliance, de la joie des époux que de la satisfaction des parents.

Ce n'est pas à dire qu'envers moi, non plus qu'envers d'autres jeunes filles de ma génération, on usât de contrainte et que, forçant notre consentement, on nous chargeât malgré nous de chaînes odieuses. Le pouvoir paternel refréné par la Révolution ne s'emportait plus à de tels excès. Les vœux du mariage, comme les vœux du cloître, étaient libres, ou du moins paraissaient tels.

Mais combien cette liberté était trompeuse et comme tout conspirait à la rendre vaine! Dans l'éducation du foyer, un silence absolu, systématique sur tout ce qui se rapporte à l'union des sexes. Dans l'enseignement de l'Église, l'attrait qui porte l'un vers l'autre l'homme et la femme, le droit d'aimer, réprouvés comme une faiblesse de la chair, un péché que nous ont transmis nos premiers pères; le sentiment de la beauté suspecté comme un dangereux héritage du paganisme; la vertu chrétienne fondée sur le mépris des sens, la volupté confondue avec l'impureté, la nature opposée à Dieu, les sources de la vie frappées d'anathème.

Dans les discours de la sagesse mondaine enfin, l'amour représenté comme une illusion passagère de la jeunesse, comme une chimère des imaginations romanesques, qui, à peine entrevue, s'évanouit, ne laissant rien après soi qu'un vide affreux.

C'était assurément beaucoup plus qu'il n'en fallait, pour étouffer chez des êtres à peine éveillés à la vie les voix indistinctes de la nature. Les mariages de convenance se faisaient chez nous sans difficulté. Surexcitée par les préjugés d'une éducation très frivole, la vanité des femmes y trouvait son compte; l'extrême liberté des mœurs du grand

monde leur offrait d'ailleurs mille moyens d'échapper aux
ennuis du ménage et de la famille; elles ne sentaient guère
la pesanteur du joug conjugal et le portaient avec grâce.
Aussi, n'entendait-on dans cette société brillante et polie
que fort peu de plaintes. La coutume y corrigeait la loi;
d'un accord tacite tout s'y éludait; la galanterie y tenait
lieu d'amour; les plaisirs y prenaient la place des passions,
et l'absence de bonheur n'y était sensible à personne.

III

La plus grande difficulté morale de la société nouvelle
que nous voyons, ce sera sans contredit de se dégager peu
à peu, par ses opinions et ses sentiments, de la société
ancienne, la loi du mariage étant réformée selon le vœu de
la nature mieux connue, et selon la conscience de l'homme
mieux éclairée.

Assurément toujours, en tous temps et en tous lieux, le
type du mariage restera ce que l'ont fait l'Église chrétienne
et le sacrement catholique : l'union exclusive, indissoluble,
unique s'il se peut, d'un seul homme et d'une seule femme.
C'est le suprême idéal qui répond au vœu du sage, et qui
établirait dans les mœurs la pureté la plus parfaite. Se
rapprocher incessamment de la perfection absolue, c'est le
besoin inné, c'est l'heureuse nécessité imposée à l'homme,
c'est le devoir; y atteindre jamais c'est la généreuse illusion.
Il faudra donc que le législateur, tout en acceptant l'idéal
tracé, on pourrait le croire, d'une main divine, pour la plus
rare élite du genre humain, vise dans l'institution du mariage
à cette excellence relative, où suffisent les vertus moindres
de la généralité des hommes, incapables de sainteté, mais
capables de raison et qui n'accordent pas leur bonheur à

la tonalité des âmes héroïques, mais qui savent le régler suivant la loi des âmes bien nées.

Ce qu'il sera possible de faire à cet égard, ce que suggéreront les mœurs et l'opinion dans une société affranchie de toutes les superstitions et qui ne consentira plus à chercher en dehors d'elle-même, au-dessus de l'humanité, dans le mystère et le surnaturel, en vue d'une existence future, la règle de sa vie, il serait téméraire au moment présent de vouloir le préciser; ce que l'on peut affirmer sans hésitation en suivant dans le passé la marche de l'esprit humain, c'est que de plus en plus dans l'institution du mariage comme dans toutes les autres, l'homme voudra plus de liberté, plus d'équité, plus d'amour, un équilibre mieux établi entre le droit d'être heureux et le devoir de souffrir.

S'il est des souffrances salutaires et qui accroissent en nous les vertus, il en est d'autres, et malheureusement c'est le plus grand nombre, où s'usent, où se perdent, sans nul profit pour personne, le meilleur de nos forces physiques et morales : celles qui se produisent dans le mariage indissoluble, lorsqu'il unit deux êtres incompatibles, dont les sens, le cœur et l'esprit, sans aucune affinité, s'offensent et se repoussent d'autant plus qu'ils se voient contraints à une intimité plus étroite. Ces souffrances résignées ou révoltées sont de telle nature que personne, et je n'excepte pas celui-là même qui les a le plus vivement ressenties, n'en saurait faire comprendre les effets entièrement funestes.

Chez la femme surtout, où l'union des sexes exerce sur l'être moral autant que sur l'être physique une action trop peu étudiée encore, mais évidemment beaucoup plus importante que chez l'homme, les désirs trompés de l'âme et du corps, la répulsion de la chair et de l'esprit aux étreintes du lien conjugal, la fécondité involontaire de l'indifférence ou de l'aversion, causeront des altérations profondes.

La maternité elle-même en souffrira; la race tout porte à le croire, sa beauté, son génie. Moralistes et physiologistes ensemble le reconnaîtront un jour. Le rayonnement de l'amour est aussi nécessaire à la complète éclosion du génie humain que le sont au germe végétal la chaleur et la lumière.

IV

Il est faux, quoi qu'on en ait dit, que la maternité soit la vocation unique de la femme. Si profond ou si exalté qu'on le suppose en elle, l'amour des enfants ne saurait, à l'exclusion de tous les autres amours, absorber toute sa puissance d'être, ni remplir sa destinée.

La fonction maternelle, sans parler des cas nombreux où elle est absente, n'occupe activement qu'un espace de temps limité. Avant, pendant et après, la femme existe, par elle-même et pour elle-même, en tant que personne humaine. Non moins que l'homme, elle est douée de facultés très variées qui lui créent dans la maison, dans la patrie, dans l'humanité, des devoirs et des droits qui l'appellent manifestement à des fonctions multiples.

Il est plus faux encore, bien que tel soit l'enseignement d'une Église qui prétend posséder la vérité absolue, il est entièrement contraire à la raison de croire, que la vertu essentielle de la femme consiste dans le renoncement à sa vie propre, qu'obéir et pâtir soit la loi du sexe féminin, et que, par suite d'un incompréhensible décret du Dieu créateur, en Ève plus qu'en Adam, dès les premiers jours du monde, toute volonté fût perverse et toute volupté coupable.

Différemment, mais aussi complètement que l'homme, la femme est organisée en vue d'une activité rationnelle, dont le principe est la liberté, dont le but est le progrès et dont l'exercice, au sein d'un état social qui perpétuellement se transforme, ne saurait être arbitrairement circonscrit ou déterminé par notre présomptueuse sagesse.

Sur ce point la tradition biblique, qui va s'effaçant de plus en plus, oppose au sens commun révolté une résistance très faible. L'inégalité des deux sexes, sous une loi tyrannique, dans une condition lamentable, à jamais maudite de Dieu, c'est là un concept inadmissible pour la conscience moderne qui partout veut le droit égal, c'est là une offense au génie humain dont la puissance bienfaisante, à mesure qu'elle se connaît mieux, combat avec plus d'ardeur et partout espère de vaincre l'antique fatalité du Dieu jaloux.

FIN

ANNEXES

LE VOYAGE EN SUISSE

NOTE DE L'ÉDITEUR

Les pages qui suivent sont à notre connaissance inédites. La comtesse d'Agoult y relate son départ de Paris après sa rupture avec le comte d'Agoult, en 1835, les discussions qu'elle eut à Bâle avec sa mère et son voyage en Suisse avec Liszt jusqu'à leur installation à Genève.

Le manuscrit original a disparu. Il comprenait quatre chapitres en vingt-cinq pages et il fut probablement brûlé par la fille aînée de madame d'Agoult, Claire, comtesse puis marquise de Charnacé. Par chance, avant de procéder à l'autodafé demandé ou non par sa mère, celle-ci crut utile de recopier l'essentiel de ces pages dans un cahier rouge qui fut déposé à la Bibliothèque municipale de Versailles par monsieur Feliciano de Oliveira, en 1965. Ce cahier comprend aussi les copies d'un grand nombre de lettres et de documents fort instructifs qui concernent les relations de la comtesse d'Agoult avec sa famille.

Nous reproduisons ici intégralement le texte de Mémoires qui y figure, les pointillés indiquant des passages coupés par Claire de Charnacé elle-même. En notes, nous donnons, lorsqu'elle les a indiquées en marge de sa copie, les raisons de telles coupes. Elles paraissent assez justifiées.

Faut-il souligner l'importance d'un texte qui raconte en détail les premiers jours de vie commune que partagèrent les amants? De leur excursion, on connaissait seulement l'itinéraire grâce à l'agenda de Franz Liszt déposé à la Bibliothèque nationale.

La comtesse a probablement rédigé ces pages très vite après son installation à Genève, ou en tout cas, bien avant le mois d'octobre 1839, date de sa séparation physique avec Liszt. Le ton qu'elle emploie envers son amant en témoigne.

I

Le dimanche 31 mai, j'arrivai à Bâle, après une route de quatre jours environ avec mon beau-frère [51]. C'est un des hommes que j'ai le moins connu et le plus aimé en ma vie. Depuis mon mariage, nous étions devenus, pour ainsi dire, étrangers l'un à l'autre et pourtant, en dépit des graves événements qui avaient tissé la trame de nos destinées, un souvenir plein de mélancolie et de tendresse nous était resté à tous deux d'une époque fugitive où son cœur mûri, mais non flétri par l'expérience, recevait et savourait comme un parfum matinal, les naïfs épanchements d'une âme instinctivement souffrante et frappée à l'avance du vague pressentiment d'un avenir implacable.

Depuis lors un malheur continu, oppressant, semblable à une chape de plomb qui courbait incessamment mes pensées et étouffait mes sentiments les plus intimes; un malheur pour lequel je ne voulais ni pitié ni compassion ni dédommagement m'avait isolée moralement de tous ceux avec lesquels j'avais vécu auparavant dans une communion d'affection et de pensées. Cette souffrance égoïste, qu'aucune larme n'amollissait, avait desséché mon cœur; il conservait bien encore quelque réminiscence du passé; quelques vestiges de jeunesse et de poésie, mais ces souvenirs n'y avaient plus de vie et ressemblaient à ces froides empreintes que laissent les fleurs dans les pétrifications des montagnes; phénomènes curieux, que le plus grand nombre aperçoit à peine, que les savants expliquent, mais dont Dieu seul a le dernier mot et l'impénétrable secret.

Rebutés, découragés par ma froideur apparente, la plupart de mes amis avaient renoncé à sonder le mystère de ma tristesse; ils se plaignaient entre eux de l'action toute répulsive que j'exerçais par le seul fait de mon silence, silence inoffensif, égal et doux à la vérité, mais au fond duquel leur susceptibilité avait deviné une sorte d'indépendance hautaine et dédaigneuse qu'ils ne pouvaient ni comprendre ni pardonner. Plus qu'aucun autre, Ehrmann avait subi cette impression pénible; et me retrouvant après quatre ans d'absence, au moment où je venais de rompre, contrairement à toutes les idées reçues de convenances, de devoir et de prudence, des chaînes portées sans murmure pendant l'espace de huit années; alors qu'un dernier et irréparable malheur devait avoir retrempé ma raison et affermi ma résignation, il s'étonna à bon droit de n'apprendre par moi aucun des motifs déterminants qui avaient pu me rendre sourde aux observations de ma famille, et qui me faisait aborder, malgré tous leurs avis, une position presque intenable dans la société. Pendant tout le temps de son séjour à Paris, je ne lui parlai que peu de moi; et cela en termes si généraux, si peu explicatifs, qu'il ne put juger de l'état de mon âme que sur des indices fugitifs, des observations vagues, conjecturales, dont sa pénétration habituelle, éclairée encore par le vif intérêt qu'il prenait à moi comme malgré moi, lui faisait tirer des conclusions assez approchantes de la vérité.

Nous montâmes en voiture dans les dispositions les plus étranges entre gens qui s'aiment : lui peiné, choqué, froissé de mon manque de confiance, décidé à ne pas faire un pas, à ne pas dire une parole pour la provoquer; et se demandant comment nous passerions quatre journées d'un tête-à-tête non interrompu sans sortir des conversations banales qui mentaient si gauchement à nos constantes préoccupations;

moi le cœur et l'esprit perdus, abymés [*sic*] dans un chaos de pensées diverses et contradictoires; une lutte des ténèbres et de la lumière où je voyais apparaître et s'évanouir tour à tour toutes les images terribles ou riantes, radieuses, mornes ou glacées sous lesquelles les diverses phases de ma vie passée et les sombres espérances d'un avenir inconnu se manifestaient à moi et se rendaient, pour ainsi dire, visibles à mes yeux. Et d'abord, une pierre funéraire, à peine scellée, recouvrant une fosse nouvellement creusée, où des vers immondes se disputaient silencieusement le corps de celle qui fut ma fille bien-aimée [52]; et tout auprès, comme une pâle fleur des tombeaux, courbant sa tête sous la pluie d'or de ses longs cheveux blonds, le visage raphaélique de celle que je venais de quitter [53]; mon regard s'arrêtait avec une amère et douloureuse complaisance sur l'azur limpide de ses beaux yeux où l'on eût dit qu'aucun objet terrestre ne s'était jamais reflété, tant ils avaient de pureté, de transparence, et de suavité angélique. Puis à côté de cette image de jeunesse et d'avenir, la figure presque éteinte de ma mère, déjà si fatiguée de vivre et dont mon impitoyable résolution allait obscurcir et dénuder encore les jours si froids, si couverts d'ombre et si dépouillés par l'haleine sépulcrale de la vieillesse et de la mort. Puis enfin « lui », ce foyer vivant de lumière, de force et d'amour où mon âme affaissée sous le fardeau de la vie, hésitant à chaque pas et flottant au souffle incertain d'un scepticisme contraire à sa nature, et d'un désenchantement prématuré, sans cesse démenti par des aspirations intérieures; lui, cette source d'eau vive où je puisais incessamment une énergie nouvelle et de puissantes facultés de vouloir, de sentir et d'aimer... Il était là aussi, ou plutôt, non il n'y était pas, mais tout était en lui; je ne voyais plus rien qu'à travers son amour qui s'étendait comme un immense voile sur les souvenirs, les craintes et les espérances de ma vie et les confondait en une harmonie triste et austère mais grande et sublime comme les neiges des Cordillères, les vastes plaines des Pampas ou les sables des Pyramides.

Entièrement absorbée par ce travail intérieur qui me faisait remonter un à un tous les chaînons de ma déplorable existence, j'avais à peine la conscience de ce que je faisais en mettant le pied dans cette voiture de laquelle je ne devais redescendre que lorsque je serais parvenue hors de mon pays, hors de la société dont j'allais enfreindre toutes les lois, violer tous les principes, secouer tous les préjugés, fouler aux pieds tous les enseignements... Je n'avais point de plan de conduite arrêté avec mon beau-frère; je ne voulais ni tout dire, ni rien dissimuler. J'aurais voulu me laisser deviner et c'eût été chose facile si le rigorisme de son principe passif s'y fût prêté quelque peu. Le premier jour, je me livrai avec une joie presque enfantine au bonheur d'aspirer un air pur, de fuir de toute la vitesse de nos chevaux cette ville bruyante, étouffée, dont chaque pierre avait une voix pour me crier : « malheur »! « malheur »! Le mouvement rapide et insensible qui m'entraînait à travers des paysages dont la changeante fantasmagorie attirait sans cesse mon regard sans qu'il pût s'y fixer sur aucun objet déterminé; les mille accidents insignifiants d'un voyage, la voiture avec laquelle on change de chevaux, les traits qui cassent, le postillon qui jure, les supputations qu'on fait la montre en main pour calculer à la minute l'arrivée à une auberge où il serait fort indifférent d'arriver une heure plus tard; tout ce qu'on entend sans écouter, ce qu'on voit sans regarder, ce qu'on dit sans y songer vous plonge dans une sorte de quiétude somnolente, de léthargie morale infiniment salutaire à quiconque a besoin de se fuir lui-même pour trouver le repos.

Je finis par me laisser aller à l'oubli des choses, sachant bien qu'elles me ressaisiraient assez tôt, et sentant peu à peu mes souffrances engourdies et assoupies au-dedans de moi, je cédai à l'attrait irrésistible d'un esprit sympathique, plein de finesse et d'originalité, d'une causticité déguisée et d'une gaieté philosophique. Je me mis à causer de moi, de mes opinions, de mes goûts, de mes sentiments intimes; et sans nommer personne, sans spécifier aucun événement, je me laissai voir d'abord telle que Dieu m'avait faite, et puis telle que la fatalité sociale m'avait rendue; il me vit ce que j'étais devenue : tout à la fois sceptique et superstitieuse, froide et exaltée, égoïste et dévouée, morte à toutes choses et vivant pour un seul être...

Plus d'une fois une larme vint effleurer sa paupière; plus d'une fois sa main en serrant la mienne semblait me dire, me disait en effet : « Je vous comprends, je vous devine. » Mais ses lèvres restèrent muettes; il paraissait craindre aussi le réveil d'un rêve dont son âme fatiguée voulait prolonger la durée; l'expiration d'une trêve avec le malheur qui l'avait déjà si rudement frappé et dont il pressentait encore la venue fatale et prochaine comme les oiseaux des champs devinent par instants, dans la pesanteur de l'atmosphère, les approches d'un orage terrible et destructeur.

Nous arrivâmes à Bâle sans que rien de positif eût été dit, et nous descendîmes à l'hôtel des Trois Rois où il était à peu près convenu que j'attendrais ma mère que nous supposions encore à Francfort. Mon plan avait été, dans les quelques jours d'intervalle qui s'écouleraient entre le départ d'Ehrmann et l'arrivée de Franz, de lui « écrire » mes terribles adieux, car je me sentais défaillir à l'idée de la voir accourir les bras ouverts pour y serrer sa fille bien-aimée, l'objet constant d'une partialité non avouée, le sanctuaire où elle avait déposé tout ce qu'il y avait encore en elle de terrestre et d'humain. Son orgueil de mère, sa faiblesse de femme, son ambition, sa vanité même, elle avait tout mis en moi et croyait, pauvre mère! que son cœur si dévoué, si aimant, si entièrement mien, me serait un abri contre tous les orages, un refuge contre toutes les douleurs, un asyle [*sic*] sacré où la fatalité n'oserait me poursuivre, où le malheur ne m'atteindrait jamais!

Je frémissais à l'idée de renverser d'un mot toutes ses

espérances, de frapper de néant son amour et sa tendresse infinis, et de briser de mes propres mains le lien sacré qui l'attachait à moi, le seul peut-être, hélas! qui la retînt encore à la vie. Aussi je pâlis lorsque mon beau-frère, entrant dans ma chambre quelques heures après notre arrivée, me remit une lettre dans laquelle elle annonçait que le soir même elle serait près de moi... Je me sentis glacée lorsqu'elle me serra dans ses bras et le peu d'heures qui s'écoulèrent entre son arrivée et le départ d'Ehrmann, que des affaires pressantes appelaient à Francfort, furent de ces heures semblables à celles qui précèdent l'exécution d'une condamnation capitale; heures funèbres, pesantes, chargées de vertiges et de sombres terreurs; qui tantôt paraissent se traîner à peine comme enveloppées d'un linceul et tantôt vous échappent avec rapidité et comme emportées sur les ailes d'un démon de l'enfer qui se rit de vous et de vos angoisses mortelles.

Je me demandais si je devais ouvrir mon cœur à Ehrmann; m'en remettre à lui du soin d'apprendre à ma mère ma fatale résolution, et sinon la consoler au moins de pleurer avec elle; mais je ne sais quelles appréhensions vagues me retenaient. F[ranz] n'était point arrivé; il me semblait confusément que l'on pouvait encore me séparer de lui; mon cœur et mon esprit, affaiblis par une tension continuelle, éloignaient instinctivement le moment d'agir. Ehrmann paraissait en proie à une lutte violente; elle se trahissait à son insu dans l'accent bref et saccadé de sa voix; dans des mouvements nerveux presque convulsifs, et surtout dans le soin qu'il apportait à éviter mes regards. Nous dînâmes ainsi tous trois réunis; souffrant l'un par l'autre d'une souffrance sourde et comprimée et jetant au hasard dans la conversation de ces paroles sans couleur et sans vie qui froissaient à chaque minute ce qu'il y avait de si douloureux dans nos cœurs. Enfin lorsqu'on vint annoncer que ses chevaux étaient mis, je courus à ma chambre; j'écrivis à la hâte et comme en délire quelques lignes qui lui disaient mon projet; et en les lui remettant j'exigeai la promesse qu'il ne les ouvrirait qu'à Francfort... « Grand Dieu! qu'est ceci? » s'écria-t-il avec un mélange de surprise et de terreur... puis il me serra contre sa poitrine et s'arrachant de mes bras, il me laissa tomber sur une chaise, fondant en larmes, étouffant d'amers sanglots... Depuis cet instant jusqu'à celui où je pus de nouveau reposer ma tête contre le cœur de F[ranz], je ne puis dire si j'ai vécu; sous prétexte d'une extrême fatigue, j'avais demandé à ma mère de rester quelques jours à Bâle avant de nous mettre en route pour le château du Wolfsberg où nous devions passer un mois. Mes conversations avec elle étaient un supplice presque au-dessus de mes forces. Ses projets de voyage avec moi, ses plans d'avenir, ses questions toutes maternelles sur moi et tout ce qui me concernait, étaient autant de coups de poignard enfoncés dans une plaie saignante. J'inventais mille raisons de m'éloigner d'elle et de demeurer seule dans ma chambre. Là assise à ma croisée ouverte, la tête cachée par mes deux mains, j'écoutais dans un religieux silence le brisement tumultueux du Rhin contre les piliers du pont qui unit ses rives. Je contemplais le cours rapide et majestueux pourtant de ce roi des fleuves d'Europe,

.... 54

Enfin, une lettre remise par un commissionnaire m'apprit que F[ranz] était arrivé et m'attendait à un hôtel voisin de celui où je logeais; j'y courus aussitôt et dans cet instant, comme toujours lorsqu'il m'ouvrait ses bras et que je me sentais étreindre puissamment contre sa mâle poitrine, tout fut oublié. Une joie enfantine me vint au cœur; épanouit mon visage et me mit à l'esprit mille pensées folles, qui se faisaient jour dans un flux de propos incohérents, de paroles inutiles, capricieuses, divagantes; sorte d'ivresse de l'âme que je puisais à longs flots dans son regard, dans son sourire, et qu'en certains moments, une seule parole eût pu facile-

ment convertir en une folie permanente, en un délire ingué-
rissable! Et cet accès d'une gaieté insensée dans un moment
si solennel semblera bizarre aux gens qui croient encore
qu'il est des héros de roman, tout d'une pièce; toujours en
complète harmonie de pensée et de sentiments avec la
situation où ils se trouvent; toujours sublimes dans le
dévouement, tristes dans la douleur, stoïques dans l'adversité, héroïques dans le danger. Il n'en est point ainsi de
notre pauvre nature, faite à l'image de Dieu, il est vrai,
mais faite d'un peu de boue et de sable, et partant toujours
double, complexe, contradictoire, souvent capable de grandes
choses en effet, mais presque toujours petite, mesquine dans
les détails de ces choses mêmes; se reposant d'un héroïsme
momentané par des joies et des pensées triviales; d'une
extase passagère par des préoccupations grossièrement
matérielles; du dévouement de toute une vie par des retours
journaliers de personnalité et d'égoïsme; d'une minute de
poésie, en un mot, par des heures de prose.

Après les premières effusions d'une tendresse naïve qui
apaisait comme par enchantement le désordre de nos pensées, nous convînmes ensemble que dès le lendemain je
parlerais à ma mère et que nous quitterions Bâle quelques
jours après. Depuis ce moment, je fus en proie à une fièvre
dévorante, faisant et défaisant en une seconde vingt plans
divers dans le but d'atténuer à ma pauvre mère l'effet du
coup que j'allais lui porter; essayant de me figurer ses
larmes, ses gémissements, ses supplications, ses reproches;
et me demandant si je resterais ferme, inébranlable, sans
pitié sans remords?... J'écrivis une longue lettre que je lus
et relus vingt fois, sans bien me rendre compte de ce qu'elle
contenait. Les caractères de mon écriture me brûlaient les
yeux; c'était du poison que je distillais; et pour qui? Grand
Dieu! pour celle qui m'avait donné son lait à la première
heure de mon existence; et qui depuis eût donné son sang
pour prolonger ou pour embellir chacune de celles qui
marquèrent le cours d'une vie que sa sollicitude obstinée

avait tant de fois victorieusement disputée à la mort. Cette lettre, qui contenait tout à la fois le premier aveu de mon amour pour F[ranz] et l'annonce d'une résolution invincible de lui consacrer tout ce qui me restait de vie, je la gardai toute une nuit sous mon chevet et le lendemain, je la lui fis remettre (comme une lettre que j'aurais reçue pour elle [55]). J'attendis dans une morne stupeur, durant tout le temps qui lui était nécessaire pour me lire; et lorsque j'entendis s'ouvrir la porte de sa chambre, il me sembla que mon cœur cessait de battre. Mes yeux se fixèrent en terre; tout en moi devint immobile. Je sentis tout à coup, dans les profondeurs de mon être, une sensation pareille à ce que doit éprouver la goutte d'eau qui se congèle, la lave bouillonnante qui se calcine [56], la plante qui se pétrifie dans l'eau miraculeuse, l'homme atteint et frappé soudain d'une paralysie mortelle... Ma mère entra; elle accourut se précipiter à mes genoux; et durant plusieurs heures, ses paroles, ses larmes, son silence même essayèrent en vain d'émouvoir un cœur dont le désespoir avait à ce point tendu toutes les cordes que l'amour seul avait puissance de les faire vibrer encore. Elle ne m'arracha que de vagues protestations de reconnaissance; et des raisonnements froids et calmes contre lesquels venaient se briser les accents de sa douleur. Bientôt fatiguée, épuisée par des émotions si violentes et si inattendues, elle parut avoir peine à rassembler ses idées et, dominée surtout par l'appréhension de mon départ subit, elle me fit jurer de ne pas la quitter sans un dernier adieu. Nous nous séparâmes; et je passai la nuit dans une sorte de cauchemar épouvantable; je la voyais mourante; je me voyais moi, chargée devant Dieu, du poids d'un crime irrémissible, et ayant à répondre auprès de ses autres enfants de cette mort que j'avais causée. Enfin à 5 heures du matin, ne pouvant plus de lutter contre ces cruelles angoisses, je me levai; j'allai en tremblant jusqu'à la porte de son appartement, craignant déjà de ne plus trouver dans son lit qu'un cadavre inanimé; j'ouvris doucement... Elle était là, en proie à des attaques de nerfs convulsives; ses traits étaient altérés; son visage méconnaissable; elle me dit d'une voix défaillante qu'elle n'avait plus que peu d'instants à vivre... Je l'interrompis brusquement, et avec une sorte de rudesse, pour lui dire que je n'avais pu résister à son désespoir : que rien à la vérité n'était changé dans mon âme, mais que je faiblissais à la vue de ses larmes; et qu'obéissant à un cri du cœur, plutôt qu'à un sentiment de remords ou de repentir, je rentrerais en France avec elle. Ces paroles, démenties par l'accent avec lequel elles étaient prononcées; cette promesse, évidemment arrachée non pas à un attendrissement véritable et profond qui eût pénétré jusqu'aux entrailles, mais à un ébranlement instantané et pour ainsi dire superficiel, qui devait inévitablement céder au temps et à la réflexion, la calmèrent cependant. Elle les crut, ou feignit de les croire entièrement sincères, et nous passâmes les jours qui suivirent cette explication dans un silence tacitement convenu, évitant, comme d'un commun accord, le seul sujet d'entretien qui eût pu avoir de l'intérêt pour toutes deux. Le médecin que j'avais fait appeler m'avait complètement rassurée sur les suites de cette violente crise et dès lors, je n'aspirai plus qu'à mettre fin à un état de choses si faux et si intolérable.

Je me hâtai d'écrire à Ehrmann pour lui demander de venir auprès d'elle, et je n'attendis plus que sa réponse ou son arrivée pour quitter Bâle. Afin de nous voir et de causer plus librement, F[ranz] était venu habiter à l'hôtel des Trois Rois une chambre contiguë à la mienne; nous passions ensemble une grande partie de la nuit et quelques heures de la journée. Quoiqu'il ne voulût en cette occasion exercer sur moi aucune influence directe; quoiqu'il se fût condamné à la plus entière, à la plus absolue passivité, acceptant à l'avance toutes les conséquences extrêmes du parti que je prendrais, quel qu'il fût, je subissais à son insu, et à la mienne [*sic*] peut-être, cette influence occulte, magnétique, mystérieuse qu'une âme forte exerce toujours sur l'âme qu'un profond amour unit à elle par l'une de ces chaînes que l'on dirait forgées au ciel, tant la main de l'homme est impuissante à les rompre [57].

Je ne le quittais jamais sans ressentir au-dedans de moi quelque chose de pareil à une vocation providentielle, à une inspiration prophétique qui me poussait irrésistiblement à l'affranchissement des liens qui me retenaient encore. Je voyais dans ma vie une sainte et noble tâche à remplir, une sorte de mission divine à laquelle je ne devais pas faillir lâchement. Un enthousiasme surhumain, un fanatisme ardent s'emparait alors de moi; je me sentais la soif du martyre; j'appelais à grands cris toutes les souffrances : les brisements de cœur, les agonies de l'âme, le remords, la honte, la misère, rien ne me semblait assez pour mon amour, car je voulais pouvoir « lui » dire un jour, fût-ce au milieu des supplices; ou déjà le pied dans la tombe comme Christ le dit à ceux qu'il avait tant aimés : Qu'ai-je pu faire pour vous que je n'aye point fait?

Enfin le jour du dernier combat arriva. J'avais arraché une à une toutes les espérances, toutes les illusions que ma mère conservait encore; et elle s'était courbée, pleine de foi et de résignation sous la main du Dieu qui la frappait dans ce qu'elle avait de plus cher au monde et la livrait à un supplice que chaque jour rendrait plus aigu, parce que chaque jour aggraverait mon crime et amasserait sur ma tête, en nuages plus épais, les foudres de la vengeance céleste que ses ardentes prières allaient essayer de conjurer. S'élevant en ce moment par le sentiment chrétien au-dessus des passions et des faiblesses humaines, elle n'eût sur les lèvres ni un reproche pour moi ni un murmure contre la providence. Embrassant avec une sainte ferveur le pied de la croix, elle me bénit et appela le pardon d'en haut sur celle qui l'abandonnait, la repoussait et allait la plonger dans une morne solitude où nulle parole humaine n'aurait plus d'accès. Qu'elle me parut grande alors, l'âme chrétienne qui, sans nier orgueilleusement la douleur, comme le stoïcisme théâtral des anciens, s'en revêt comme d'un manteau, s'y retranche comme en un lieu fort où les traits du méchant ne pourront plus l'atteindre; s'y plonge tout entière comme en une eau purificatrice; l'appelle et lui rend grâce comme à une messagère du ciel, envoyée par Dieu même et qui seule a le secret de la voie qui mène à lui.

Ayant calculé que ce jour devait être celui même de l'arrivée d'Ehrmann, le dimanche 14 juin, j'avais quitté ma mère et rejoint F[ranz] à un village peu distant de Bâle sur la route de Constance. Ce serait ici le lieu, sans doute, de placer une grande scène bien romanesque, bien pathétique, des serments solennels, de tendres et inépuisables épanchements, les expressions brûlantes, passionnées d'un amour, d'un dévouement sans bornes, sans mesure... Il n'en fut point ainsi. Nous nous retrouvâmes comme des gens qu'une seule volonté dirige, qu'une seule pensée anime, qu'une seule âme vivifie; qui pensent, sentent et agissent par une impulsion tellement identique qu'il ne peut y avoir entre eux ni promesses à faire ni reconnaissance à exprimer ni douleur à consoler. Une larme, un regard, un gémissement à demi étouffé furent en ce moment nos seuls interprètes. Et qu'avions-nous à dire en effet? N'est-il pas des actions qui tuent les paroles? Des sentiments dont la pudeur s'effraye de l'expression qui les traduit au jour, comme une vierge chaste et belle qui rougit en voyant son image dans le crystal d'une fontaine?...

Nous suivîmes pendant toute une journée le cours du Rhin dans un pays certainement pittoresque, et le second jour nous arrivâmes à Lauffen, lieu où le fleuve se précipite d'une hauteur de soixante pieds et forme la plus belle et la plus grandiose retraite d'Europe...

.... 58

II

Arrivés à Constance, nous dînâmes à l'hôtel du Brochet sur le bord du lac. L'hôte du Brochet était un composé anacréontique du perruquier, du peintre de portrait et du dandy de la Chaussée-d'Antin, ces trois natures se confondaient dans son gilet et se résumaient dans sa cravate. Il était infiniment poli mais d'une politesse que l'on eût été tenté d'appeler usage du monde tant elle était habile à combler la distance si grande par tous pays de l'homme qui paye à l'homme « que l'on paye ». Il nous introduisit dans notre appartement de l'air d'un grand seigneur bien élevé qui fait les honneurs de son château, et semblait nous dire avec un empressement tout aimable comme à des hôtes que l'on distingue : « Disposez de tout chez moi comme si vous étiez chez vous. » Le reste à l'avenant. Aussi lorsque le jour de notre départ, la « notte » [orthographe suisse] nous fut apportée, n'y eut-il aucunement moyen de songer à réclamer contre l'effrayante obésité des chiffres qui s'y trouvaient groupés avec un art semblable à celui qui avait présidé à la confection de la cravate byronienne et il fallut nous contenter de répéter en faisant contre mauvaise fortune bon gré :

Notte tremenda
Notte orribile
Oh! fusse-tu l'estrema per me [59].

Ce monsieur n'était pas grand seigneur à demi. Quoique fiancé à une jeune et jolie fille qu'il devait épouser dans quinze jours, il se laissa prendre aux yeux pétillants et à la grâce parisienne de mademoiselle Lucinde, ma femme de chambre, mais je m'aperçois que je n'ai pas fait mention de ce personnage très important de notre caravane. Deux mots donc sur la compagne fidèle de nos voyages alpestres : mademoiselle Lucinde était un type achevé de la femme de chambre parisienne de grande maison. Noble dans les manières, vulgaire dans ses discours, dédaigneuse de la bourgeoisie et fort disposée à se targuer auprès des bonnes gens d'une illustre et bâtarde origine; trouvant la religion assez utile pour le peuple et les esprits faibles; usant hardiment et familièrement des grands mots de fatalité, de destin, de prédestination, de sympathie surtout, qu'elle jetait à tort et à travers dans le discours, à peu près comme les prédicateurs de village assaisonnant leurs sermons de citations latines qui charment et épouvantent l'auditoire et servent merveilleusement à remplir les vides trop fréquents de l'argumentation théologique. Mademoiselle Lucinde était sincère par nature, menteuse par habitude, respectueuse à la superficie, bavarde et indiscrète mais partiellement; ne disant jamais que les trois quarts d'un secret afin de conserver intacte la haute opinion qu'elle avait elle-même et qu'elle désirait inspirer aux autres de sa discrétion à toute épreuve. Possédant au suprême degré le génie de l'intrigue, elle protestait à sa façon contre la société en servant avec zèle et amour la cause de toutes les femmes contre tous les maris, de tous les amants contre toutes les familles, de la contrebande psychologique contre la douane morale, de la loi naturelle, en un mot, contre la loi écrite. Passionnée pour la toilette et les chiffons, active, intelligente, probe, désintéressée, complaisante par excès : « Au demeurant, la meilleure fille du monde. »
On conçoit que l'hôte du Brochet n'ait pu rester insensible

à cet amas étourdissant de séductions françaises; après quelques petits soins préalables, force compotes et crèmes à la vanille accompagnées d'œillades amoureuses, il jugea bon de s'introduire la nuit chez elle.

Dire ce qui se passa dans ce tête-à-tête nocturne n'est pas chose facile; je n'étais pas témoin oculaire et mes seuls motifs de certitude sont la véracité et la chasteté d'une femme de chambre : or dans un temps où l'on consent à peine à croire ce qui a été vu partout et par « tous », je n'oserais me hasarder à demander sur parole (à mes lecteurs) d'ajouter foi au témoignage irrécusable pour moi de mademoiselle Lucinde.

Lorsqu'elle entra le lendemain dans ma chambre, son visage avait une expression indéfinissable de vanité satisfaite, de vertu courroucée et de modestie triomphante, qui rayonnait à travers un léger voile de mystère dont elle voulait s'envelopper encore. F[ranz] qui se divertissait souvent à la faire jaser parvint sans peine à lui arracher un récit pittoresque et circonstancié de l'entreprise nocturne dont sa vertu était sortie victorieuse. La surprise et l'indignation au lieu de la rendre muette avaient triplé sa facilité d'élocution; le péril de la situation avait redoublé son courage, et non moins chaste mais plus heureuse que Lucrèce, elle avait fait pâlir et trembler le séducteur sous les foudres de son éloquence. Prenant en main la sainte cause de la vertu outragée et des lois de l'hospitalité violée, elle obligea le lovelace terrifié de s'avouer coupable. Mais que de circonstances atténuantes l'avaient entraîné à sa faute! La magie irrésistible d'un regard qui réunissait la finesse et une tendre mélancolie; une expression de visage souvent rêveuse qui attestait une destinée manquée, une fatalité cruelle qui avait frappé un cœur éminemment sensible!... Enfin le langage obligé, le pathos creux et sonore qui depuis un temps immémorial charme et séduit les oreilles féminines; car depuis la frêle jeune fille qui lit *René* et se tue à veiller au bal jusqu'à la grasse bourgeoise qui a fait six enfants à son mari l'épicier et se fait régulièrement coiffer tous les dimanches, toutes sans exception se croient une « destinée manquée », gémissent de n'être pas comprises et appellent comme notre grand poète le vague objet de leurs vœux, lequel presque toujours, du plus au moins, entend l'amour et ses joies ineffables à la façon un peu brutale de l'amoureux improvisé de mademoiselle Lucinde.

Lorsqu'il me prend la déplorable fantaisie de décrire une ville quelconque, je me souviens toujours comme d'un excellent préservatif contre cette manie descriptive, de la lettre qu'un jeune conscrit de ma province écrivait à sa mère le jour de son arrivée dans la capitale du monde chrétien : « Rome est une ville assez passablement jolie; le vin n'y est pas absolument cher... »

.... [60]

Nous consacrâmes un jour entier à visiter aux environs les sites désignés à la curiosité du voyageur par l'indispensable manuel d'Ebel. La tour de Hohrhein, le château de Wolfsberg [61] et tout auprès celui qu'habite depuis plusieurs années Hortense de Beauharnais, duchesse de Saint-Leu, naguère reine de Hollande : bonne et aimable femme, gracieuse, prévenante comme si elle n'eût jamais été reine, simple et naturelle comme si elle eût toujours été princesse. Là, on retrouve comme en un temple payen [*sic*] les images et les statues de tous ces héros demi-dieux que créa le souffle de Napoléon et que l'Europe tremblante adora pendant un quart de siècle; et lui, ce jeune grand homme, il est là aussi avec sa taille frêle, ses longs cheveux blonds [62], son regard d'aigle et son front pâle, il est là................... [63]

Nous nous arrachâmes avec peine à la contemplation de ce magnifique portrait, chef-d'œuvre du pinceau de Gros, et, après avoir regagné les bords du lac, nous nous fîmes conduire à l'île de Mainau où le prince Estherazy possède un château qui fut au Moyen Age la résidence des chevaliers de Malte.

Un bateau à vapeur nous débarqua le lendemain à l'extrémité opposée du lac.

.... [64]

Nous traversâmes assez rapidement une partie des cantons de Saint-Gall et d'Appenzell.

.... [65]

Les cimetières sont peut-être plus empreints encore que les églises de ce caractère de dévotion confiante et placide. Les peupliers, les ifs, les cyprès et les saules, tous les arbres enfin consacrés par l'homme à la douleur et aux regrets en sont soigneusement bannis; rien n'y dérobe aux yeux la vue des tombes, surmontées de croix à la vérité, mais de croix si dorées, si bariolées, si complaisamment enjolivées qu'il serait impossible de s'y représenter le corps livide et meurtri de l'homme-Dieu, lorsque sa douleur toute-puissante voulut y exhaler dans un soupir divin les crimes, les fautes, les douleurs et les souffrances de l'humanité tout entière. De longues bandes d'œillets mignards serpentent comme des rubans parfumés autour de ces pierres funéraires; et c'est à peine si une haie basse et mince sépare cet asile des morts du grand chemin où passent les vivants, tant ces populations simples et pures ont peu à redouter l'image de la mort qui vient mettre un terme aux travaux uniformes de leur journée rustique et les endort d'une main amie dans une tombe qui n'a pour eux ni spectres ni terreurs et n'est que « le berceau de la vie éternelle » [66].

III

« Aux cœurs blessés l'ombre et le silence », a dit un de nos plus féconds et de nos plus ingénieux conteurs... Oh! Je m'écrierais volontiers : surtout l'ombre et le silence de Wallenstadt!

.... 67

Lorsque nous arrivâmes sur les bords du lac de Wallenstadt, nous ressentîmes tous deux au même instant cette impression d'apaisement et de délicieux abandon qu'éveille en certaines âmes l'aspect d'un paysage qui leur est sympathique. Les harmonies du soir planaient déjà dans l'espace.

.... 68

Oh! Combien je me sentais revivre à cette vie universelle et vraiment « cachée en Dieu »! Combien l'air pur de la montagne dilatait ma poitrine et me révélait puissamment cet indicible bienfait de l'existence que l'homme méconnaît et blasphème lorsque ses organes appauvris par les excès d'une vie factice ne servent plus qu'à regret un corps languissant qui s'étiole à l'ombre malfaisante d'une société corrompue et corruptrice! Combien j'eusse voulu découvrir un langage pour me faire entendre de la plus humble de ces plantes!

.... 69

Nous aussi, tourmentés par une excitation fébrile, par une surabondance de vie et d'amour dont la dévorante énergie, après avoir tout consumé au-dedans de nous, restait encore avide et altérée, nous sentions le besoin de donner le change à nos désirs infinis, à notre soif inextinguible par une course rapide à travers des scènes toujours nouvelles, des paysages toujours inconnus. Puis notre vie passée était encore si près de nous que nous avions hâte d'agrandir l'espace, d'accumuler les souvenirs, de tromper le temps et nous-mêmes en multipliant les événements qui se plaçaient entre elle et notre mémoire et de nous créer, pour ainsi dire, un nouveau passé à peu près comme les parvenus d'hier empressés à se forger une généalogie et à cacher leur noblesse d'un jour sous une longue suite d'illustres ancêtres.

Notre plan de voyage nous conduisait d'abord à la célèbre abbaye d'Einsiedeln.

.... 70

Nous quittâmes Einsiedeln et la tristesse silencieuse de sa vallée, préoccupés de l'avenir plein de nuages qui semble menacer le catholicisme.

.... 71

Un homme s'est levé du sein de ces ténèbres : l'amour est dans son cœur; l'intelligence dans sa pensée; l'éloquence dans sa parole. Dieu lui a révélé peut-être l'unique route du salut! Mais à peine a-t-il fait entendre les accents de sa voix prophétique que les ignobles clameurs de l'égoïsme et de l'envie s'acharnent à la couvrir, la font rentrer dans le silence... Et ceux qui croient encore se voilent la face car ils n'osent plus espérer [72]!

Nous n'étions plus qu'à une journée du Righi; c'est de toutes les montagnes la plus fréquentée tant à cause de ses abords faciles.. [73]

Trois chemins conduisent au haut du Righi; nous prîmes celui de Goldau, sans contredit le plus pittoresque.

.... [74]

Arrivés au Righi Kulm, l'on a véritablement sous les yeux une des plus belles vues de la Suisse.

.... [75]

Un exécrable cornet à bouquin vous avertit dès les premières lueurs du jour de sortir du lit et d'aller faire vos dévotions au Dieu des mages et des Péruviens. Mais comme à cette heure de la matinée, le froid déjà si vif de la nuit redouble encore d'intensité, je préfère rester à l'abri de mes couvertures, me contentant de la poésie plus confortable des souvenirs; car j'avais déjà fait une fois ce pèlerinage du Righi dans des circonstances bien différentes [76], il est vrai, mais alors, comme aujourd'hui, mon esprit essentiellement « protestant » n'avait pu se plier à l'admiration générale et j'avais conçu une antipathie fort déraisonnable, je l'avoue, pour cette montagne profanée à mon gré par tant d'exaltations vulgaires et qui me semblait pour la poésie un véritable lieu de prostitution. Je laissai donc F[ranz] aller tout seul chercher des inspirations et des extases; il revint soufflant dans ses doigts et dissimulant mal une mauvaise humeur qui ne justifiait que trop ma paresse et mon insouciance.

Nous descendîmes par le chemin de Weggis avec un .... [77]

Des nuages plombés s'amoncelaient sans relâche à l'horizon et faisaient entendre un bruit sourd et prolongé qui se confondait avec le mugissement des vagues et se perdait dans les enfoncements caverneux de la montagne. De larges gouttes de pluie s'infiltraient à travers la toile légère qu'on avait tendue au-dessus de nos têtes; les matelots se consultaient entre eux et redoublaient les manœuvres. Moi qui n'avais pas une idée nette du danger et qui ne pouvais en aucune façon le conjurer, je regardais et j'écoutais ces sinistres harmonies de la tempête et, pendant que mon corps chancelait à toutes les oscillations de notre pauvre barque jetée par la vague à la vague comme un frêle jouet qu'elle dédaignerait de briser, j'essayais d'équilibrer mon esprit entre ces quatre grands mots de stoïcisme et de nécessité, de résignation et de providence au moyen desquels nous parvenons péniblement, nous autres hommes faits et civilisés, à la confiante incurie de l'enfant, à l'insouciance du sauvage.

Une vague plus forte que toutes les autres nous ayant pris en travers me fit perdre pied et faillit à me renverser lorsque je me sentis tout à la fois fortement étreinte et doucement attirée par un bras qui s'enlaçait autour de ma ceinture. « Marie! » me dit une voix bien connue! Ce nom que je ne lui avais jamais entendu dire que dans les plus solennelles circonstances de notre vie; ce nom prononcé d'une voix vibrante, dans lequel il savait pour ainsi dire renfermer toute son âme et qui pénétrait la mienne comme une épée flamboyante me parut en cet instant l'annonce d'un imminent péril et d'une mort peut-être inévitable. Mes yeux se levèrent vers lui avec une anxiété douloureuse et rencontrèrent son regard dont l'ineffable sérénité et l'inconcevable grandeur me confirmèrent l'approche d'un danger réel. Il était debout derrière moi, un bras pressé autour de ma taille, retenant de l'autre les larges plis d'un manteau brun dont la doublure d'un rouge de sang éclairait de ses reflets pourprés son visage pâle et humide, à peine sillonné par de légères veines bleuâtres; sa longue chevelure cendrée jetait sur son beau front des ombres molles et adoucies comme pour voiler le rayonnement de sa pensée. Il était triste et beau ainsi, pareil à l'ange de la mort lorsqu'il plane au-dessus de la couche du juste et que dans le balancement de ses ailes d'azur, il lui apporte la première brise de ce jour éternel qui n'aura plus de nuit.

« Marie! me dit-il avec un indescriptible sourire, craindriez-vous de mourir ainsi? Mourir, ne sera-ce pas pour vous retourner dans votre patrie? Et ne m'en avez-vous pas assez appris le divin langage? Mon âme ne s'est-elle pas assez abymée dans la vôtre pour que l'heure de la délivrance sonne à la fois et pour vous et pour moi?... Oh dites! Ne sommes-nous pas semblables à cet arbre que vous chérissiez, dans les veines duquel un jardinier habile avait confondu deux sèves diverses et qui portait sur ses tiges fécondes la blanche fleur de myrte et le doux fruit de l'oranger? Lorsque le Rhône tumultueux déverse ses eaux troublées et bourbeuses dans les ondes tranquilles du beau lac que Byron a chanté; lorsqu'il l'a traversé sans même agiter la surface polie qui réfléchit le ciel, n'en ressort-il pas pur et limpide comme à la première heure où il s'est échappé du glacier sans tache? Ainsi, mon bel ange, les eaux profondes de votre amour n'ont-elles pas renouvelé mon âme? Ne lui ont-elles pas rendu sa pureté et sa limpidité première, altérée par une course haletante et vagabonde à travers le limon fangeux des ambitions et des joies du monde? Et que sont aujourd'hui mes œuvres sinon la réalisation de vos pensées? Et que sont mes pensées sinon l'écho multiple de vos sentiments?... Oh Marie! l'éternel jardinier séparera-t-il les deux sèves unies? Le céleste pêcheur, celui qui marcha sur la tempête, voudra-t-il diviser les eaux du lac et celles du fleuve? Pardonne, ô mon Dieu, ce blasphème, mais je ne saurais croire à une puissance qui, en bénissant l'un de nous, maudirait l'autre et je ne crois à mon âme immortelle qu'en sentant l'immortalité de mon amour. »

« Si je ne puis mourir " pour lui ", faites, ô mon Dieu, que je meure " avec lui "! Telle a été, mon ami, ma constante et fervente prière et vous me demandez si je craindrais de mourir ainsi? »

En ce moment, un de nos mariniers, en amenant une voile, nous dit que le vent venait de tourner et que la pluie redoublant, c'était un signe presque certain de la fin de l'orage.

« Asseyez-vous là, près de moi, me dit Franz, et lisons quelques-uns de ces beaux versets de prophète, lorsque l'esprit de Dieu chantait en lui la destruction du méchant et les espérances du juste. »

Je pris l'unique livre qui ne nous quittait pas dans nos courses les plus vagabondes et d'une voix émue je lui lus ces grandes paroles d'Isaïe le prophète :

« Qui est celui qui a mesuré les eaux dans le creux de sa main, et qui la tenant étendue, a pesé les cieux? Qui soutient de trois doigts toute la masse de la terre, qui pèse les montagnes et met les collines dans la balance? »

.... 78

J'étais tout absorbée dans ma lecture lorsque Franz, me poussant doucement le coude et réprimant un sourire d'une moquerie contagieuse, me fit apercevoir à l'autre bout du banc où nous étions assis mademoiselle Lucinde dans l'attitude d'une personne chez laquelle la peur a immobilisé même la pensée; les yeux fixés sur ses souliers parce qu'elle n'osait regarder le lac, se resserrant sur elle-même et s'ensevelissant dans les replis d'un manteau zébré qui dans des temps plus heureux avait reçu les averses bénignes du jardin turc et bravé les ouragans inoffensifs du boulevard de Gand. Les diverses phases de sa terreur muette se peignaient sur son visage en nuances vertes et jaunes, et l'une de ses mains faisait de temps à autre à la dérobée un furtif signe de croix qui demandait comme le prudent roi Louis XI non pas la délivrance de l'âme mais bien celle du corps car, malgré le voltairianisme habituel de son esprit, elle eût trouvé fort à sa place une intervention directe de la providence et n'eût point chicané sur le plus ou moins de réalité du miracle si quelque île fleurie avait surgi du sein des flots et nous eût offert un sûr abri contre les vents et la tempête. J'eus pitié de sa stupeur et je courus lui annoncer la nouvelle rassurante que venaient de nous donner les rameurs, mais elle ne parut point m'entendre et ce ne fut qu'une bonne heure après son arrivée à Flüelen qu'elle reprit à la vie et put envisager de sang-froid l'affreuse image du danger passé.

Le lendemain, nous remontâmes le cours de la Reuss. Notre route toujours fort resserrée entre le roc et le précipice était en quelques endroits fortement dégradée par des pluies récentes et la peur venant par moments mêler ses émotions à toutes celles que j'éprouvais déjà, je conservais à peine le sentiment du « moi ». Lorsque nous arrivâmes sur le plateau d'Hospenthal......................................, je me sentais fatiguée comme après une longue course, le corps brisé à la suite d'un exercice pénible et forcé. Aussi je laissai Franz gravir tout seul les cimes neigeuses du Saint-Gothard et j'attendis son retour dans la bonne auberge d'Hospenthal dont l'hôtesse m'accommoda de la façon la plus friande un joli petit plat de grenouilles choisies, assez habilement déguisées pour tromper le palais à préjugés et conservant néanmoins, par une sauce d'un vert glauque, la religion des souvenirs et l'harmonie des rapports primitifs. Mademoiselle Lucinde, en échange de tous les bons soins dont nous étions l'objet, enseigna à la demoiselle de la maison, qui avait conservé dans sa coiffure les énormités de la « *chinoise* » et de la *girafe,* le mélange éclectique du *chou grec* et des boules à la Sévigné et porta la réforme dans ses antiques manches à gigots et dans ses pèlerines à pointes, furtivement taillées naguère sur le patron d'une dame anglaise passée à Hospenthal, il y avait environ trois ans.

Le lendemain, malgré la neige abondante tombée durant la nuit, nous nous mîmes gaiement en marche pour traverser la « Furca » et regagner par le Valais les bords du lac de Genève. On chargea deux chevaux de nos bagages, deux autres furent sellés pour mademoiselle Lucinde et moi et deux hommes de l'auberge se firent fort de nous guider dans les sentiers étroits et dangereux de la Furca. Franz marchait en avant, vêtu d'une blouse grise brodée de vert; sur sa tête alternativement une casquette à larges bords ou un foulard bariolé, noué à l'espagnole, suivant que le soleil ou le vent régnaient dans l'atmosphère et affectaient plus péniblement ou ses yeux ou ses oreilles; un long bâton ferré d'une main, un volume de Vico dans l'autre : s'efforçant à l'ordinaire de doubler son existence, voulant comme je le lui disais souvent mettre cent vingt minutes dans une heure et jetant dans son cerveau embrasé comme l'alchimiste dans son creuset tour à tour l'extatique poésie de la nature extérieure et les arides théorèmes de la philosophie analytique.

L'un de nos guides, celui que j'avais préposé à la garde de mademoiselle Lucinde, était bien le type le plus complet que j'aie jamais rencontré de « l'homme stupide ».

....

Lorsque je me vis sur un étroit chemin obstrué par des fragments de roche et de grosses racines, à plusieurs centaines de pieds au-dessus du glacier du Rhône, lorsque par deux fois mon cheval en tombant faillit à me précipiter dans l'abyme, lorsque des nuages d'un gris jaunâtre s'amassant au-dessus de nos têtes semblèrent nous présager une nouvelle chute de neige et qu'un froid sombre et humide eut pénétré à travers mes vêtements et m'eut comme engourdie dans une sorte de sommeil glacé que je nommerais volontiers une douloureuse négation de la vie, j'appelai de tous mes souhaits la solitaire maison qui de loin nous montrait sa parcimonieuse fumée.

....

Nous arrivâmes vers quatre heures... Je m'arrachai avec effort à l'oppression de mes rêves tout chargés de frimas pour affronter de nouveau des réalités que notre course de la veille m'avait appris à redouter; mais je sentis mon sang se figer dans mes veines lorsqu'en remontant à cheval, je vis le pays que nous allions traverser. Un brouillard glacé........

J'étais, je dois l'avouer, complètement démoralisée, à tel point qu'il me vint plusieurs fois à la pensée de retourner en arrière vers notre misérable gîte.....................................

Comme je n'avais pu rester sur mon cheval qui enfonçait parfois jusqu'à la sangle dans la neige amollie, ou qui glissait des quatre pieds sur des talus de verglas, je marchais au bras de mon guide, mettant le pied à l'aventure sur cette neige perfide, dans le lit des torrents ou sur les pierres roulantes qui se dérobaient sous moi et j'arrivai mouillée jusqu'aux genoux après six longues heures au premier village du Valais où nous pûmes, à l'aide de quelques fagots et d'une excellente bouteille de rhum mélangée d'eau et de sucre, rappeler la chaleur et la vie dans nos membres à demi gelés.

L'auberge...

Les admirables paysages du Haut-Valais, la gracieuse cascade de Tourtman [*sic,* pour Tourtemagne] trop peu connue me firent oublier toutes nos infortunes de « la Furca » et je me retrouvai, deux jours après, tournant de nouveau le dos aux blés dorés et aux pâturages de Martigny pour me perdre dans les rochers et les neiges du Grand-Saint-Bernard.

....

IV

Nous venions en moins de six semaines de parcourir une partie considérable de la Suisse; nous avions traversé onze cantons, gravi quatre montagnes, navigué sur trois lacs; et fatigués de cette débauche des yeux, nous étions parvenus à une indifférence complète pour les « beautés » de la « nature ». Je n'étais même pas entièrement exempte d'une sorte d'irritation contre les romanciers et les poètes qui, d'un commun accord et dans un mensonge conventionnel, opposent depuis un temps immémorial les harmonies du monde physique aux désordres du monde moral, la régularité invariable des lois qui régissent celui-ci aux monstrueuses antinomies .... [80].

Partout et toujours la souffrance, la flétrissure et la destruction à côté de la joie, de la pureté, de l'amour! Partout et toujours une double énigme, un mystère hybride offert à l'homme, faisant incessamment, durant sa courte vie, osciller son esprit de la malédiction à la reconnaissance, de l'action de grâces au blasphème jusqu'à ce que les chants d'amour et les accents du désespoir expirent également sur sa lèvre fatiguée et s'éteignent un à un dans le vide ténébreux que le doute a creusé autour de sa pensée! On comprendra aisément que cette façon de sentir si pleine d'amertume n'était et ne pouvait pas être continue dans mon cœur. A ces moments de défaillance où il ne savait plus retrouver Dieu dans la nature, il se réfugiait dans l'amour; l'amour, cette autre région des belles âmes qui ne donne pas le bonheur, il est vrai, mais qui seule a le don de diviniser la souffrance! L'amour, ce sublime mystère, cette communion sainte de l'esprit et de la chair, dans laquelle la chair se relève de l'antique anathème et se réhabilite en participant à une félicité divine, à des extases célestes qui ne sont accordées ici-bas qu'à l'union intime, à la fusion ardente de deux âmes et de deux corps qui se confondent dans les flammes purifiantes d'un amour infini!

C'est en vain que l'homme corrompu par des vices infâmes a profané dans les écarts d'un cerveau licencieux l'image pure et sainte de l'amour physique; c'est en vain que le vocabulaire de la débauche s'est grossi chaque jour des mots les plus obscènes, des épithètes les plus grossières. C'est en vain que dans ses luxueuses orgies, il a porté à ses lèvres souillées ce fruit divin cueilli sur l'arbre de vie et que la miséricorde céleste voulut laisser à la créature déchue comme un ressouvenir de sa primitive patrie, comme un gage assuré de destination future; pour l'homme vraiment homme, les mystères de l'amour restent saints comme ceux de la religion et ses plus enivrantes délices jettent en lui le germe des plus mâles, des plus austères vertus. Si le libertin honteux qui se glisse furtivement aux clartés douteuses du matin, le long des murailles salies d'un obscur lupanar où, durant une nuit entière, il a vautré son âme avec son corps dans la fange pestilentielle des plaisirs qui se vendent, si le jeune vieillard usé avant le temps par les maladies impitoyables que la débauche traîne à sa suite raillent la volupté et blasphèment l'amour, l'homme qui aime en serrant contre sa poitrine palpitante la femme qui se livre à lui dans le plus somptueux abandon, en sentant pénétrer jusqu'à la moelle de ses os la molle langueur de ses humides baisers, recueille son âme comme en la présence

d'un être suprême car en ce moment Dieu vit en lui et il
vit en Dieu!

....

Dans la disposition où je me trouvais alors, la multiplicité
et la diversité des objets extérieurs m'étaient devenues à
charge; l'amour, lorsqu'il est arrivé à ce point d'exaltation
mystique inonde l'âme d'une onction divine que l'on veut
conserver religieusement à l'abri de toute émotion étrangère, comme en un jour de fervente et sainte communion,
on écarte soigneusement jusqu'à l'ombre d'une pensée qui
ne serait pas Dieu. Depuis un mois environ, nous étions
restés complètement en dehors de la vie sociale; aucune
lettre, aucun journal ne nous était parvenu dans nos courses
aventureuses et c'était bien inutilement pour nous que le
monde était « comme s'il n'était pas » mais la nature s'était
montrée à nous sous les aspects les plus variés; tantôt
majestueuse et calme, tantôt riante et gracieuse, souvent
austère, rude, menaçante, quelquefois triste, consolante et
sympathique; je soupirais ardemment après un lieu de repos
dont la beauté ne consistât que dans une certaine harmonie
d'un ordre secondaire qui satisfît sans émouvoir, qui plût
à l'œil sans exciter l'enthousiasme et ne détournât pas un
seul instant mon âme de ce qui était pour elle l'unique, le
souverain bien. Mes souhaits furent bientôt exaucés. Dans
le joli village de Bex, à mi-chemin entre Martigny et
Villeneuve, sur le bord d'une route plantée d'ormeaux et
de peupliers se trouve une maison dont la rusticité un peu
ornée, mais non altérée, me séduisit tout d'abord. C'était
un établissement de bains encore peu fréquentés où nous
trouvions tout le charme de la solitude joint aux « conforts »
les plus désirables de la vie civilisée. Au pourtour extérieur
de ce bâtiment triangulaire, dont les murs étaient tapissés
de ceps de vigne et de capucines doubles, régnait un long
balcon en bois sur lequel toutes les chambres avaient leur
entrée et où l'on respirait au soir une douce odeur de réséda
qui s'élevait d'une large plate-bande bien alignée à l'un des

côtés de la cour sablée où des poules à grandes huppes et des pigeons blancs mignards, au cou renflé, aux jolies pattes roses, se promenaient familièrement, se dérangeant à peine pour les habitants sans « plumes » de ce champêtre manoir. Du côté du couchant, s'étendait une verte pelouse de sainfoin et de trèfle sur laquelle de vieux noyers projetaient leurs larges ombres et des cerisiers tendaient aux oiseaux du ciel leurs branches toutes chargées de fruits. Plusieurs allées droites, plantées de groseilliers, de lys Saint-Jacques et de roses à cent feuilles croisaient cet espèce de verger où blanchissait au soleil une lessive abondante et cossue et dont la clôture était formée par une haie de troènes, de fenouil et d'aubépine à travers lesquels s'enlaçaient les longues vrilles et les festons élégants de la brione et du liseron. Obermann eût trouvé en ce lieu cette « convenance » parfaite qui était pour lui la condition première de toute jouissance. Nous y passâmes un mois entier, dont chaque journée, semblable en apparence à celle de la veille, avait pourtant sur un fond toujours lumineux sa teinte propre qui la distinguait des autres. Je les laissais tomber une à une dans mon souvenir comme un joaillier passe dans un fil de soie de belles perles d'Orient, égales en blancheur, en reflet et en transparence et qu'il contemple avec l'orgueilleuse satisfaction d'un possesseur unique et sans rivaux.

Dans de longues et nonchalantes causeries, pleines de redites et de suspensions; plus rêveuses que logiques et un peu sujettes à s'égarer dans les nuages, nous essayions de porter la lumière aux endroits les plus ténébreux de notre vie passée. Nous nous aidions mutuellement à isoler et à suivre jusqu'à leur origine les fils multiples qui formaient l'écheveau déjà si embrouillé de deux vies qui désormais allaient se « fondre » en une seule vie. Nous nous expliquions l'un à l'autre avec une indulgence compatissante (seule équité vraiment équitable ici-bas) les contradictions, les inconséquences apparentes de notre nature. C'étaient mes larmes qui lavaient ses fautes; c'étaient ses baisers qui séchaient mes larmes et lorsque des brouillards si sombres d'un passé que nous déplorions tous deux, nous venions à nous élancer vers l'avenir, oh! alors les espérances les plus légères se traduisaient dans mon esprit en certitudes iné- branlables et mes désirs les moins définis, en tombant dans son cœur, y germaient comme en une terre féconde et s'y transformaient en courageuses et invariables résolutions.

Quelquefois, dans nos promenades au bord des champs de seigle ou sur la lisière de châtaigniers, nous emportions avec nous l'un de ces livres dont quelques lignes prises au hasard fournissent à l'esprit d'inépuisables réflexions, d'in- terminables commentaires. C'était parfois les confessions si chastement libres d'Amaury [81], le moderne Augustin; et d'autres jours, quand le soleil était splendide à l'horizon, c'étaient les pages brûlantes de ce génie à doubles ailes qui par un privilège unique a joint la vigueur audacieuse d'un sexe à la profonde sensibilité d'un autre [82]. Souvent nous revenions à ces beaux rêves étoilés, à ces mille et une nuits de la philosophie dont le style enchanteur nous berçait comme une délicieuse harmonie.

Au retour nous avions habituellement une demi-heure de franche et grosse gaieté, un peu écolière et mal élevée, il est vrai, mais pourtant du plus salutaire effet hygiénique. C'était à souper où nous avions pour voisin un de ces excellents Anglais que leurs compatriotes même qualifient d'« eccentrics » et que nous autres Français examinons comme de curieux et inexplicables phénomènes. Celui-là avait quitté père, mère, un beau château dans le Yorkshire parce qu'il fallait bien, disait-il avec la morne gravité d'un homme pénétré d'une vérité sombre et désolée, « il fallait bien venir sur le continent ». Trouvant qu'il faisait trop chaud à Paris au mois de juin, il n'y était resté que huit jours et s'était arrêté trois mois à Vitry-le-François où, disait-il, il y avait de superbes hêtres qui donnaient à son auberge un ombrage fort agréable. De là il était venu à Genève pour apprendre le français et à Bex pour chasser des marmottes. Il était convenu avec lui-même qu'il ne retournerait pas avant deux ans en Angleterre et dans cet espace de temps il comptait visiter tous les lieux où l'on peut se rendre en bateau à vapeur, trouvant non sans raison que rien n'était plus ennuyeux que de voyager « dans les mulets » ou par la diligence lorsqu'on était obligé de toujours « rembourrer » ses malles. Il fallait nous voir exciter ses épanchements et étouffer nos fous rires sous d'énormes tranches de jambon quand il nous parlait gravement de son admiration pour les pièces de Molière dans lesquelles il avait achevé de se perfectionner dans la langue française (pauvre Molière! Quel élève il avait fait là!) et dont le « complot » (l'intrigue) était toujours si intéressant [83].

JOURNAL (1837-1839)

NOTE DE L'ÉDITEUR

Le texte qui suit ne relève pas des *Mémoires*. Il s'agit du journal que Marie d'Agoult a tenu de juin 1837 à septembre 1839, au plus fort de sa passion pour Liszt. Cette période couvre presque intégralement ce qu'il est convenu d'appeler *Les Années de pèlerinage*. C'est en effet en juin 1835 que Marie abandonna sa famille pour s'enfuir à Bâle avec le compositeur dont elle eut trois enfants.

Ce journal, dont certaines pages ont été probablement déchirées par la comtesse elle-même, a été publié dans sa majeure partie par Daniel Ollivier (*Mémoires*, Paris, Calmann-Lévy, 1927). Nous reproduisons ici pour la première fois le texte intégral, restituant les noms propres que Daniel Ollivier avait remplacés par des initiales et certains passages qu'il n'avait pu déchiffrer.

En permettant de suivre mois par mois la vie du couple, de découvrir l'intense activité qu'il déploya, les villes et les galeries qu'il visita, les personnalités qu'il rencontra, les innombrables sujets que chacun soumit à la réflexion de l'autre, ce journal révèle une exceptionnelle soif de connaissances, un désir ardent de comprendre et d'embrasser, sans exclusive, tous les arts. Et, à travers les jugements que Franz ou Marie émirent sur le vif, il ressuscite aussi le goût d'une élite qui, comme à toute époque, se piquait d'échapper au conformisme de son temps.

En achevant de façonner les deux amants, ces années de voyage et d'études scellèrent définitivement la matière dans laquelle Franz Liszt et Daniel Stern puisèrent, chacun à sa mesure, leur œuvre respective.

Ce texte est conservé dans un cahier noir, au format 18 × 23 cm. Il couvre 147 pages mais certaines, en partie arrachées, ne contiennent que quelques lignes sur les bords, qui ont échappé à la destruction. Nous les avons toutes reprises. Ce cahier est actuellement la propriété de madame Edme Jeanson, arrière-arrière-petite-fille de Marie d'Agoult et de Franz Liszt, que nous remercions de sa précieuse collaboration.

Nous remercions aussi monsieur Luciano Chiappari, auteur d'un *Liszt a Firenze, Pisa e Lucca,* Pacini Editore, 1989, qui a accepté de relire avec une extrême attention ce journal.

Les mots soulignés dans le manuscrit figurent dans ce livre en romain et entre guillemets. Nous avons en revanche ajouté entre crochets des informations nécessaires à la lecture : complément d'un mot abrégé, précision d'une date ou d'un lieu quand, selon toute probabilité, cette indication devait figurer à l'origine sur une page disparue.

Lorsqu'elle arriva en Italie, madame d'Agoult connaissait encore mal l'italien. Nous avons aussi rectifié les fautes de ses citations ainsi que l'orthographe de nombreux noms propres qu'elle reproduisit sans doute phonétiquement.

1837

5 juin.

Aujourd'hui, suivant la prédiction de mademoiselle Lenormand [85], devait être pour moi un jour mémorable; il devait marquer dans ma vie par un événement heureux. Ça n'a été qu'un jour beau, serein, placide, comme la plupart des jours de ma vie nouvelle. Une promenade sur les bords de l'Indre, le long des « traines », à travers des prés couverts de *« vergiss mein nicht »,* d'orties rouges et de pâquerettes, l'escalade de maintes clôtures rustiques, la rencontre de quelques familles d'oies, et de beaux troupeaux de vaches et de bœufs ruminant majestueusement dans les pâturages, voilà les seuls événements de la journée. Mademoiselle Lenormand n'est qu'une sotte; moins sotte pourtant que ceux qui paient ses sottises... Cependant, comment ne pas être frappé de cette croyance universelle, de tous les temps, à des visions surnaturelles, à une intuition de l'avenir, à une relation fatale entre le cours des astres et la destinée humaine?... On se sert bien de cet argument de croyance universelle pour prouver Dieu; soyons conséquents et admettons-le pour prouver les pythonisses et les sorcières...

Au retour de la promenade, il a joué un des morceaux composés en Suisse dans ce temps de passion dévorante, de lutte cruelle entre nos deux natures, toutes deux sincères, nobles et dévouées, mais toutes deux orgueilleuses, insatiables; lui, sentant et voulant l'amour en homme jeune, indompté, surabondant de vie; moi, en femme défiante envers la destinée, brisée par la douleur, rêveuse et détournant la vue des réalités pour me perdre dans une idéalité impossible... Ce morceau était comme le résumé poétique des sensations de la promenade. Les rapports intimes de la nature et de la musique ne m'avaient jamais autant préoccupée. Le matin, George me parlait des sons du Nord et du Midi, des bruits d'hiver et d'été; elle faisait une observation très simple en apparence, mais qui, je crois, n'a pas encore été faite, c'est que le vent d'été qui vient mourir dans les feuilles ne saurait avoir le sifflement aigu du vent qui se brise contre des troncs desséchés; c'est que l'eau qui filtre à travers des massifs et des herbes vertes ne peut avoir le même murmure que celle qui court entre deux rives dénudées. Elle pensait qu'on pouvait étendre et généraliser ces observations et qu'on arriverait probablement à trouver dans la réalité les premières bases de la musique qu'on n'y voit encore que poétiquement. Ces observations ne pouvaient, ajoutait-elle, être faites par des hommes occupés à remuer des idées; un rêveur, un poète amoureux de la nature, pourrait seul assez songer, assez écouter pour arriver à un résultat; encore faudrait-il qu'il fût musicien... Je ne sais ce qui adviendra de cette idée jetée au hasard; je ne sais s'il sera donné à l'homme de pénétrer dans les secrets de la création, de découvrir la loi des sons, des couleurs, des parfums. La vie de l'homme est bien courte, mais peut-être l'humanité est-elle destinée à s'avancer jusqu'à la claire vue du triangle lumineux, jusqu'à la compréhension de la nature, jusqu'à ce que, par cette compréhension, l'homme soit en Dieu et Dieu en lui, car Dieu c'est peut-être la vie ayant conscience d'elle-même...

Tout le soir, George a été comme engourdie dans un pesant *non-être*. Pauvre grande femme! La flamme sacrée que Dieu a mise en elle ne trouve plus rien à dévorer au-dehors, et consume au-dedans tout ce qui reste encore de foi, de jeunesse et d'espoir. Charité, amour, volupté, ces trois aspirations de l'âme, du cœur et des sens, trop ardentes dans cette nature fatalement privilégiée, ont rencontré le doute, la déception, la satiété, et refoulées au plus profond de son être, elles font de sa vie un martyre que la gloire couvre d'assez de palmes pour le dérober à la pitié de la foule, dernière injure de la destinée qui du moins lui sera épargnée.

Pourtant il y a encore un espoir de sérénité pour elle. L'homme qui a conçu *Werther* et *Faust*, l'homme qui est descendu jusqu'au néant de l'intelligence et du cœur humains, Goethe a reposé sa tête puissante sur le sein d'une mère bienfaisante dont les mamelles ne tarissent jamais. Goethe a aimé avec ardeur la création tout entière. Depuis l'étoile qui traverse l'espace jusqu'à l'insecte qui se traîne sur un brin d'herbe, depuis la baleine qui fend l'océan jusqu'à la monade qui naît et meurt dans une goutte d'eau, depuis le cèdre couronné de nuages jusqu'à la mousse qui croît à ses pieds, Goethe a tout embrassé dans l'immensité de son amour, et cet amour, d'une nature divine, a répandu sur ses joues une clarté égale et douce, au sein de laquelle il nous apparaît calme et majestueux comme les vieillards de l'Élysée.

Oh! mon Dieu, donnez à George la sérénité de Goethe!...

Presque tout le jour, le souvenir de Louise a plané au-dessus de moi. Dante a oublié un supplice dans son *Enfer;* c'est celui de l'homme qui, voyant apparaître à une distance assez rapprochée l'objet aimé et perdu, s'élancerait vers lui de toute sa vitesse, et, au moment de l'atteindre, se briserait le crâne contre une muraille de glace soudain élevée entre lui et sa vision...

Que de fois mon cœur s'est brisé contre la pierre de sa tombe!

6 juin.

Personne plus que moi ne ressent les heureuses influences du matin. Mes nerfs sont détendus par le sommeil toujours calme de la nuit : l'air pur qui arrive à ma poitrine donne au sentiment de la vie une force qui plie peu à peu sous le poids de la journée. Les mauvaises pensées, les tristesses, les découragements coupables sont les hôtes des heures plus tardives; ce n'est guère que vers le milieu du jour qu'ils viennent assombrir mon cœur. Le matin, aucune parole n'a encore troublé l'esprit, sali l'imagination, blessé la sensibilité; il y a, au fond de l'âme comme au fond de la corolle des fleurs, une goutte de rosée céleste que le soleil de midi va dessécher, que le vent du jour va répandre à terre... Sans nul doute, quiconque s'observe avec attention se trouve meilleur le matin que le soir.

7 [juin].

Aujourd'hui, je me sens écrasée par l'ennui de vivre. Ne savoir ni les causes ni les fins de son être; repaître son cœur de chimères et de vanités; jouets d'un hasard inconnu que les plus heureux appellent Providence; désirer croire, désirer aimer, désirer connaître, voilà ce qu'est la vie de cet être mobile, menteur et lâche qu'on appelle l'homme...

« Ô! mon Dieu, pourquoi m'avez-vous fait contraire à vous et ennuyeux à moi-même? »

« Lui » aussi porte un pesant fardeau, mais il le porte avec un noble et persistant courage. On le croit ambitieux; il ne l'est pas, car il connaît les bornes de toutes choses, et le sentiment de l'infini emporte son âme bien au-delà de toute gloire et de toute joie terrestre. Nature prédestinée! Dieu l'a visiblement marqué d'un sceau mystérieux. C'est avec un amour plein de respect et de tristesse que je contemple sa beauté. Que de noblesse et de pureté dans ses traits, que d'harmonie dans les belles lignes de son visage! Sa chevelure, vigoureuse et abondante comme la crinière d'un jeune lion, semble participer à la vie de son cerveau; son regard rapide brûle et éclaire comme le glaive d'un chérubin, mais, alors même qu'il est le plus passionné, le plus altéré de désirs, on sent que ces désirs n'ont rien de grossier, et la plus délicate pudeur n'en saurait être offensée. Souvent ce regard adouci et voilé se pose sur moi avec une indicible expression d'amour et de tendresse, et fait pénétrer jusqu'à la moelle de mes os le sentiment d'un bonheur inconnu à ceux qui n'ont pas été aimés ainsi. La pâleur de son front révèle le travail de la pensée, et l'angle accusé de la mâchoire atteste une force de volonté peu commune. Un soir, il avait roulé autour de sa tête une écharpe d'un rouge brun qui cachait ses cheveux, et dont les reflets donnaient à sa pâleur quelque chose de plus austère et de plus sombre. « Dante! » s'écria l'un de nous. Effectivement, il me sembla voir le triste Florentin,

per una selva oscura,
che la diritta via era smarrita [86].

Quand il se met au piano et que, libre de toute préoccupation, il s'abandonne au génie qui s'empare de lui, sa beauté acquiert un degré de puissance et de grandeur que ceux qui l'ont vu ainsi peuvent seuls comprendre. Sa pâleur redouble, ses narines se gonflent, un tremblement nerveux agite ses lèvres, son regard fier, impérieux, ne cherche plus, n'interroge plus, il commande, il domine...

Et toute cette beauté, tout ce génie, qu'est-ce auprès des trésors d'amour et de vertu que Dieu a mis dans son âme? Qui connaîtra jamais, comme je les ai connues, cette pureté d'intention, cette droiture de volonté, cette compréhension pleine d'amour de l'infirmité humaine? « Dût-il y avoir une seule âme damnée, me disait-il un jour, je voudrais être celle-là. » Mot sublime dit dans toute la simplicité et la vérité du cœur. La charité des saint Vincent et des saint François n'a pas surpassé cet élan surhumain vers la douleur.

Et qui pourrait dire le charme qu'ajoutent à ses mâles vertus, à son intelligence supérieure cette naïveté d'impression, cette gaieté presque enfantine, cet enjouement spirituel et communicatif qui ont traversé sans l'émousser une vie de surexcitation et de fièvre continuelles? On se demande, étonné, comment de tels contrastes peuvent se rencontrer et s'harmoniser dans le même être, comment l'inspiration et la logique, la passion et la réflexion, l'expérience et la spontanéité, les tristesses inexorables et les joies naïves ne s'excluent point dans un même homme et forment une individualité aussi tranchée.

8 juin.

« Je ne suis pas de ceux qui disent : ce n'est rien », c'est un rêve. Déjà plusieurs coïncidences singulières m'avaient frappée. En voici une des plus bizarres. Ce matin, en m'éveillant, je me rappelle avoir rêvé que, subitement amoureuse de Bocage [87], je lui avais donné un rendez-vous auquel je m'étais rendue masquée, à la manière des grandes dames de la Régence. Nous fîmes quelques commentaires sur l'étrangeté de ce rêve; nous ne parlons jamais de Bocage; de ma vie je ne crois avoir pensé à lui. Il y a plus d'un an que je ne l'ai vu sur les planches où, du reste, il m'a toujours fait l'effet d'un très médiocre comédien, complètement fourvoyé dans notre bourgeoise actualité. A la fin du dîner, on vient dire à George qu'un monsieur la demande... Elle sort et ramène Bocage!

Franz et moi nous sommes restés stupéfaits, comme à l'apparition d'un spectre.

Le soir, on a naturellement causé drame, actrices, auteurs, etc. Comme toujours, on a reconnu à Victor Hugo un beau caractère d'écrivain, de la persistance, de la hardiesse et une certaine élévation; mais un déplorable orgueil qui exclut toute amitié, toute intimité et lui fait dire, par exemple, des mots tels que ceux-ci : « Je tiens dans une main le monde politique et dans l'autre le monde littéraire. » Quand on va chez lui, dit Franz, qu'on le voit dans son intérieur, on regrette toujours qu'il n'ait pas là un Las Cases pour écrire son mémorial.

A propos de la Dorval [88], il a soutenu que l'habitude de jouer la comédie devait nécessairement influer d'une manière fâcheuse sur la « sincérité » de la vie; qu'une actrice devait difficilement, dans certaines situations, séparer le drame de la réalité, etc. Bocage a prétendu que bien au contraire, à mesure que la Dorval était devenue plus actrice, elle avait perdu de son immoralité; que l'habitude des émotions poétiques avait « un peu » ennobli sa vie. Il en résulte, dit Franz, que, de souillée qu'elle était, elle n'est plus que corrompue, et pour achever son portrait il dit que, depuis le moucheur de chandelles jusqu'à l'auteur dramatique inclusivement, elle résumait toutes les existences, tous les vices et toutes les qualités de ce monde à part qui vit au théâtre et par le théâtre. Bocage a vivement pressé George de faire un drame. Elle a lu l'exposition d'une pièce que la critique de « Bignat » [89] lui avait fait abandonner. Nul doute qu'elle ne réussisse et d'une manière éclatante.

J'ai voulu essayer de parler à Bocage du drame de Mickiewicz [90], mais quand il m'a fait répéter le nom en disant : « " Miss " qui ? » je n'ai pas été tentée de continuer.

9 juin.

On fait grand bruit de l'amour maternel; je ne suis point, je l'avoue, montée au diapason de l'admiration générale. D'une part, je ne saurais admirer comme on le fait, cet amour des « petits » (expression de madame Montgolfier [91]) qui n'est point un sentiment intelligent, mais bien un instinct aveugle dans lequel la dernière brute est supérieure à la femme. Cet amour décroît généralement, à mesure que les enfants prennent des années et s'éteint tout à fait, lorsqu'ils deviennent indépendants. Il n'est même pas rare (quoiqu'il soit convenu de regarder cela comme une monstruosité) de voir des mères sourdement jalouses de leur fille, ou se défendant avec aigreur de la domination que leur fils veut à son tour exercer en vertu de son droit du plus fort. L'autre amour, plus éclairé, d'une nature supérieure en y regardant de près, se compose aussi de deux éléments de personnalité, moins « admirables » qu'il n'est d'usage de le dire. L'un est la passion innée chez l'homme de la domination : passion qui ne trouve nulle part d'aussi entière satisfaction que dans l'exercice des droits maternels. L'autre est l'amour du « moi », qui se transporte sur des êtres qui sont notre chair et notre substance et dans lesquels nous retrouvons, parés de toutes les grâces de l'enfance, nos imperfections, nos défauts et nos vices. Ce second amour ne résiste guère non plus au temps. Le manque de réciprocité le fait nécessairement périr... Mais tout ceci n'est point utile à dire; laissons croire aux femmes qu'elles sont sublimes parce qu'elles allaitent leurs enfants, comme la chienne allaite les siens; laissons-leur croire qu'elles sont dévouées, alors qu'elles sont égoïstes; laissons-leur dire et répéter que l'amour maternel surpasse tous les autres, tandis qu'elles s'y cramponnent comme à un pis-aller, et parce qu'elles ont été trop lâches, trop vaniteuses, trop exigeantes, pour ressentir l'amour et pour comprendre l'amitié, ces deux sentiments d'exception qui ne peuvent germer que dans les fortes âmes.

Solange est une belle fille, admirablement proportionnée; elle est alerte, vigoureuse, pleine de grâce dans sa force. Quand le vent joue dans ses longs cheveux blonds qui retombent en boucles naturelles sur ses épaules romaines, et que les rayons du soleil illuminent son visage éclatant de blancheur et d'un splendide incarnat, il me semble voir une jeune hamadryade, échappée à ses forêts, à qui les dieux sourient et dont les oiseaux, les insectes, les plantes, les fleurs saluent le passage. Âme aussi forte que son corps; intelligence qui paraît propre aux sciences exactes; cœur aimant, caractère passionné, indomptable, Solange est destinée à l'absolu dans le bien ou dans le mal. Sa vie sera pleine de luttes, de combats. Elle ne se pliera pas aux règles communes; il y aura de la grandeur dans ses fautes, de la sublimité dans ses vertus.

Maurice me paraît former avec sa sœur une antithèse vivante [92]. Ce sera l'homme du bon sens, de la règle, des vertus commodes. Sa personnalité dominera sa vie; il y aura de la réflexion jusque dans ses affections qui seront d'ailleurs en petit nombre. Il aura du goût pour les plaisirs tranquilles et pour la vie de propriétaire, à moins qu'un talent transcendant ne le jette dans la vie artistique, ce qui est très possible.

Dimanche 11 [juin].

L'abbé de Lamennais vient de quitter la rédaction du journal *Le Monde* [93]. J'ignore encore les « véritables » motifs qui l'ont brouillé avec l'administration et qui lui ont fait abandonner, après quatre mois, une entreprise commencée *« with the most sanguine hopes »*. Je regarde cette tentative avortée comme une chose fâcheuse pour lui. Il a donné sa mesure; il a laissé pénétrer dans le secret de sa pensée politique que l'on croyait bien plus hardiment révolutionnaire; il s'est enfermé dans des généralités chrétiennes qui ne satisfont personne : on a vu qu'il ne donnait à ses idées de rénovation aucune formule gouvernementale; en un mot, il a fait une prédication, là où l'on attendait un journal. Comme prophète, l'avenir le proclamera grand; comme tribun, le présent le repousse. Sa qualité de prêtre, ses antécédents ultracatholiques font de lui un perpétuel objet de défiance pour les hommes du parti auquel il a passé; jamais il ne sera accepté comme leur chef; il est condamné à faire du républicanisme en amateur; c'est un rôle au-dessous de son génie et de son caractère. L'abbé de Lamennais a quinze ans de trop. Plus jeune de quinze ans, il eût moins réfléchi, moins tourné à l'entour des difficultés de sa position; il eût plus absolument rompu avec Rome et plus nettement tranché sa vie actuelle de sa vie passée, ses croyances de ses erreurs, ses sympathies de ses préjugés. Cela eût été grand, et d'une grandeur presque surhumaine. Au lieu de cela on dirait qu'il cherche à former, par le silence et les réticences, une transition en pente douce entre ses fureurs d'ultramontain et ses colères de démocrate. Au lieu de sauter le fossé, il a voulu descendre un de ses bords pour remonter l'autre; il reste à patauger dans le fond.

Il n'a point été habile avec George; il n'a point deviné qu'elle venait à lui, disposée à se donner complètement, à se dévouer en aveugle à ses opinions, à se faire en quelque sorte le manœuvre de sa pensée. Il n'a pas senti qu'il allait donner son impulsion à l'écrivain le plus capable de populariser ses idées en les présentant sous une forme moins austère et plus entraînante. Il s'est approché d'elle avec hésitation; il a répondu avec mesure et « politesse » à des élans de cœur; enfin, en contrariant ses croyances, il ne s'est pas donné la peine de la convertir aux siennes. Aussi la fameuse « alliance » dont on a tant parlé a-t-elle été plus apparente que réelle. Ces deux forces qui, réunies, eussent exercé une si grande action, ces deux intelligences, qui, en se modifiant l'une par l'autre, eussent approché de la vérité, autant peut-être qu'il est donné à l'homme d'en approcher, resteront incomplètes et perdront, isolées, une partie de la puissance que, réunies, elles eussent eue sur leur époque.

Lundi 12 [juin].

J'ai toujours vu les amants, même ceux dont l'amour avait grandi et s'était sanctifié par la durée, regretter les premières heures de l'affection naissante et ce qu'ils appellent les illusions détruites. N'est-ce pas une puérilité que de pleurer des erreurs, sans lesquelles l'amour ne naîtrait peut-être pas, il est vrai, mais qui ne sont pas plus nécessaires à sa durée que les pétales des fleurs qui entourent, protègent le pollen, mais qui se dessèchent, tombent en poussière, aussitôt que la fructification est accomplie?

Mercredi 14 [juin].

La nuit était chaude et calme. Les derniers bruits humains s'étaient depuis longtemps éteints dans l'espace. La nature semblait prendre possession d'elle-même et se réjouir de l'absence de l'homme, en envoyant au ciel toutes ses voix et tous ses parfums. Un nuage épais couvrait la lune, mais, tout autour de sa masse obscure, un rayonnement lumineux s'échappait, pareil au rayonnement de l'âme du juste quand l'adversité pèse sur lui de tout son poids. Le rossignol chantait son splendide chant d'amour et l'animal le plus abject de nos campagnes trouvait, lui aussi, une note claire et argentine pour célébrer sa part de l'être universel. La famille était réunie sur la terrasse. Quelques-uns rêvaient, d'autres, en plus petit nombre, pensaient. Ceux qui ne rêvaient ni ne pensaient, parlaient... Mais tout à coup, il n'y eut plus ni rêverie, ni parole, ni pensée; le silence se fit sur nos lèvres et le recueillement descendit dans nos cœurs. Le maître venait de se mettre au piano. Un accord puissant nous était venu porté sur les airs... Nous attendions que sa fantaisie prît son vol, et nous entraînât avec lui sur les gazons fleuris, dans les nuées diaphanes, vers des mondes inconnus ou dans ce monde, le plus inconnu de tous peut-être, que nous portons au-dedans de nous...

Entendez-vous, à travers d'effrayantes ténèbres, la course rapide du cheval dont l'éperon fait saigner les flancs? Entendez-vous le vent qui mugit, les feuilles qui frémissent? Voyez-vous le père qui tient dans ses bras l'enfant qui pâlit et se cache contre sa poitrine? Un mystère plein de terreur plane dans les airs...

« Ô mon père, vois-tu là-bas le roi des Gnomes? »

Le cheval court, court toujours; il dévore l'espace; il fait jaillir du sein des cailloux mille étincelles qui augmentent l'horreur de ces ténèbres...

« " N'aie pas peur ", mon fils, c'est un nuage qui passe. »

Mais une voix pleine de suavité, se fait entendre derrière un rideau de verdure. Ne l'écoutez pas, car elle est perfide et fallacieuse comme celle des sirènes...

« Mon père, mon père! n'entends-tu pas ce que me promet le roi des Gnomes? »

Le cheval court, court toujours; il dévore l'espace; il fait jaillir du sein des cailloux mille étincelles qui augmentent l'horreur de ces ténèbres.

« Calme-toi, mon fils, ce n'est rien. C'est la brise qui joue dans les feuilles desséchées. »

La voix reprend plus douce, plus caressante, plus séductrice. Elle promet à l'enfant des fleurs embaumées, des jeux aux bord des eaux, des danses au son des instruments...

« Ô! mon père! Ô! mon père! ne vois-tu pas là-bas les filles du roi des Gnomes qui dansent en se tenant par la main! »

« Enfant, je le vois maintenant, ce sont ces vieux troncs de saule qui semblent au loin des spectres gris. »

La voix reprend, douce et suave encore, puis soudain elle menace. L'enfant pousse un cri déchirant...

« Mon père, mon père, le roi des Gnomes s'empare de moi. »

Le père sent une sueur froide inonder son visage ; il presse les flancs de son cheval et serre contre son sein son fils gémissant. Il arrive enfin, il respire, ses angoisses sont terminées...

Dans ses bras, il tient son enfant mort...

Voyez-vous passer devant vous les rêves de votre jeunesse ? Entendez-vous la voix de l'expérience ? Assistez-vous à la lutte de l'idéal et du réel ? Ô poètes, poètes ! et vous, femmes, qui êtes toutes poètes par le cœur ! Écoutez les accents sombres et désespérés du maître, regardez son front pâle et ses joues déjà creusées. Gardez-vous du roi des Gnomes ; voyez de quel sceau il marque ses victimes [94].

Nuit du 14 au 15 [juin].

Nous avons passé la nuit sur la terrasse, réunis autour d'une table où chacun s'occupait suivant ses goûts et la mesure de ses facultés. Dans le silence de la nature, le bruit de nos conversations entrecoupées, la lueur concentrée de nos lampes, les reflets bleuâtres de la flamme du punch sur la robe écarlate de George formaient une scène fantastique, au milieu de laquelle les sorcières de Macbeth ou les Hexen du Blocksberg n'eussent point été trop déplacés. Charles Didier [95] venait d'arriver. Son esprit ombrageux s'était déjà heurté à plusieurs de ces faits insignifiants qui alimentent incessamment son malaise intérieur, et à l'occasion desquels sa vanité et son affection se livrent de si puérils combats. Au moindre mot son front se couvrait d'une subite rougeur ; retranché derrière ses lunettes d'or son œil scrutait attentivement l'expression de nos visages, et souvent le sourire s'arrêtait sur ses lèvres, glacé soudain par une pensée de méfiance et de doute. Caractère malheureux, ambition étique, cœur de lion dans une boule de hérisson! je l'aime pourtant.

Une heure avant le lever du soleil, nous étions à cheval, George et moi, et nous gagnions les bords de l'Indre. Je n'avais jamais autant senti le charme indicible de ces heures matinales. Tous les lointains se perdent dans une mer de brume qui s'éclaircit peu à peu à mesure qu'on approche, et laisse voir les prairies, les arbres, les champs comme à travers une gaze légère. La rosée couvre les gazons et forme un glacis argenté au-dessus de leur fraîche verdure. Quand le soleil apparaît, la brume s'élève lentement; les hautes herbes des prés redressent leurs tiges inclinées; l'alouette endormie dans le sillon prend son vol, et, comme en extase à la vue du roi de la terre, elle se perd dans les profondeurs du ciel en s'enivrant de sa joyeuse chanson. Après avoir traversé l'Indre à gué, nous montâmes au galop un sentier escarpé au milieu d'un champ de seigle qui étalait sur les flancs du coteau sa robe ondoyante, toute parsemée de pavots rouges et de gais bleuets. Bientôt nous arrivâmes à un endroit où le sentier quittait les seigles, se rétrécissait sensiblement et dominait l'Indre à une hauteur assez imposante. Un talus presque à pic, tout humide de rosée, laissait peu de chances d'arrêt en cas de chute; la princesse Mirabella réfléchit qu'il serait bien dommage pour le genre humain que sa blonde chevelure s'allât noyer au fond de cette rivière obscure, et son compagnon Piffoël qui ne se sentait pas aussi nécessaire à l'espèce humaine et qui, en conséquence, n'eut jamais peur de risquer sa peau, se prêta néanmoins de fort bonne grâce à la peur aristocratique de la princesse. Et sautant lestement à bas de cheval, il passa un de ses bras dans chaque bride et descendit en courant le sentier où la princesse ne marchait qu'avec prudence et circonspection. On arriva au moulin. Ici nouvel embarras; Bignat, le coursier fringant de la princesse, avait un défaut (quel mortel n'a les siens?); c'était celui de ne jamais vouloir se laisser monter de bonne grâce. Il avançait, reculait, faisait mille malices; ce que voyant, le meunier berrichon, sans plus de façons, prit la princesse dans ses bras noirs saupoudrés de farine, et l'établit sur sa selle avant même qu'elle ait eu le temps de s'étonner de la nouveauté du procédé.

Six heures sonnaient, lorsque nous entrâmes à La Châtre, nous fûmes éveiller le père Bourgoing [96] qui me fit donner un verre de lait et me conduisit sur la terrasse aux roses, où George m'avait écrit de si belles lettres au commencement de notre amitié « par procuration ». Ces lettres me charmaient; j'y trouvais un naturel, une grâce, une « génialité » qui m'attiraient singulièrement. Il me semblait seulement qu'elle me poétisait trop et que, lorsqu'elle me verrait de « grandeur naturelle », elle ne pourrait plus m'aimer. Elle me paraissait d'ailleurs si étrange, si peu semblable à tout ce que j'avais connu, que je n'imaginais pas quelle façon d'être avec elle serait la bonne, ce qui devait lui plaire ou la blesser, lui agréer ou la gêner?... Quand elle vint à Chamonix, cette préoccupation me rendit froide et gauche; ses « gamineries » me déroutaient; je sentis que je n'étais point à l'aise et que, par conséquent, je n'étais point aimable; j'en fus attristée, parce que je désirais avec passion son amitié. Mais plus la tristesse prenait le dessus, plus elle étouffait le peu qui me restait de bonne grâce et de charme. En la voyant partir, je craignis d'avoir perdu une occasion unique de devenir son amie...

Mais me voici à cent lieues des bords de l'Indre; revenons-y vite, car j'y ai trouvé l'amitié, l'oubli du mal et la paix du cœur.

22 [juin].

Pourquoi, dès mes plus jeunes années, y a-t-il eu dans mon cœur un instinct si avide de tristesse? Pourquoi ma pensée, semblable au lierre, s'attache-t-elle aux ruines et aux troncs pourris que le ver ronge et que le dernier souffle de l'hiver va briser? Pourquoi toujours errer parmi des tombeaux et relire les épitaphes déjà mille fois lues, qui me disent qu'à tel jour mourut en moi la sainte ignorance, à tel autre, l'espoir, à tel autre, la jeunesse de cœur...?

Pourquoi la grive va-t-elle chercher pour sa nourriture quotidienne la graine amère du genévrier? Comme elle, mon âme ne se nourrit que de pensers amers...

Oh, mon Dieu! si c'est là le chemin qui mène à vous, je ne me plains pas.

23 [juin].

Agasta [97] est une femme étrange. C'est le type de la souffrance placide; c'est véritablement la « patience souriant à la douleur ». Il y a en elle une beauté mystérieuse qui attire et tient à distance. Les rayons veloutés de ses grands yeux descendent sur nous comme les rayons de l'astre des nuits glissent le soir à travers un épais feuillage. Son visage pâle encadré dans les deux belles lignes noires qui forment sa chevelure ne trahit jamais une agitation, un trouble. Elle semble non pas étrangère, mais supérieure aux joies et aux tristesses des autres hommes. Il y a dans son sourire quelque chose d'indéfinissable; un mélange de bonté et de fatigue qui fait supposer une vie traversée par les orages, pleine d'événements et de vicissitudes; cependant personne ne sait rien d'extraordinaire de son existence. Née de race plébéienne, elle a vécu dans une petite ville de province; elle a épousé un homme loyal et bon qui lui est dévoué; elle a deux enfants qu'elle chérit... Les soins de son ménage remplissent ses journées... Et pourtant voyez ses mains délicates, sa taille aristocratique, sa démarche majestueuse. Comment ne pas la croire patricienne? Comment ne pas voir en elle une reine détrônée qui se cache dans d'humbles vêtements, une intelligence déchue d'une autre sphère condamnée à l'exil parmi nous? Hoffmann, Hoffmann, que n'as-tu connu cette femme? Tu avais le secret de ces existences mystérieuses. Ta fantaisie avait pénétré dans le monde des idéalités qui échappe à nos perceptions grossières... Agasta n'est-elle pas sœur de la belle et triste Sophie et de la douce Séraphine [98]?

Le 26 [juin].

Ce qui témoigne peut-être le plus tristement de la misère de l'homme, c'est la déplorable facilité avec laquelle il s'abjure lui-même, il abdique, pour ainsi dire, le sentiment de sa personnalité, en reniant les heures passées, les opinions, les sentiments, les douleurs et les joies des jours qui ne sont plus. A mesure que son cœur impuissant se détache des objets auxquels il voue un culte passager, au lieu de les ensevelir dans un religieux silence, il raille les heures d'abandon et de tendresse, il rit aujourd'hui des enthousiasmes qui, la veille, lui ont fait verser des pleurs; à peine entre-t-il dans une phase nouvelle de son existence qu'il prend en pitié celle qui vient de finir. Il ne respecte ni les amitiés rompues, ni les amours brisées; il insulte à son propre cœur en insultant les sentiments par lesquels il a été, en vertu desquels il a agi, les affections qui ont fait partie de son être. S'il a plusieurs amis, c'est afin de pouvoir se plaindre des uns aux autres, s'il change de maîtresse, ce n'est jamais sans dire à la dernière qu'aucune autre femme n'a pu être aimée de lui. Il arrive ainsi au tombeau ayant menti à tout, même à son propre cœur. Pauvres humains! que vos cris font pitié! quelle misère de sentir si peu sa misère!

[George dit à Franz : « La musique de Meyerbeer ne crée que des images. Celle de Beethoven fait naître des sentiments et des idées. Meyerbeer vous fait passer devant les yeux un magnifique spectacle; il pose devant vous ses personnages. Beethoven fait rentrer dans les profondeurs les plus intimes du moi; tout ce que vous avez senti, éprouvé, vos amours, vos souffrances, vos rêves, tout se ranime au souffle de son génie et vous jette dans une rêverie infinie.

" L'un fait de la musique objective, l'autre de la musique subjective.

" Vous réunissez les deux [99]. " »]

Juillet, lundi 3.

Je viens de m'éveiller et j'ai pleuré non pas sur moi à coup sûr, mais en songeant à une autre destinée que je regarde comme « irrévocablement » perdue... Je me prosterne devant vous, ô, mon Dieu! Je vous adore et je vous bénis. D'où vient que vous faites luire sur moi le plus beau rayon de votre infinie bonté? D'où vient que vous m'avez donné l'amour dans toute sa pureté, dans toute sa plénitude, dans toute sa liberté, dans toute sa force? Je vous rends grâce, car aujourd'hui je sens que la puissance de l'amour a purifié nos âmes, et qu'elle a jeté loin de nous nos fautes passées, comme la force interne du glacier rejette au-dehors tous les objets impurs qui viennent le souiller. Soyez bénis, larmes amères, déchirements de cœur, luttes cruelles, car vous avez affermi au-dedans de nous le règne de la sincérité. La sincérité, ce modeste héroïsme de la vie pratique, est devenue l'élément nécessaire de notre existence. Le mensonge et les réticences ne jettent point entre nous leur ombre glacée; nous savons que nous pouvons, hélas, que nous « devons » faillir; mais nous savons aussi que chacune de nos fautes, arrosée par les larmes d'une tendre miséricorde, peut faire germer en nous de nouvelles vertus. Vérité! Sainte Vérité! Tu es le pain des forts, la source qui jaillit jusqu'à la vie éternelle!

Didier a noué avec Franz une amitié qui sera, je crois, durable, car elle est plutôt basée sur l'estime que sur l'attrait réciproque.

Je me crois meilleure que jadis, parce que j'aime mes amis tout en voyant très nettement leurs défauts et leurs ridicules. Je n'ai pas le moindre besoin d'eux et je sens très bien que jamais je ne trouverai près d'eux une consolation. Je ne suis personnellement accessible, en fait de joie et de douleur, qu'à ce qui me vient de « lui » ou par « lui ». J'aime donc mes amis avec désintéressement et beaucoup plus pour eux que pour moi [100].

La nuit passée, j'avais fumé une cigarette de tabac turc et je ne pouvais dormir. Je me mis à songer à ce que nous nommons le « bien » et le « mal », le « crime » et la « vertu ». Le « bien » et le « mal » existent certainement; ils existent comme le « beau » et le « laid ». Quant au « crime » et à la « vertu », cela devient plus douteux; quant au « criminel » et à l'homme « vertueux », cela pourrait peut-être se nier absolument. L'âme n'a-t-elle pas un « tempérament » ainsi que le corps? L'« éducation » n'exerce-t-elle pas sur l'une la même action que l'« hygiène » sur l'autre? Nous est-il donné d'apprécier de quelle façon se combinent dans la vie d'un homme ses inclinations naturelles, les enseignements qu'il reçoit, les exemples dont il est entouré, les tentations qui l'assiègent et le degré d'intelligence morale qui lui est départi? En généralisant le mot si juste d'un phrénologue qui appelait les égoïstes des « idiots de cœur », n'arrivons-nous pas logiquement à l'absolution des méchants? Ne sont-ce pas des idiots privés de ce sens droit, qui nous fait préférer les joies élevées de la vertu aux satisfactions brutales du vice? Les hommes vertueux sont-ils autre chose que des artistes doués du sens exquis du beau moral, qui « taillent leur âme », comme le statuaire taille sa statue, d'après un type idéal qui est en eux? Qui a fait naître le méchant privé de la faculté d'épanouir son cœur au soleil de la justice? Qui a mis dans l'homme vertueux cet aimant toujours attiré vers le bien?

La société n'a pas le droit de « punir » les coupables. Pour qu'elle eût ce droit, il faudrait qu'elle eût pourvu à l'éducation morale et religieuse de « tous », et à la satisfaction des besoins légitimes. Or, elle ne l'a point fait. Elle n'a donc que le droit de corriger ou d'empêcher de « nuire ».

[1 feuille arrachée]

Mardi 4 [juillet].

Hier soir, nous avons lu un article de Sainte-Beuve sur madame de Krüdener [101]. Ce n'est qu'un jugement assez incomplet de la prophétesse de 1814 qui, du reste, nous apparaît là, mobile, vaniteuse, coquette jusque dans son fanatisme, femme en un mot, car, et c'est surtout l'étude des femmes célèbres qui peut nous convaincre de cette vérité, la femme, dix-huit siècles après la venue du Christ, n'est encore qu'un enfant puéril qui « joue » aux grands sentiments, aux dévouements, à l'héroïsme. Ne lui demandez point de logique; si elle parvient, à force d'études, à en mettre dans ses discours, elle n'en mettra jamais dans sa vie, car jamais elle ne cherche son point d'appui en elle-même et c'est toujours en autrui, soit par amour, soit par vanité, soit par impuissance, qu'elle place son centre de gravité.

L'article de Sainte-Beuve a les défauts et les qualités de tout ce qu'il écrit : travail de style péniblement senti, phrases interminables, dépourvues de cadence, préférence marquée de l'expression prétentieuse à l'expression simple, mais souvent une étonnante finesse d'appréciation, une grande justesse, les mots les plus heureux pour rendre les nuances les plus délicates.

Lundi 24 [juillet].

Ce matin, j'ai quitté Nohant; George nous a escortés à cheval jusqu'à La Châtre avec Mallefille et Rey [102]. Ces deux jeunes gens souffrent le mal de notre génération; une ambition surexcitée, aux prises avec une pauvreté d'autant plus cruelle, qu'elle se trouve en contact journalier avec l'opulence de toute une classe de gens, qui n'est plus une classe supérieure de « droit », reconnue et avouée telle, mais supérieure de « fait » par la fortune et tout ce qu'elle entraîne avec elle de puissance et de privilèges. Mallefille qui songeait à réformer la scène française est dégoûté du drame et veut aller en Circassie. Heureusement il a fait quarantaine à Nohant, et nous avons, je crois, mis les étouffoirs sur sa frénésie d'action et de gloire. Peut-être va-t-il tout simplement se charger de l'éducation de Maurice. « Rey » ne vise à rien moins qu'à un poème « humanitaire » qui doit être achevé dans six mois. Ce poème qu'il roule dans son cerveau depuis des années doit être l'histoire psychologique de l'homme « microcosme » autant que j'ai pu comprendre. Il parle de cela sans ostentation, mais avec une espérance calme, étonnante. Sa conversation, qui est habituellement un long et pesant lieu commun, prépare peu à l'idée d'un nouveau Dante ou d'un nouveau Milton.

Mon séjour à Nohant m'a été bon. L'enjouement de George, bien qu'il me soit peu sympathique, a néanmoins développé cette pauvre bosse de la gaieté, si peu visible à mon front. Elle a aussi agrandi en moi le sens poétique, et par conséquent donné l'essor à de nouvelles facultés de jouir; puis mon sentiment individuel s'est raffermi. D'une extrême défiance, j'ai passé à une plus juste appréciation de ma valeur personnelle; et, s'il n'est pas bon de nourrir une trop haute opinion de soi, il est très nuisible d'en avoir une trop humble. Je me suis convaincue d'ailleurs qu'il n'y a pas d'abîmes entre un individu et un autre; que les intelligences ne sont pas, après tout, si disproportionnées, et que telle qualité de cœur, telle supériorité de caractère rétablissent souvent l'équilibre entre deux individus dont l'un paraîtrait devoir dominer l'autre à une grande hauteur. Le dirai-je en deux mots? Il ne m'a pas été inutile de voir, à côté de George le grand poète, George l'enfant indompté, George la femme faible jusque dans son audace, mobile dans ses sentiments, dans ses opinions, illogique dans sa vie toujours influencée par le hasard des choses, rarement dirigée par la raison et l'expérience. J'ai reconnu combien il avait été puéril à moi de croire (et cette pensée m'avait souvent abreuvée de tristesse), qu'elle seule eût pu donner à la vie de Franz toute son extension, que j'avais été une malheureuse entrave entre deux destinées faites pour se confondre et se compléter l'une par l'autre.

La cathédrale de Bourges est le monument gothique le plus parfait que je connaisse. En y entrant, je fus saisie de respect et comme enveloppée du sentiment de l'infini. C'est bien là le temple chrétien; l'homme y est tout petit et le Dieu s'y cache dans des profondeurs mystérieuses. Les colonnes fuselées s'élancent hardiment vers le Ciel, comme la foi de nos pères, et les arceaux des voûtes se recourbent l'un vers l'autre, pareils aux âmes qui se cherchent dans la charité. Un instant, les rayons du soleil couchant réfractés par les vitraux gothiques teignirent les voûtes de nuances violettes et pourprées qui, en voilant les contours et la rudesse des lignes, élevaient au-dessus de nos têtes un dôme fantastique d'éther et de lumière. Je contemplai longtemps en silence, mais je sentis que je n'adorais plus. Je m'étonnais de la grandeur de cet homme crucifié auquel on a bâti plus de temples que les Césars n'eurent jamais de palais, et la simple et terrible parole de Leroux [103] se plaçait au bout de toutes mes méditations : « Et pourtant le Christ n'est point ressuscité. »

Franz comparait ces grandes nefs catholiques aux plages que la mer a délaissées. Le flot populaire s'est retiré de l'église; elle reste là, déserte et muette...

J'aime le voyage parce qu'il réveille en moi le sentiment de l'unité de ma vie. Je sens en parcourant avec lui des pays inconnus qu'il est mon unique appui, mon unique recours, mon unique guide; que ma destinée est en lui seul, que je la lui ai librement et volontairement remise, que je n'ai véritablement ni temple ni patrie que dans son cœur.

Lui, à l'aspect de beaux sites, de monuments grandioses, me disait qu'il avait besoin que le beau se manifestât à lui par moi; que j'étais pour lui, comme la parole par laquelle la beauté des choses lui était révélée.

31 [juillet], Lyon.

Je viens de voir les *Pêcheurs* de Léopold Robert achetés par M. Paturle, et exposés au profit des ouvriers sans travail [104]; belle et grande composition, coloris superbe, expression profonde. A la droite du tableau, deux figures d'hommes atteignent au sublime; l'une debout, appuyée, lève le regard avec une noble énergie; l'autre, assise, plus dans l'ombre, enveloppée d'un manteau, semble lutter avec d'amers regrets, avec un sombre désespoir. Ces deux hommes, le dernier surtout, sont des types byroniens d'une merveilleuse beauté. Je fus saisie de ce frémissement intérieur que produit toujours en moi la vue des grandes choses; mes yeux se remplirent de larmes, de ces larmes divines dont, la veille, les chants de Schubert avaient mouillé ma paupière. Saints mystères de l'art, vous êtes infinis et insondables comme Dieu!

Hier, dans une petite réunion, j'ai entendu Nourrit [105] toute la soirée chanter avec une incontestable supériorité les *lieder* de Schubert. Il a dit, avec une tendresse adorable :

Sois mes amours; dans *les Astres* il s'est élevé à un prodigieux degré de puissance. C'était le hiérophante inspiré célébrant les merveilles de la création; il était plus prêtre en cet instant que bien des prêtres, car si nous avions obéi à l'élan qu'il donnait à nos âmes, nous nous serions jetés à genoux pour adorer...

Nourrit est un artiste distingué, un homme estimable. Il quitte l'Opéra prématurément et ne veut point arrêter là sa carrière. Il médite ce que les grands artistes méditent aujourd'hui : la diffusion de la musique parmi le peuple, l'initiation et le progrès des petits par l'art; enfin, l'essai de Mainzer [106] agrandi et réalisé sur une vaste échelle. Ces plans sont beaux et véritablement « humanitaires ». A notre retour en France, Franz entreprendra probablement quelque chose de semblable, et, peut-être, verrons-nous de grands résultats de la réunion des efforts partiels et des tentatives jusqu'ici trop incomplètes et trop isolées.

Enfantin [107] est retiré dans le voisinage de Lyon. Je me sens une grande vénération pour lui, un vif désir de le connaître, quelque chose de pareil à ce que j'éprouvais pour M. de Lamennais. Voici quelques passages que j'ai copiés de lettres écrites par lui à M. Arlés, négociant récemment ruiné par la banqueroute américaine :

« Baisser la tête dans l'adversité, m'a toujours paru une « platitude »; la baisser quand nous vient la gloire est et sera toujours la noble « humilité ». Oui, que l'orgueil s'humilie dans le sein d'un ami, d'une femme, quand Dieu le châtie, parce qu'il se relèvera dans toute sa « dignité », sous une parole sévère mais tendre, parce qu'il se retrempera « noblement » arrosé par des larmes communes, mais qu'il s'humilie devant des hommes rassemblés qui seraient heureux de l'écraser, de le crucifier, il a fallu que Dieu nous envoyât son Fils lui-même pour enseigner cette doctrine « extra humaine », malgré l'immense « orgueil » de ce Fils de Dieu crucifié, s'humiliant devant son Père mais donnant tout le monde à Satan, nous qui voyons Dieu dans le monde [*sic*]; êtres imparfaits que nous sommes, nous, qui voyons dans les autres hommes des êtres imparfaits comme nous; nous, qui ne méprisons pas le monde et ne lui lançons pas l'anathème, nous qui voulons l'améliorer et nous perfectionner par lui, soyons glorieux pour nous et humbles pour lui quand il nous châtie pour ce que nous faisons de bien; soyons glorieux pour lui quand il nous attribue la gloire qui lui revient, et humbles pour nous quand il nous couvre de cette gloire pour voiler nos faiblesses; confessons ses fautes et jugeons-le quand il nous méconnaît et nous juge trop mal. Confessons nos faiblesses et demandons-lui son absolution quand il nous juge trop grands; mais ne plions pas sous la main injuste et froide qui veut nous coucher; elle nous écraserait comme Jésus; et ne nous enflons pas non plus au souffle caressant qui veut nous bercer et nous rafraîchir, nous crèverions comme Napoléon. Plions, plions jusqu'à terre sous la verge de la mère qui nous aime, sous les colères jalouses de la femme qui nous adore, devant les pleurs de nos enfants, si nos fautes leur ont fait mal, parce que tous ceux-là nous aiment comme la « famille » aime; mais ceci est la loi de famille, ce n'est pas la loi politique; ce qui convient au mystère ne va pas à la place publique, et les masses demanderont toujours aux hommes d'être tendres et faibles même dans la maison, d'être forts et rudes même au forum. Le véritable remède pour toute société qui se ronge c'est de chercher la vie dans la communion avec les autres sociétés. Sans les guerres européennes de Napoléon, sans cette mission universelle qu'il donna à la France, on aurait joué à l'échafaud jusqu'au dernier homme, il ne serait plus resté que le bourreau; mais le bourreau s'est fait empereur, et avec ses valets il a couru le monde et, par eux, nous avons tous vécu pendant vingt ans de gloire, et ils ont mêlé le sang de vingt peuples qui aujourd'hui sont plus près que jamais de se reconnaître comme d'une même famille.

« Vous savez qu'il ne faut pas toujours prendre à la lettre les formes que les grands poètes donnent à leurs prophéties, mais qu'il faut écouter avec soin le Dieu qui s'agite dans leur sein. Je fais donc peu de cas des espérances républicaines de Chateaubriand, Lamennais, Ballanche [108], parce que je sais ce qu'il y a au fond du cœur de ces trois grandes vies; elles ne sont pas nées d'hier, nous les connaissons par cœur, et nous savons bien que religion, morale, hiérarchie sont leurs muses. Tous trois ont gagné, depuis quelques années, une grande puissance de sympathie pour les immenses douleurs du peuple, eux qui avaient réservé jusque-là toute la poésie de leur âme pour les grandes infortunes royales et papales, et qui n'avaient chanté que pour le trône et l'autel; et alors, comme de vrais poètes, c'est leur dernière passion, leur dernier amour qui colore toute leur pensée.

« De même, quand je prends la trinité semblable et plus jeune de Sainte-Beuve, Reynaud, Leroux, je ne crois pas aux « formes » que me prophétisent leurs chaudes imaginations, mais je sens le Dieu qui vit en eux et je suis certain que l'humanité marche vers une ère de liberté, de vérité, de probité; quant à leur république, néant. »

Le besoin de faire partie d'une communauté, de rattacher le peu de bien que je pourrais faire à un but unique, de devenir d'un individu isolé le « membre » d'une « famille », un des mille rayons qui convergent à un centre, se fait quelquefois sentir en moi. Si je voyais Enfantin, peut-être me ferais-je saint-simonienne, sans une vive foi pourtant, mais simplement parce que, parmi tous nos systèmes sociaux modernes, la doctrine de Saint-Simon [109] est celle qui embrasse le plus complètement toutes mes sympathies.

5 [août].

La plaine de Grenoble a déjà un aspect méridional qui me séduit. La vigne en arbre, le maïs, les mûriers, les toits aplatis, tout annonce que l'hiver perd ici de sa durée et de sa force.

Nous montons à la Grande-Chartreuse, par une pente adoucie au bord d'un torrent, toujours ombragée de sapins, de hêtres, de châtaigniers. A mesure qu'on pénètre dans cette gorge solitaire, elle se resserre et s'ombrage de plus en plus. Au bruit du torrent succède le silence; la végétation, d'une beauté croissante, semble vouloir attirer et retenir l'homme dans la paix du Seigneur. J'ai fait beaucoup d'ascensions alpestres, nulle part je n'ai vu un pareil effet de continuité. Les Alpes se divisent en trois régions distinctes et contrastantes. D'abord la végétation, la culture; puis la région des sapins et des pâturages, qui va en se dégradant, en se dénudant jusqu'aux rochers et aux neiges éternelles. Ici rien de semblable; toujours un tapis de verdure sous nos pieds; toujours un dôme de feuillage sur nos têtes; toujours une voix cachée qui nous dit : « *Venite ad me omnes qui laboratis* [110]. »

C'était un dimanche; au bout de quatre heures de marche les cloches nous annoncent l'approche du couvent. Il m'est défendu d'y entrer. La médiocrité des constructions, et la vulgarité de quelques chartreux qui viennent me parler m'inspirent peu de regrets; j'aime bien mieux contempler, sous un groupe de hêtres, des enfants jouant aux osselets et des vaches superbes paissant avec une tranquillité confiante les herbes parfumées de la pelouse. Tout autour de nous, des hauteurs à pic couvertes d'arbres touffus. Un oiseau, un seul, fait retentir l'air de sa cadence obstinée; je comparais involontairement le libre cantique de l'enfant des forêts et les paisibles voluptés du troupeau aux riches mamelles, avec les abstinences, les macérations et la claustration des chartreux. Ces saintes aberrations ont été utiles, nécessaires peut-être. Mais aujourd'hui?... L'homme n'a-t-il donc pas une manière plus digne et plus haute d'adorer Dieu, qu'en ajoutant volontairement aux misères de sa nature le poids d'une souffrance stérile [111]?

Le « renoncement » envisagé d'un certain point de vue ne peut-il pas sembler une offense envers la divinité? Oh, combien plus « religieux » est l'homme qui jouit avec amour et reconnaissance des biens que la nature lui dispense sans travail et de ceux que son labeur lui procure!

Franz, plus catholique que moi au fond, me disait qu'un pape habile eût pu tirer un parti énorme des couvents qui sont tous, plus ou moins, sous sa dépendance, en les consacrant à des travaux d'intelligence ou même à des exploitations industrielles. Un nouveau Grégoire [112], comprenant notre époque, eût pu donner encore une fois au catholicisme la puissance que le moine audacieux lui donna par les moyens que les croyances de son siècle lui suggéraient. Il eût effacé ainsi la tache d'oisiveté qui a rendu les monastères si odieux au peuple; il eût superposé aux spéculations industrielles qui absorbent tout aujourd'hui la pensée religieuse absente; les hommes de Dieu, en partageant le travail du prolétaire, eussent acquis le droit de lui prêcher la morale chrétienne, et, par cette simple modification des règles monastiques, sans toucher à ses dogmes, la papauté eût pu aisément se sauver et peut-être sauver à [sic] la société de terribles épreuves. Il est assez probable que nous verrons se former des réunions d'artistes, de savants, de travailleurs enfin, vivant sous une règle convenue et mettant en commun leurs recherches et leurs découvertes. L'égoïsme qui isole les hommes et qui individualise les travaux serait ainsi plus sûrement attaqué que par la séquestration claustrale; la science ferait des progrès plus rapides; il y aurait moins de temps perdu dans les préoccupations de la vie matérielle, moins d'intelligences étouffées par la misère, moins d'erreurs et d'aveuglement prolongés, puisque l'œil de tous veillerait sur chacun... Si un jour je pouvais avec Franz contribuer à établir quelque chose de semblable, j'en serais heureuse.

7 [août].

Nous sommes allés aux « Charmettes », petit jardin de curé, que les amours de Rousseau n'entourent pas d'assez de prestige. Un registre y est ouvert où chaque imbécile s'empresse de déposer le témoignage de sa sottise. Ces sortes de registres me semblent comme une statistique de l'état intellectuel des masses, et Dieu sait quelle « moyenne » on obtiendrait par le relevé de tout ce qui s'écrit là de stupidités!

« Frangy »... Souvenirs de jeunesse! Amours des premières années, que devenez-vous? Le parfum de l'aubépine un soir d'avril, la lointaine chanson d'un pâtre une fois entendue, la teinte rosée que jettent au nuage passager les caprices du soleil couchant laissent dans l'esprit plus de traces que vous!

Une heure avant d'arriver à Genève, il a « parlé ». Parfois, lorsqu'il est fortement excité, ou vivement ému par une grande scène de la nature, par une belle harmonie, ou surtout par quelque sainte parole d'amour, « l'esprit » se réveille en lui, et, ce qu'il y a de plus mystérieusement enfoui dans son cœur en jaillit comme un flot bouillonnant. Je le comparais un jour à la statue de Memnon [113]. Comme elle, son âme rend des sons divins quand les rayons de l'enthousiasme la touchent; mais comme elle, à l'ombre des choses terrestres, il reste impénétrable et muet dans sa force. Quand il est ainsi ébranlé, il paraît souffrir beaucoup; il parle sous l'empire d'une puissance inconnue qui lui met à la bouche des paroles de flammes, dont ni lui ni moi nous ne pouvons ensuite nous souvenir. Il me fait alors comprendre ce que pouvaient être dans les temps anciens les sibylles et les pythonisses. Je ne me sens plus son égale, car il a une part d'initiation bien supérieure à la mienne. Mais en même temps, je sens qu'il m'attire et m'élève jusqu'à lui dans l'immensité de son amour.

10 [août].

J'ai vu Blandine à Étrambière [*sic*]; je l'ai trouvée d'une grande beauté. Le prodigieux développement de son front, son air sérieux et intelligent annoncent une enfant peu ordinaire. Elle a la passion des fleurs et pratique déjà la charité en allant déposer des sous dans le chapeau d'un mendiant favori (Tati). Elle est colère et sensible; pendant que j'étais là, elle a pincé sa nourrice et, au même instant, par un mouvement de cœur spontané, elle l'a embrassée avec une inquiétude touchante. Que de joies saintes sont pour nous déposées en germes dans ce petit être encore si chétif et si incomplet!

Nous avons retrouvé Pictet, Grast, Albera, Fazy et Ronchaud [114], le plus dévoué et le plus tendre de nos amis. Nature distraite, rêveuse, incapable de mordre en plein à la vie. Quelque chose de gauche et d'embarrassé qui le rend inhabile aux affaires et propre tout au plus à devenir le héros de roman d'une jeune personne; mais il a vingt ans, tout cela se modifiera.

[1 feuille arrachée]

... [Je ne] conçois guère la mode qui veut qu'on se plaigne de les rencontrer par toute l'Europe. C'est à eux que nous sommes redevables de tous les agréments matériels des voyages et je ne vois pas que les Français soient d'une nature à tel point poétique qu'ils aient le droit de parler avec mépris du sentiment peu artistique de leurs voisins d'outre-mer [116].

17 [août].

Nous arrivons à Baveno, sur les bords du lac Majeur, charmante petite auberge, toute garnie de fleurs. Un bateau nous conduit à « L'Isola-Madre », une des Borromées. C'était jadis un rocher aride sur lequel croît aujourd'hui la plus luxuriante végétation. Les citronniers et les orangers recouvrent les murs d'une tenture parfumée; le jasmin de Virginie aux corolles de feu, et le câprier aux longues étamines d'un lilas tendre, s'y suspendent avec mollesse. L'aloès avec ses feuilles épaisses, si immobile qu'il semble une plante de bronze perce le roc; les sassafras, les camphriers, les magnolias fleurissent étonnés à côté du sapin d'Écosse et se mirent avec lui dans les eaux bleues du lac que bordent à l'horizon les Alpes rhétiennes. On se dirait transporté dans la retraite enchantée de quelque Péri, ou dans ce premier jardin que l'imagination des poètes bibliques créa pour les amours de deux êtres sans péché. « L'Isola-Bella », où est bâti le palais des Borromées, est un tour de force d'assez mauvais goût. Il y a pourtant de la grandeur et de la vastité dans les salles intérieures; une galerie de tableaux, des statues de « Monti »[117], leur donnent un intérêt artistique; puis, Napoléon y a couché la veille de Marengo et l'on montre sur l'un des deux gigantesques lauriers-roses qui n'ont point de pairs en Europe, la place où il grava le mot « battaglia ». Comme j'allais remonter dans notre barque, je restai saisie d'admiration à la vue d'un grand aloès en fleur qui étalait au soleil ses ardentes étamines. Je contemplai longtemps la fleur des poètes, symbole de ces amours divins, ceux qui ne fleurissent aussi qu'une fois dans une vie.

18 [août].

Monsieur le commissaire de police autrichien me retient deux jours à Sesto-Calende, pour une formalité absente de mon passeport. La douane se montre fort obligeante au moyen d'un écu de cinq francs. La mendicité et l'importunité des portefaix, etc., est au comble : « Donnez quelque chose au "faquin " », voilà ce qu'on entend sans cesse corner à ses oreilles. Nous faisons le soir une promenade ravissante jusqu'à Angera, sous des berceaux de vigne, au bord du lac, mais décidément, messieurs les Autrichiens font une triste figure à l'ombre des figuiers et des oliviers.

20 [août].

Varèse est une jolie petite ville, fort animée; les femmes, même les moins jolies, ont une vivacité de regard et d'allure qui leur donne un agrément particulier. On arrive à Côme par une longue avenue de platanes, d'acacias, de tilleuls et de châtaigniers. Le lac est d'une merveilleuse beauté. Nous avons passé deux jours à visiter la partie qui s'étend de Côme à Colico. Elle est encadrée de montagnes qui, en se rapprochant et en s'éloignant, forment comme une série de petits lacs dont les aspects varient à l'infini. Une multitude de villas bordent ses rives. La villa d'Este, jadis habitée par la princesse de Galles, n'a de remarquable qu'une salle de spectacle, très élégante dans son ensemble et dans ses détails; la Pasta habite presque en face; dans une des anses les plus sombres du lac est la Pliniana, où coule avec impétuosité la fameuse source intermittente décrite par Pline [118]. Elle forme, dans l'intérieur même de la maison, des cascades d'un effet bizarre. L'aspect total de cette ville, adossée à la montagne, avec ses salles découvertes et les cours d'eau qui la traversent en tous sens, est unique en son genre. On pourrait, à très peu de frais, en faire une délicieuse et « romantique » demeure. La villa Melzi a un beau jardin à l'anglaise. Valéry [119] vante à tort le groupe du Dante conduit par Béatrix. Le Dante surtout est d'une mesquinerie et d'une vulgarité déplorables. J'ai eu encore occasion de remarquer dans un beau médaillon de Bonaparte, premier consul, les analogies frappantes de son visage avec celui de Frantz. « Il fium latte » est une badauderie, comme on en voit mille quand on se conforme scrupuleusement aux instructions des faiseurs d'itinéraires; pourtant nos bateliers nous avaient avertis que ce n'était « che una cogl »... [120] mot fort usité dans la conversation ici. La villa Serbelloni qui domine du haut de son promontoire deux branches du lac sera une chose superbe, mais elle n'est point achevée.

[1 feuille arrachée]

Milan

La campagne, le « cours » est peuplé de calèches et de chevaux de salle comme en un de nos jours de Longchamp. La famille Ricordi [121] exerce envers nous l'hospitalité italienne : voiture, loge, maison de campagne, tout est à la disposition du Paganini del piano-forte. On nous conduit à la Scala, où m'attendait une série de désappointements. Je m'étais figuré un théâtre d'une splendeur féerique, des colonnes, des vases, de riches draperies; je trouvai un grand vaisseau construit, dit-on, suivant toutes les règles de l'acoustique, mais triste et monotone, mal décoré et horriblement éclairé. Quant au spectacle, qu'en dire? *Marino* de Donizetti, misérable et plate copie de Rossini; des chanteurs absurdes, un ballet ridicule (la mort de Virginie), dont la pantomime semble un exercice de gymnastique ou une évolution de télégraphes [122]; tout cela dans la patrie

des arts, chez les fils de Rome et de la Grèce! La décadence
de la musique est complète en Italie; le « maestro » y
pullule; point de croque-notes imberbe qui n'ait écrit pour
le moins trois à quatre opéras. C'est un dévoiement musical.

Le dôme est ce que j'ai encore vu de plus prodigieux
comme luxe d'architecture. On lui reproche de manquer
de simplicité; cela est vrai, mais qu'importe, s'il a de la
grandeur. Un reproche plus fondé s'adresse à l'alliance
monstrueuse du style gréco-romain et du style ogival au
portique. Ce n'est pas l'église militante, austère, c'est l'église
triomphante et glorifiée; ce n'est pas l'asile des martyrs,
c'est le temple des bienheureux. Les festons et les fleurs y
couronnent la milice céleste; avec ses aiguilles, ses cloche-
tons, ses statues de saints qui percent les murs, la cathédrale
de Milan est un véritable *Te Deum* de marbre.

Une des églises les plus intéressantes de Milan est Saint-
Ambroise; celle-là même dont le saint fit clore les portes
devant Théodose après le massacre de Thessalonique. Elle
est précédée d'un Pronaos, sorte de portique que les premiers architectes chrétiens empruntèrent aux Grecs et qui,
par sa gravité simple et triste, prépare bien à l'entrée dans
le temple. C'est, en quelque façon, la méditation qui précède l'adoration et la prière.

Les nombreuses églises de Milan, dont plusieurs sont
restaurées d'une manière barbare, ont généralement un
aspect gai; elles sont ornées de colonnes en marbre, de
mosaïques, de dorures et de sculptures. Quelques-unes ont
de belles fresques de Luini et de Procaccini [123]; j'ai remarqué
à San-Fedele des confessionnaux d'un dessin exquis; ce ne
sont pas d'horribles boîtes vermoulues, comme chez nous,
mais des prie-Dieu découverts, gracieux de forme et sculptés
avec goût. A Saint-Nazaire, sept tombes des Trivulzi [124]
sont placées dans des enfoncements pratiqués à une grande
hauteur dans la muraille; j'aime l'inscription de la tombe
du maréchal : *Johannes, Jacobus, Trivultius, Antonii filius,
qui nunquam quievit quiescit, tace.*

La Chartreuse de Pavie est située dans une plaine fertile dont la majeure partie est en rizière. D'habiles irrigations entretiennent une fraîcheur perpétuelle dans ces terres qui produisent deux et trois récoltes. Cette chartreuse n'a point l'attrait mystérieux de la Chartreuse de Grenoble; l'architecture en est plus bizarre que grandiose, mais la richesse des détails à l'intérieur en fait une véritable merveille; l'œil est ébloui et bientôt fatigué de cette profusion de fresques, de tableaux, de mosaïques, d'incrustations de lapis-lazuli, d'agates et d'autres pierres rares, ce luxe païen contraste étrangement avec les vœux austères des anciens possesseurs... Une sorte d'admiration curieuse s'éparpille dans les détails, mais l'âme n'est point impressionnée par l'ensemble auquel manque le caractère religieux, le caractère chrétien surtout.

Le musée de Brera n'est pas très riche en bons tableaux. *Les Épousailles de la Vierge* ont de l'intérêt, parce qu'elles sont des premiers temps de Raphaël qui n'avait guère que vingt et un ans lorsqu'il fit ce tableau, mais la composition est monotone, la peinture sèche et les visages d'hommes beaucoup trop efféminés. Franz n'a aucun goût pour tous ces types de Vierges répétés à satiété par les écoles italiennes. Il trouve ces visages communs et totalement dépourvus d'intelligence. Le luxe des compositions de Véronèse et l'horrible de S. Rosa lui sont plus sympathiques. Il a cependant fait grâce à une Vierge de Sassoferrato, dont l'Enfant est admirablement endormi. Les six têtes d'anges qui bordent le tableau sont charmantes. L'*Agar* du Guerchin est fort vantée; c'était, dit-on, le tableau de prédilection de Byron, ce qui me donne une médiocre idée de ses connaissances en peinture [125].

3 [septembre].

« Académie » chez Ricordi. Franz y joue le morceau de Pacini et sa valse, avec un grand succès : « *è il Paganini del piano-forte, il gran suonator di cimbalo* », etc., mais en vérité, jamais succès ne furent moins flatteurs ; le tour de force est tout ce qui les frappe ; les mélodies les plus plates de Donizetti, Bellini, les font pâmer, et toute œuvre dramatique ou poétique les ennuierait profondément. J'ai revu là Ferdinand Denois [126], le consul, bien étonné, je crois, de me retrouver ainsi courant le monde, après m'avoir perdue de vue depuis les jours de ma première jeunesse où je vivais entourée d'un petit cercle de soupirants diplomates, la passion obligée des « attachés » et le « parti » recherché des secrétaires d'ambassade. Ces temps de jeunesse, toujours si pleurés, je les ai vus fuir sans regrets ; pourtant, beauté, fortune, indépendance, tout ce qu'on envie dans le monde m'avait été donné en partage, mais un ennui presque continu, un dégoût instinctif des choses, un déplorable engourdissement des facultés aimantes ont marqué ces jours qui, pour d'autres, sont des jours de vie, de joie, de riantes espérances. Le sommeil de l'ennui, puis le cruel réveil de la douleur, voilà mon passé... Le présent, c'est l'amour libre, fier, confiant... L'avenir, qu'importe !

> *What er sky is above me*
> *There is heart for every fate.*

Mon âme nourrie du pain des larmes, ravivée par les saintes joies de l'amour, sera-t-elle jamais faible et pliante ?

La liberté des mœurs me paraît bien plus grande ici qu'en France. Les liaisons libres ne scandalisent point. On prononce sans hésitation le mot d'amant. La comtesse Samoïloff (nièce du comte Pahlen), qui joue le premier personnage à Milan, va ouvertement à Trieste parce que Poggi, son amant, est engagé au théâtre. La marquise Visconti et le marquis de Cannizzaro vivaient maritalement, sans offusquer personne ; enfin les Italiennes ont sur les Françaises la supériorité incontestable de la sincérité et de l'indulgence, jusque dans l'âge où, chez nous, la femme la plus galante se croit obligée à « faire » de la « morale » et souvent de la pruderie [127].

6 [septembre].

J'ai fait le trajet de Côme à Bellagio, où nous allons nous établir, avec Amédée qui était venu me trouver à Milan. Il a paru joyeux de me revoir, mais je crois qu'il me trouve fort railleuse, fort décidée et trop peu « mélancolique ». Les gens qui viennent à moi dans des sentiments de tendresse compatissante sont singulièrement déroutés.

Séjour à Bellagio, dans une absolue solitude ; nous lisons *Sismondi* que Franz trouve lourd, ennuyeux, insupportable ; puis un traité d'architecture qui débrouille un peu les notions assez confuses que nous avions tous deux sur cet art.

9 [*septembre*].

Le soir est venu ; les lignes noires des montagnes tracent autour de nous un cercle qui semble interdire à notre pensée d'aller plus loin. Qu'irions-nous chercher, en effet, au-delà de cette enceinte ? Qu'y a-t-il au monde, si ce n'est le travail, la contemplation, l'amour ?... La lune trace sur l'onde un sillon lumineux qui tremble, comme la foi des choses divines, dans nos âmes hésitantes et craintives. De tous les villages qui bordent ces rives, les cloches saintes s'appellent et se répondent... Voici les étoiles qui s'appellent dans les cieux... Un bruit de chaînes se fait entendre ; mais celles-là n'ont rien de sinistre ; elles n'éveillent point l'image du cachot ni la pensée de l'esclavage ; ce sont les chaînes des bateliers qui amarrent leurs barques après le joyeux travail de la journée...

Les festons de la vigne s'enlacent, ce soir, plus amoureu-

sement et laissent pendre avec plus de mollesse leurs
grappes pourprées aux grilles du balcon... Oh, tout cela est
d'une bien pénétrante beauté!

2 [octobre].

Hier nous sommes allés à Visgnola, où tous les paysans
des environs étaient rassemblés pour la fête de la Madone.
Ces fêtes sont annoncées, dès la veille, par l'ébranlement
continu d'une petite cloche au timbre très clair, qu'ils
appellent « il companile di Festa », et dont les notes pressées
sur un rythme capricieux, varié à l'infini, sèment l'air de
gaieté et de joie. Nous ne connaissons point, dans le Nord,
ces cloches d'allégresse qui suffiraient à caractériser l'esprit
contraire des deux catholicismes, dont l'un s'est empreint
des sombres mythes de la Scandinavie, et l'autre a retenu,
comme un parfum de Grèce, comme un ressouvenir du
paganisme. Il me fut impossible, par exemple, de ne pas
songer aux anciens sacrifices, aux offrandes à Vénus, en
voyant les jeunes filles apporter à l'autel des paniers ornés
de fleurs, contenant des gâteaux, des fruits et jusqu'à des
volailles que le prêtre bénissait, et qui se vendaient ensuite
à l'enchère au bénéfice de la Fabrique. Franz s'est amusé
à en acheter un grand nombre et à jeter les fruits et les
gâteaux au milieu d'une troupe d'enfants qui se ruaient
l'un sur l'autre et se culbutaient pour obtenir, à force de
coups de poing, quelque bribe de macaron, quelque figue
écrasée dans la poussière. Mais cet amusement, un peu
trop « princier », faillit tourner très mal. L'acharnement des
combattants augmentant à mesure que les gâteaux tiraient
à leur fin, l'un des enfants jeté à terre avec violence se mit
à pousser des hurlements qui allumèrent la colère de son
père, et peu s'en fallut que la populace qui, jusqu'alors,
avait applaudi à nos largesses, ne prît fait et cause pour le
paysan irrité contre nous. Cependant l'enfant avait eu plus

de peur que de mal; ses cris cessèrent et la fête ne fut point troublée. La procession était chose grotesque. Une longue file de femmes, la plupart vieilles et laides, la tête enveloppée d'un shall crasseux, chantaient d'une voix aiguë les litanies; suivaient des hommes porte-cierges affublés d'une robe étroite comme une gaine de parapluie, en toile jadis rouge, à laquelle le temps et l'inclémence des saisons avaient donné toutes les nuances des feuilles d'automne. Puis une statue de Madone grimaçante et bariolée, portée sous un dais... tout cela ressemblait plus à une ignoble parade de charlatans qu'à une cérémonie du culte du vrai Dieu [128].

3 [octobre].

Depuis huit jours je souffre des dents, ce qui me donne occasion de faire de fort belles recherches sur l'origine du mal. La solution... il va sans dire que je ne la trouve pas. Celle du catholicisme n'en est pas une; car, en ne remontant qu'à la désobéissance d'Ève, assez puérile conception du reste, on ne remonte point à la cause de cette désobéissance. Celle des deux principes se combattant éternellement n'est guère plus satisfaisante, et lorsqu'on se perd dans la vastité du panthéisme, il faut encore reconnaître le mal en Dieu puisque Dieu est Tout et que Tout est Dieu! Triste prééminence de l'homme sur les animaux! Triste faculté de dire : Pourquoi? puisque aucune voix ne répond à la demande et que la vie et la mort restent également muettes pour lui.

4 [octobre].

Nous jouons aux dames avec passion. La vanité, l'envie, la colère, toutes nos mauvaises inclinations sont irritées par ces vingt pions manœuvrant sur des carreaux noirs et blancs! Nous nous disons fort sérieusement des choses blessantes et, bien qu'une demi-heure après nous riions de nous-mêmes, nous nous reprenons toujours avec le même sérieux aux mêmes émotions.

Nous lisons Molière avec délices. La société avec tous ses travers, le cœur de l'homme avec tous ses replis y sont traduits et jugés au tribunal du bon sens, et se dévoilent au spectateur par les traits les plus vrais, les plus piquants, les plus réellement comiques, Molière et La Fontaine sont, sans contredit, les plus grands écrivains du siècle de Louis XIV, les plus originaux, partant les plus inimitables.

Cinna n'est point une tragédie. L'action est nulle. On ne s'intéresse à personne. Qu'importent la vengeance d'Émilie, la mort même d'Auguste que l'on ne connaît bien qu'à la fin de la pièce, qu'importe surtout le succès de ces pitoyables amours qui font de Cinna un si pleutre individu? Il n'y a rien d'humain dans la plupart de ces personnages, mais le rôle d'Auguste est empreint d'une grandeur qui étonne et subjugue. La scène du pardon est une de ces choses sublimes qui font battre le cœur plus noblement dans la poitrine, à quiconque les voit ou les entend. Du reste, on retrouve à chaque pas, dans Corneille, la lecture des Espagnols, l'esprit castillan, la paraphrase de ce mot qui exprime tout l'orgueil de cette nation chevaleresque : *Jo soy quien soy.*

5 [octobre].

Je m'étonne quelquefois de le voir si constamment gai, si heureux dans la solitude absolue où nous vivons. Dans l'âge où tout pousse à l'activité extérieure, où le mouvement, la diversité sont presque une condition d'existence; lui, dont l'esprit est si communicatif, lui, que ses occupations ont toujours mêlé au monde, lui, artiste en un mot, c'est-à-dire homme de sympathie, d'émotions, de fantaisie, il concentra toutes ses facultés dans le cadre étroit d'une vie de tête à tête. Un mauvais piano, quelques livres, la conversation d'une femme sérieuse lui suffisent. Il renonce à toutes les jouissances d'amour-propre, à l'excitation de la lutte, aux amusements de la vie sociale, à la joie même d'être utile et de faire le bien; il y renonce sans paraître seulement se douter qu'il renonce à quelque chose!

Hier, Franz a eu vingt-six ans. Un soleil splendide a éclairé ce jour réservé par nous à une commémoration joyeuse. A neuf heures, nous nous sommes mis en route pour la montagne, sous l'escorte de « Ruscone », notre batelier idéal, et montée sur un « Sommarello », c'est le nom délicat qu'ils donnent ici à « l'asino », j'ai cheminé à travers de douces solitudes couvertes de châtaigniers et d'oliviers épars. De loin en loin, quelques maisons isolées assez semblables aux chalets suisses, où pendait sous un hangar la provision de maïs pour l'hiver, et devant lesquelles paissaient, indolentes, des vaches d'une assez petite race. Puis, tout à coup, au détour d'un sentier, la vue du lac de Lecco; au retour, Bellagio et les villages environnants se découpant en blanc sur une mer de feuillage aux mille teintes pourpres, orangées, violettes, etc.

Le soir, pêche au flambeau. Ruscone allume sur le devant de sa barque un feu de résine, puis, armé d'un long harpon, il glisse doucement sur les eaux, épiant le poisson endormi ou ébloui par l'éclat de la flamme [129].

Cette journée a été bien pleinement sereine. Franz vient d'achever ses douze préludes; c'est une belle œuvre qui commence dignement la série de ses compositions originales. Il n'avait donc aucune contention d'esprit, et moi j'avais réussi à faire taire au-dedans de moi cette voix impie qui toujours doute et toujours renie. Il me demande de *croire* malgré tout; d'attendre, dans une religieuse confiance, la solution des grands problèmes de l'humanité, l'extinction du mal dans le monde, le règne de Dieu enfin. Il a raison. Nous sommes si infirmes, croyons au moins à notre infirmité; croyons que tout ce qui nous paraît obscur, contradictoire, mauvais ne l'est que relativement à notre insuffisance; que notre intelligence voilée, notre vue garrottée de mille liens seront un jour éclairées, affranchies, et pourront comprendre ce qu'il ne nous est donné qu'à de rares intervalles de pressentir et d'appeler.

29 [octobre].

Quelle magnifique chose que les oraisons funèbres de Bossuet [130]! Quelle pompe, quelle grandeur, quelle ampleur et quelle cadence dans ce style vraiment royal! Il semble qu'il parle d'une autre race d'hommes et à une autre race d'hommes.

Montesquieu dit quelque part : « Il y a des choses que tout le monde dit parce qu'elles ont été dites une fois. » C'est en effet chose affligeante que de considérer le petit nombre de gens qui sentent et jugent par eux-mêmes, dont l'opinion est le fruit de l'observation ou de la réflexion personnelle, dont la parole est libre, indépendante, spontanée. Des milliers d'hommes passent sur la terre sans avoir fait usage de la faculté de regarder, d'écouter, et la société est semblable à ces miroirs qui reflètent à l'infini l'image qui leur a été présentée une fois. Or, pour une vérité qui se dit de siècle en siècle au monde, combien d'erreurs monstrueuses, absurdes, s'accréditent chaque jour! Que de préjugés inqualifiables s'établissent! Que de mensonges sociaux jouissent du droit de prescription et se couvrent, avec le temps, d'une rouille sacrée qui les rend en quelque sorte indestructibles! Il en est de funestes; il en est d'autres qui, assez indifférents en eux-mêmes, n'ont guère que le tort de choquer la droite raison et l'équitable appréciation des faits. De ce nombre me paraît, je l'avoue, l'exagération, fort à la mode aujourd'hui, qui attribue exclusivement au christianisme l'instauration de l'art moderne et les chefs-d'œuvre de la Renaissance. Certes, il y a dans cette opinion un fond véritable et l'on ne saurait contester que l'art aux XIVe et XVe siècles, aux beaux jours de Brunelleschi [131], des Raphaël, des Michel-Ange, se voua presque exclusivement à la glorification du symbole chrétien. De nombreux temples s'élevèrent au Dieu crucifié. Des tableaux et des statues multiplièrent en tous lieux l'image de la Madone, les miracles des saints, les souffrances des martyrs, donnant ainsi la consécration du génie et l'immortalité sur terre à tous ceux que l'Église couronnait dans le ciel. Mais la conclusion que l'on tire de ce fait premier est beaucoup trop absolue. De ce que les papes éclairés ont appelé à eux les artistes, de ce que de riches chapitres et des couvents désireux du seul luxe qui leur fût permis ont libéralement payé les œuvres d'art, de ce que la parabole évangélique a presque généralement remplacé l'allégorie païenne, est-on fondé à dire que le christianisme a provoqué la renaissance de l'art? Une religion qui anathématise le monde, sous le nom de Satan; une religion qui recommande à ses adeptes de macérer la chair par le jeûne, l'abstinence; une religion qui proscrit l'amour comme une honteuse faiblesse peut-elle en même temps favoriser l'extension de l'art qui divinise la matière, exalte la beauté, et, par la perfection de la forme, en dilatant le cœur de l'homme, l'ouvre à toutes ces séductions, à tous ces enchantements auxquels le christianisme enjoint de fermer avec soin l'avenue des sens? Bien au contraire, ne voyons-nous pas dans les temps de pure foi, aux premiers siècles qui suivirent la prédication du Christ, les chrétiens, plus conséquents avec eux-mêmes, empressés à brûler, à briser, à détruire les œuvres de l'Antiquité et contribuer ainsi avec les barbares à retarder cette ère de la Renaissance dont on veut leur attribuer tout l'honneur? Une secte, extrêmement considérable et qui fut très près de voir triompher ses opinions, proscrivait absolument le culte des images se fondant sur l'ancienne et sur la nouvelle loi, et depuis presque tous les réformateurs, dont le but a été de ramener le christianisme à sa pureté primitive, ont banni de leurs temples la peinture et la statuaire.

Ainsi les premiers siècles du christianisme n'ont rien créé. Les premières églises ne furent que l'imitation grossière des basiliques et l'architecture appelée gothique, dont on retrouve les principaux caractères dans l'architecture mauresque, cette architecture que nous regardons aujourd'hui comme si essentiellement chrétienne fut traitée de barbare à cette même époque de renaissance, où Bramante [132] et Michel-Ange élevaient sur le modèle du Panthéon (n'oublions pas ceci) le fameux temple de Saint-Pierre. On conçoit d'ailleurs rationnellement que les religions qui appellent au culte de la Nature, qui placent des Dieux dans les forêts, dans les fleuves, des nymphes dans les fontaines, dans les rochers, sont bien plus favorables à l'art dont une des lois premières est l'imitation de la nature, qu'une croyance qui nous fait détourner la vue de ce monde voué au mal et au néant. Le polythéisme qui exaltait et divinisait les passions, c'est-à-dire la vie, n'était-il pas, par cela même, plus sympathique à l'art que le christianisme qui en appelle toujours à une vie mystérieuse, inconnue, où toute forme cessera d'exister?

Les véritables types de la beauté demeurent à l'art grec. Toujours l'*Apollon,* la *Vénus,* le *Jupiter* et l'*Hercule* resteront comme les symboles de la beauté, de la grâce, de la puissance et de la force. Le christianisme n'a pas de plus beaux martyrs que Laocoon, de vierges plus poétiques qu'Aréthuse et Daphné. Ce ne fut point sous la cendre et le cilice que les artistes de la Renaissance puisèrent leurs inspirations. Le biographe du Pérugin [133] l'accuse de n'avoir jamais pu faire entrer la croyance en Dieu dans sa cervelle de porphyre, *nella sua cervella di porfiro.* Ce fut dans les bras de ses jeunes maîtresses, ce fut dans les extases de l'amour que le tendre Raphaël rêva les vierges devant lesquelles il vit s'agenouiller des populations tout entières;

ce fut dans les festins fort peu chrétiens d'une cour somptueuse que Léonard, le favori des princes, conçut le plan de la scène [*sic*] mystique; et celui que son siècle appelle le « divin » Michel-Ange était dévoré par la haine, l'envie, la colère, toutes les passions que sa main vengeresse a condamnées aux flammes éternelles.

Pour rester dans une juste mesure d'appréciation, disons que les idées chrétiennes n'ont pas « créé » un art quelconque, mais qu'elles ont eu leur manifestation par l'art, de même que toutes les idées qui ont tour à tour régi une portion du globe; que la légende a fourni des sujets à la plastique, tout aussi bien que la fable et l'histoire, et, la mesure du temps donnée, la part du christianisme est bien moindre que l'on ne semble le croire. Ne nous hâtons donc point de dire : *l'art est ici, il est là.* Il n'attend l'appel ni des Périclès, ni des Auguste, ni des Médicis, ni des Louis XIV. L'art est dans l'humanité comme la parole; car l'art, c'est le verbe du génie de ces hommes desquels on pourrait dire qu'ils sont placés aux confins des deux mondes et contemplent les choses de l'un éclairées par la divine lumière de l'autre.

CÔME

5 [novembre].

Il me disait hier que le soir de notre vie serait comme le soir du jour. Nous sommes encore à cette heure de midi où la nature paraît souffrir sous le trop vif éclat de la lumière et le poids trop écrasant de la chaleur. Les fleurs referment leurs calices et ne répandent qu'au soir leurs enivrants parfums; les arbres demeurent immobiles; les oiseaux se retirent au plus profond des bois; tous les

contours s'effacent, toutes les nuances disparaissent dans
un océan de lumière, dans une universelle splendeur. Ainsi
l'amour, dans sa force, écrase le cœur plus qu'il ne le
vivifie; l'âme, comme effrayée de son bonheur, se replie sur
elle-même et concentre ses émotions les plus divines.

Poursuivant sa comparaison, il ajoutait que l'art était
pour lui comme un beau clair de lune qui fait apparaître
tous les objets dans un jour poétique et les agrandit d'un
infini mystérieux, mais que l'art lui-même ne recevait sa
lumière que du divin soleil de l'amour.

6 [novembre].

Je lis les lettres de Goethe sur Rome. Cet homme me
paraît chaque jour plus grand. C'est bien là

Quel signor dell'altissimo Canto

dont parle Dante. Combien sa simplicité même l'élève au-
dessus des Rousseau, Byron, des George Sand, des Obermann, et autres sublimes déclamateurs! Combien la sérénité
de son *acceptation* est supérieure à la fièvre de leurs
blasphèmes! Du haut de son génie, l'humanité lui apparaît
comme une vaste contrée vue du sommet d'une montagne.
Rien n'est pour lui hors mesure; tout dans le monde
s'harmonise et se coordonne dans une relation parfaite; les
montagnes s'aplanissent à sa vue; le bruit des cataractes
arrive à son oreille comme le murmure des ruisseaux. Sa
grande pensée ne trouve rien qui l'offusque, qui le surprenne
dans les disproportions ou les vicissitudes des choses. Les
autres sont dans la plaine et, ne voyant qu'un côté de la
destinée humaine, ils s'indignent, ils maudissent, ils apos-
trophent le ciel, les hommes et eux-mêmes. Chez eux le
génie est une maladie; chez Goethe, c'est l'équilibre parfait
de forces colossales.

7 [novembre].

Au moment où deux fleuves se joignent pour confondre leur cours, les flots, étonnés de ne plus suivre sans obstacles la pente accoutumée, s'amoncellent et luttent en grondant, amenant à la surface le gravier et le limon qui dormaient au fond de leur lit; puis bientôt fatigués de cette lutte inutile, ils se mêlent, s'unissent, et poursuivent en paix leur course jusqu'à la mer. Ainsi lorsque nous nous rencontrâmes et que nous voulûmes joindre nos destinées, nos passions, nos défauts, nos habitudes, nos vertus même se heurtèrent l'une l'autre et s'indignèrent de la résistance qui leur était tout à coup opposée. Nos mauvais penchants, nos inclinations perverses se laissèrent voir à découvert. Nos souffrances nous arrachèrent des plaintes, et nos plaintes aigrirent nos souffrances jusqu'à ce qu'enfin l'amour profond et fort qui nous avait attirés l'un vers l'autre comme une invincible destinée, confondit à ce point nos sentiments, nos pensées, nos volontés que nos deux vies indissolublement unies coulèrent paisibles et limpides en réfléchissant le ciel.

[2 feuilles et demie arrachées]

Et vous, Mathilde [134]! Vous qui m'« aimiez », disiez-vous, comme une sœur chérie, vous avez craint la contagion de mes paroles! Enfant! Vous n'avez pas su comprendre que dans un silence de cinq années, il y avait un respect, exagéré peut-être, de votre innocence! Vous n'avez pas su vous dire généreusement qu'à ma place peut-être

[1 demi-feuille arrachée]

Je serais

[1 ligne déchirée.]

jours, je l'aurais consacré à vous bénir, à vous aimer, à me dévouer à vous! Et le dévouement d'une âme noble et fière c'est quelque chose, Mathilde cela valait peut-être de manquer à certains usages reçus, à certaines convenances établies!... Encore une fois, merci, vous me rendez ma liberté; je ne vous dois rien; je relève la tête; et je sens, oui je le dis sans orgueil, je sens que je vaux mieux que vous.

1838

MILAN

Du 29 janvier 1838 au 16 mars

Mon séjour à Milan a été passablement insignifiant, mais en somme plutôt agréable qu'ennuyeux. J'y ai fait comme une « troisième » rentrée dans le monde, qui n'avait à ce que je prétendais d'autre mérite que celui de la « difficulté vaincue ». J'ai trouvé dans la société de Milan le même vide et la même sottise qu'ailleurs. Je suis même portée à croire que, sous ce rapport, Milan l'emporte sur beaucoup d'autres lieux, ce qui s'explique par les entraves apportées à la pensée par le gouvernement autrichien, par l'inaction forcée des jeunes gens qui ne veulent pas servir leurs oppresseurs et enfin par les habitudes de théâtre qui isolent les femmes les unes des autres et rendent ce qu'on appelle en France la « conversation » impossible, tant à cause du bruit de la musique que des allées et venues perpétuelles qui bornent à peu près au « Comment vous portez-vous ? » avec paraphrase, l'échange mutuel des idées.

Il y a pourtant un bon côté à cette habitude de réunions quotidiennes à la Scala. Il est commode pour les hommes d'acquitter tous leurs devoirs de politesse en deux heures de temps, et la vue de tous ces petits salons où se touchent les rivalités a quelque chose d'assez amusant. D'ailleurs on ne causerait guère plus ailleurs, et les bêtises avec accompagnement d'orchestre ne laissent pas que d'avoir un certain charme.

La première femme que j'ai vue à Milan, c'est la comtesse Samoïloff, séparée de son mari par suite d'aventures fâcheuses et qui dépense noblement et splendidement en Italie 300 000 francs de revenus. Une suite non interrompue d'amants médiocres, presque tous musiciens, et l'absolue « sincérité » qu'elle met dans ses liaisons la font assez mal voir des dames de l'aristocratie. On voudrait des choix plus honorables et un tant soit peu plus de « décorum »; mais pourtant, comme elle a la seule maison ouverte de Milan, on va s'amuser chez elle en se réservant de protester sur les escaliers. Beaucoup de gens trouvent qu'elle manque de « charme »; pour moi l'originalité, l'individualité est le premier de tous. J'aime ce visage brun sortant d'une immense quantité de boucles noires qui tombent des deux côtés sur sa poitrine, ses grands yeux noirs sans regard, assez analogues à ceux de George, un je ne sais quoi d'attirant et de repoussant, d'altier et de populaire, de très bon ou de très méchant qui domine tour à tour dans sa personne. La profusion vraiment royale de sa demeure dénote pourtant à des yeux exercés l'absence du sentiment artistique. Dans sa conversation elle n'atteint jamais une certaine élévation, mais elle est douée d'une finesse et d'une faculté d'imitation qui pour beaucoup est de l'esprit. Elle joue très bien à la petite reine à Milan. Le peuple et la bourgeoisie s'occupent d'elle, de ses équipages, de ses perroquets, de ses singes; dans toutes les boutiques, on vous offre en premier lieu ce qu'achète la Samoïloff, le papier qu'elle préfère, les essences dont elle se sert, les rubans qu'elle a choisis; on vous conte mille traits de générosité vraiment royale et de plaisantes bizarreries. Enfin c'est une existence bien complète, une vie remplie dans laquelle le *rêve* n'est jamais entré.

Madame Bonamy [135] est une bourgeoise sans culture, sauf la culture musicale. Elle ne manque pas d'esprit et surtout de savoir-vivre. Sa maison est élégante. Elle m'a comblée de politesses.

Le marquis de Marignano est un sot vaniteux et « seccatura » de première espèce. Sa fille est laide à faire peur et dévorée d'une passion désastreuse pour le piano. Franz lui a donné dix leçons au bout desquelles elle est parvenue à jouer en mesure un quatuor de Hiller et un duo de piano. Madame Kramer, femme d'un caractère aimable. Le marquis Trivulzio, le chef-d'œuvre de la sottise aristocratique, possesseur stupide d'une belle bibliothèque (un livre de notes de L. de Vinci, la grammaire de Maximilien Sforza avec miniatures de Léonard, un livre ayant appartenu à Gabrielle [d'Estrées]), de quelques beaux tableaux et de camées. La marquise, bonne et insignifiante personne absolument soumise au despotisme moyen âge de son mari [136]. Martini, aimable enfant gâté. Bon cœur, mauvaise langue qui aura des duels et des aventures dont il se tirera toujours en benjamin de la fortune.

Le comte Neipperg [137], beau-fils de Marie-Louise, homme de réflexion, sans expansion, sans premier mouvement, figure agréable, esprit suffisant quand on a sa carrière toute faite. Il aime la musique et traduit Byron; c'est le seul homme à Milan que j'aie vu avec quelque plaisir. Tout le monde a été excessivement aimable pour Franz; on l'a trouvé très beau, très spirituel, et les dames surtout en raffolaient. Quant à son génie, ils sont loin de le comprendre, et s'il eût tenté de jouer de la musique sérieuse (il l'a fait une seule fois en jouant une étude), il n'eût probablement pas réussi, car déjà ses *Fantaisies* frisaient trop pour eux le genre « tedesco ». Il a souvent improvisé, quelques fois très bien, d'autres fois très médiocrement, toujours avec un succès énorme.

Rossini a passé l'hiver à Milan avec mademoiselle Pélissier [138] qu'il a tenté d'imposer à la société, en donnant des concerts dont elle faisait les honneurs. Mais aucune femme de bonne compagnie n'y est allée. La Samoïloff même, sur laquelle il comptait beaucoup, lui a tourné le dos et toutes les avances qu'il a faites n'ont abouti qu'à des rebuffades plus ou moins polies. A mon arrivée de Côme je pensais qu'il me la présenterait, mais au lieu de cela ils se sont tenus cois tous deux et, après une première visite de dix minutes, Rossini n'a plus reparu chez moi. Dans une explication avec Liszt, après une soirée où il ne m'avait pas saluée, il lui dit que mademoiselle Pélissier devait se tenir à part, que j'avais choisi une société où elle n'allait pas, que Milan était un mauvais terrain pour nous rencontrer, etc. Au fond, je crois qu'ils avaient compté que je serais un *allié* et que, me voyant peu empressée d'aller chez mademoiselle Pélissier et invitée là où l'on n'avait pas voulu d'elle, ils en ont été un peu piqués. Aussi Rossini, qui avait sonné très haut les louanges de Franz, a-t-il dit ensuite que Thalberg avait trois quarts de sentiment et un quart d'habileté, et Liszt trois quarts d'habileté et un quart de sentiment. Le gros Hiller [139] s'est établi à Milan pour composer un opéra. Il a généralement déplu; ses formes sont grossières et il ne rachète pas cela par de la bonté de cœur. Son esprit est juste mais il manque de sentiment. Sa musique plaira difficilement en Italie; elle n'a ni éclat ni suavité.

Francilla Pixis a débuté à la Scala dans la *Cenerentola;* elle a été accueillie avec bienveillance, mais elle a de « plus en plus » déplu. Elle n'a pas assez de voix pour ce grand théâtre et son jeu est trop engourdi pour plaire à des Italiens.

Franz a été très frappé de la *Cène* de Léonard. Cette belle fresque entièrement dégradée est dans un lieu qui sert aujourd'hui de caserne. Franz n'admirait beaucoup ni le Christ ni saint Jean qui serait mieux, disait-il, penché sur le Sauveur que sur un des Apôtres, mais il aimait passionnément l'ensemble de la composition et les têtes de saint Pierre, de Judas et de saint Paul. Il comparait la destinée de ce tableau à celle du Sacrement lui-même. Grande idée qui n'a jamais été entièrement réalisée (Léonard n'a point achevé la tête du Christ), qui aujourd'hui s'efface de plus en plus et n'est plus qu'une ruine examinée curieusement par les philosophes, comme le tableau est visité par les artistes, plus par respect pour ce qu'il a été que par admiration pour ce qu'il est.

Nous avons vu aussi, chez un particulier, une très belle *Sainte Famille* de Raphaël pour lequel Franz n'a point de sympathie. Un *Saint Jean* endormi de Murillo lui paraissait bien plus profond et vrai. L'*Arc du Simplon* qui n'a plus de sens depuis qu'on a substitué la tête de François II à celle de Napoléon est trop tourmenté. L'extrême recherche des détails nuit à l'effet d'ensemble [140]. Les constructions latérales sont en pierres du lac Majeur, excessivement fortes et pourtant douces et agréables à voir. C'est aussi du lac Majeur que viennent les dalles qui bordent les rues de Milan et forment la voie des voitures; avantage immense pour les piétons qui ont moins de bruit et moins de boue (les hommes peuvent aller au bal à pied sec, en bas de soie), et pour ceux qui sont en voiture, car on ne ressent aucun cahot; on se croirait en traîneau [141].

Le trajet de Milan à Venise m'a fatiguée. Je n'aime point à voir en courant une infinité de choses qui se confondent dans la mémoire et me laissent une impression confuse. Le Campo-Santo de Brescia est un chef-d'œuvre de l'architecture moderne. Franz n'a pas entièrement partagé mon admiration. Il n'aime point les « galeries » de tombeaux et préfère les tombes isolées entourées de fleurs; pourtant il aime aussi l'ange de la résurrection qui est sur l'autel de la coupole du milieu, et les deux femmes pleurant sur des urnes au bas des marches qui conduisent à cette même coupole. La statue de la Victoire, qui passe pour la plus belle statue de bronze antique, ne m'a pas frappée; je ne me connais pas assez en sculpture pour cela. Un Christ attribué à Raphaël nous a paru trop gras et trop fade. Nous avons préféré une petite tête couronnée d'épines d'Albert Dürer, bien plus expressive.

Les arènes de Vérone sont plus petites que celles de Nîmes (elles n'ont que deux rangées d'arcades). On a établi, au milieu, des baraques de Polichinelle; c'est un symbole de ce que nous sommes auprès des Romains! Les âmes sensibles vont voir sous un méchant hangar une espèce d'auge en pierre qui s'appelle la tombe de Juliette. Le cicérone vous raconte son histoire lamentable... « *la figlia è morta dunque non c'e più matrimonio!* ». Une Fornarina de Raphaël est, casa Persico, dans une vilaine chambre à peine éclairée. Les tombes des Scaliger, admirables monuments gothiques entassés dans un petit recoin. Rien n'est à sa place; rien, ni personne n'est ce qu'il pourrait être. « Le vidangeur vidange mal », disait George; il est bien rare que les œuvres d'art que l'on va voir répondent à l'idée qu'on s'en faisait. Toujours quelque accessoire fâcheux en atténue l'effet. Ils [*sic*] sont mal placés, mal éclairés, ou l'on a froid, l'on est fatigué; toujours on regrette d'autres circonstances de temps ou de lieux...

A Vicence, quantité de beaux palais de Palladio; mais combien cette architecture est froide auprès de l'architecture gothique!

A Padoue, grand café tout en marbre. L'architecte ne pouvant, faute de place, répéter sur le derrière l'ordonnance de la façade a construit un bâtiment gothique, afin d'« avoir l'air » de respecter un ancien monument et d'avoir ainsi une excuse à l'irrégularité de sa construction. A Saint-Antoine, belle chapelle de Sansovino, bas-relief de Donatello, miracles stupides du « verre », de l'enfant maure qui parle, de la jambe rapiécée, etc. [142].

[1 feuille arrachée]

VENISE [143]

Mars, 1838.

Mardi 20, arrivés à Fusina

[1 feuille arrachée]

...mangé de caresse. Il a passé hier la soirée à regarder les « Soirées » de Mercadante; pillage général de Rossini et autres. Il trouve que cette musique est comme Merca-dante lui-même qui est myope; elle n'a point de regard. Deux parties de dames ont fait, comme à Bellagio, l'amu-sement de l'heure de digestion. J'ai fait connaissance avec la comtesse Polcastro qui est laide et ne me paraît pas avoir l'esprit de la laideur [144].

Le soir, à la Fenice; beau théâtre; beaucoup moins grand, moins imposant que la Scala, mais infiniment plus joli. Il est tout nouvellement décoré et avec goût. Les peintures et les ornements dorés, les draperies vert d'eau font le meilleur effet. La ligne cintrée se prolonge jusqu'aux avant-scènes. On donnait *Parisina* de Donizetti, musique amu-sante tant elle est mauvaise. La Ungher, avec une voix désagréable et une figure ordinaire, produit un grand effet [145]. C'est une admirable cantatrice, vraie, pathétique, pleine d'intelligence, qui met de l'art jusque dans les moindres détails et parvient à émouvoir dans le rôle le plus stupide, avec la musique la plus plate. Nouvelle confirmation de mon idée; rien ne peut être complet dans nos jouissances; vous avez une grande cantatrice, ce qu'elle chante est détestable; vous êtes dans une salle ravissante, il y sent les commodités, comme si tout Venise avait la colique. Frantz

trouve que la Ungher est un talent équivalent à celui de
Nourrit et pense qu'à Paris on la trouverait exagérée. On
a applaudi avec fureur un ténor médiocre pour faire pièce,
disait Pedroni, à la Samoïloff et à Poggi qui étaient au
théâtre. La Brugnoni est une danseuse à tours de force;
elle a une « pointe de pied » miraculeuse du reste « *una
disgraziatissima grazia* », comme dit Vasari [146].

Samedi, 24 [mars].

Nous avons flâné dans les magasins. On ne trouve que
des rebuts de Paris. J'ai demandé à la comtesse Polcastro
des livres; elle n'en a pas. Les catalogues des libraires
seraient bons pour des femmes de chambre. Il n'y a aucune
vie, ni intellectuelle, ni indésirable [*sic*], ni artistique à
Venise. C'est vraiment trop peu des « souvenirs » pour
remplir les journées. Je me sens singulièrement, non pas
précisément attristée, mais alanguie, engourdie. L'entrepreneur du théâtre offre à Franz de jouer : « *E come sarebbe
difficile di combinare una accademia, si potrebbe dare una
farza.* » Le soir, engourdissement.

Dimanche, 25 [mars].

Beau temps. Je m'éveille en meilleure disposition. J'ai
soif de lire quelque belle chose, et les livres nous manquent.
Tous ces jours passés j'étais accablée, il me semblait que
les sources de vie étaient taries en moi. La curiosité même,
ce dernier mobile de l'activité, me paraissait éteinte...
Aujourd'hui, nous sommes allés à la Pinacothèque. Le
premier tableau que nous avons vu, c'est l'*Assomption* [147].
L'effet de cette composition est inouï. L'éclat des couleurs
tue tous les tableaux qui sont auprès, bien qu'ils soient
aussi l'œuvre de grands coloristes. Nous n'aimons guère la

figure du Père Éternel qui a l'air d'un gondolier; il est trop près de la Vierge. Il me semble que l'espace vide eût été d'un bien plus grand effet. Les vêtements de Marie nous ont paru bien épais, bien lourds pour une figure qui s'enlève; elle est vêtue d'aussi épaisse étoffe que les apôtres. Deux anges, à la droite, sont ravissants. Le mouvement du groupe des apôtres est étonnant.

Le *Paul Véronèse* qui est admirablement placé au bout d'une autre galerie est remarquable par le relief, l'air, la perspective. Cette galerie est disposée avec beaucoup d'intelligence. C'est la première fois que je vois sans fatigue et sans ennui les plafonds en sculpture de bois avec médaillons, peints et dorures en relief, [qui] sont de toute beauté. Nous y reviendrons souvent.

Au Giardino, quinconce d'arbres, médiocre promenade que les Vénitiens doivent à Eugène. Toujours cet abominable mérite de la difficulté vaincue.

Nous louons une gondole au mois. Cornelio est un honnête homme, qui ne sait pas chanter le Tasso [148], « *perchè non è litterato* », mais qui a au doigt de magnifiques bagues d'or massif avec camées et qui dirige sa gondole avec beaucoup d'adresse. La forme allongée de ces gondoles est vraiment jolie; elles ne prennent que très peu d'eau. Lorsqu'on n'a qu'un gondolier, il se tient derrière la cabine, on ne le voit pas, il semble que l'on vogue comme les coquilles. J'ai demandé des nouvelles de Catullo, le gondolier de George. Il est d'un autre traguet.

L'entrepreneur de théâtre est revenu. Franz veut cinq cents francs; cela lui paraît énorme, surtout comme il doit jouer avant dans un concert : « *Non sarà più una novità.* » Mais ils savent qu'il a joué cinq ou six fois à Milan et cela les rassure.

Lu le *Voyage en Italie* de Chateaubriand. Quelques beaux mots; d'autres puérils. Ce n'est point un livre. Le soir, Franz me lit *Marie Tudor* que je ne connaissais point. On a assez dit combien cela est absurde, mais pourtant je me suis sentie profondément remuée. Franz lisait avec émotion. Sa voix altérée, son accent nerveux, sa pâleur me rappelaient ces heures chargées d'orage durant lesquelles s'agitait entre nous notre destinée incertaine, ces heures où toute la puissance de son amour m'était révélée dans les larmes... heures si terribles et si belles qui ne reviendrez [*sic*] plus, que je ne puis regretter mais dont la divine souffrance a rendu à jamais mon âme insensible aux vains échos du monde... Oh! que n'ai-je été plus digne d'un tel amour! Combien mon cœur me paraît pauvre et stérile quand le sien s'ouvre à moi tout entier!

Je me comparais tout à l'heure à ces puits artésiens creusés dans l'espoir de trouver une eau jaillissante, où l'on rencontre une eau pure et belle, mais qui, n'ayant pas son niveau au-dessus du sol, ne rejaillit point.

Lundi 26 [mars].

Visité l'Arsenal avec le colonel Woyna [149]. Armure d'Henri IV, instruments de torture. Le temps est assez beau. Franz m'apporte des jacinthes et des renoncules. J'éprouve un délicieux plaisir à contempler ces douces fleurs du printemps. La providence m'apparaît si bonne et si tendre dans ces couleurs et dans ces parfums... Lettre de Demelleyer [150]. Rien de pis que d'avoir des obligations à un sot. Le soir, punch et cigarettes avec Tonino Belgio-joso [151].

Le tailleur de Franz a été un an à Rome et n'a rien vu de beau : « A Venise, c'est bien pis ; ils sont à demi sauvages ; ces gens-là prétendent qu'ils sont dans la patrie des arts! Oui, joliment! Ils sont de deux ans en retard sur toutes les modes! On ne voit jamais une pièce de cinq francs dans ce pays-ci! Des zwanzig et quelques misérables sous! Ces nobles, ils sont comme leurs maisons, tout en délabre! »

Habitude de veiller des Vénitiens. Les cafés ne ferment

pas la nuit. On se réunissait à onze heures après le spectacle. Le jeu était la passion des nobles. Acheté une petite gondole pour vingt-quatre zw[anzigs].

Mardi, 28 [152] [mars].

Maison de monsieur Williams, remarquable par ses anti-quailles; table sur laquelle a mangé Henri III; flacon de vin de Chypre de la reine Cornaro; cadres en bois sculpté de Brustoloni; armoire d'un doge. Galerie Barbarigo. C'est la maison où a logé et où est mort Titien qui a laissé à la famille vingt-deux tableaux qu'on n'ose restaurer de crainte de les gâter, et qui en auraient pourtant grand besoin. Franz le compare à Rossini, comme lui fécond, grand coloriste peu préoccupé de l'idéal et de la vérité historique. Aujour-d'hui, on travaille plus consciencieusement quoiqu'on fasse plus mal. Delaroche [153] lit les mémoires du temps, recherche les vieux portraits, s'applique avec la plus grande exactitude jusqu'aux moindres détails de costume et d'ameublement.

Promenade en gondole. Il trouve un grand charme à cette vie solitaire et assez remplie dans son inaction.

Tableau du *Cheval de Troie* [154]. C'est un symbole, dit Franz; les idées entrent dans les masses comme les soldats dans Troie, par la ruse; on montre aux peuples le cheval et ils se laissent prendre. Le soir, concert à la société d'Apollon [155]. On fait l'effort inouï de donner trois cents francs à Franz pour la cavatine de Pacini. La salle est belle. La musique détestable comme toujours. La Ungher m'a beaucoup moins plu qu'au théâtre. Sa voix paraît plus désagréable dans un salon qu'à la scène où le pathétique de son jeu fait illusion. Les femmes m'ont paru jolies mais horriblement mal mises.

Mercredi, 29 [156] [mars].

Visite au palais ducal. Réflexions de Franz sur l'abus effroyable de cruautés pour fonder une puissance en réalité assez médiocre. Venise, c'est la Carthage moderne; troupes mercenaires, ingratitude envers les grands hommes, nation fourbe et marchande.

Ennui et fatigue à voir cet amas de tableaux, ces plafonds qui pour ma vue basse ne sont que de grandes masses de couleur. Ganymède antique, étonnant de légèreté et de grâce. Expression extraordinaire de l'Aigle.

Le soir, visite à la comtesse Polcastro. Mauvaise humeur parce que Franz me fait attendre; lui toujours patient, égal, parfait enfin. Quand donc serai-je un peu plus semblable à lui?

Jeudi, 30 [157] [mars].

Soirée chez la baronne Wetzlar. Amabilité viennoise. Point de luxe, point d'élégance mais les femmes sont beaucoup plus intelligentes qu'à Milan. Fait connaissance avec la comtesse Crivelli, Löwenstern, un jeune comte Malazzoni qui paraît spirituel. C'est un phénomène en ce pays qu'un homme aimable et cultivé [158].

Antipathie de Franz pour les conversations du monde; ces éternelles gloses sur des choses qui n'ont aucune importance, cette réprobation sérieuse de bizarreries inoffensives, ce blâme qui s'attache à toute individualité; les singes de la Samoïloff, le cigare de George et autres niaiseries du même genre sont l'objet de longs commentaires. C'est sur des choses de cet ordre que l'on juge les gens.

Vendredi, 31 [159] [mars].

Lu une lettre de Beethoven à Wegeler *(Journal des Débats)* qui m'a frappée par les rapports que j'y découvre entre lui et Franz. Même fortitude et même sentiment des misères de la vie, même aversion pour la correspondance... Je la lisais pendant que lui, cet autre Beethoven, corrigeait au piano les mélodies de Schubert.

Visité l'église de Zacharia avec un jeune peintre fort intelligent. Franz admire beaucoup un tableau de J. Bellini [160] (une Vierge avec saint Paul, saint Jérôme, deux saintes, etc.). Il trouve dans ce tableau.

[1 feuille arrachée.]

... « trouverai rien de ce que je cherche. Ils sauront mieux qu'en distinguer mes doubles croches des triples croches, ils sauront quand je joue à trois ou à quatre parties... Voilà tout [161]. »

Vendredi [6 avril].

Soirée. La baronne Wetzlar, Polcastro, Crivelli, Schvekinger, etc. Très animée. Il y a ici beaucoup d'habitudes de conversation et de sociabilité. Vieux [162] joue son étude, son galop et la fantaisie des *Puritains*.

Samedi [7 avril].

Son départ. Palais Grimani. Il désire se « caser » pour quelques années en Allemagne après [déchiré] une apparition à Paris.

Longue promenade...

[Bas de page déchiré.]

...à Santa-Chiara.
Le soir, promenade au canal de la Giudecca...

Mercredi saint [11 avril].

Au cimetière SS. G[iovanni] et Paolo. Tombeau de la
famille Malazzoni. Oh, je le savais bien!
Le soir à S[ain]t-Marc. Miserere. Promenade aux Zat-
tere, sur le Gr[an]d Canal...

Jeudi saint [12 avril].

Lavement des pieds. Lettre de Franz. Galerie Manfrin,
portrait de l'Arioste de T[itien] [163]. Le soir à S[ain]t-Marc
et sur le quai des Esclavons...

Vendredi [13 avril].

Soir, promenade dans les rues. Capitalli [*sic*] illuminés.

Samedi [14 avril].

Promenade ai Frari.

Dimanche [15 avril].

A S[an]-Giorgio et Redentore. Le soir chez Camploix.
Mademoiselle Pezzi [morceau arraché]. Chez la Polcastro.
Monsieur de F. dernier Cimbro...

[Bas de feuille arraché.]

Mercredi [18 avril].

A l'église de[gl]i Scalzi : Tiepoletto fait son portrait dans
un angle à une galerie. Chapelles des familles vénitiennes,
portes peintes en marbre.
Aux Jésuites : marbres imitant une étoffe verte et blanche,
tapis de devant l'autel en jaune antique, chaire à draperies
de marbre, S[ain]t *Laurent* du Titien.

Jeudi [19 avril].

Fête de l'empereur. La vice-reine traverse la place en
robe à queue. Sagredo passe tout le jour chez moi. Le soir,
longue conversation avec Emilio [164].

Vendredi 20 [avril].

All' Accademia. Les *Noces de Cana* me plaisent plus
qu'au premier jour. *L'Assomption,* moins.
Histoire de Gregoretti [165]. Sa femme lui fait un procès.
Il est déclaré impuissant par les tribunaux civils, en appelle
à Rome. Se fait naturaliser sujet du pape. Le jugement est
cassé. Il se marie. Ses enfants seront légitimes à Rome et

bâtards à Venise. *« La Teresina non vuol stare com me. Cosa mi fa, ho sempre la vice-moglie »* (comte Guiccioli [166]).

Vendredi 20 [avril].

A l'ancienne cathédrale de Castello : siège de marbre africain. Église tendue en vieille soie rouge fanée : elle a l'air d'une vieille courtisane, elle s'est tant vendue que personne n'en veut plus.

Dimanche [23 avril].

Conversation sur les préjugés. Instinct poétique. Trois partis à prendre. Choisissez. Lettre de Franz. Il a eu un succès immense à Vienne [167].

Lundi [24 avril].

Église de S[aint]-Sébastien : buste et sépulture de Paolo Véronèse, beaux tableaux à l'orgue, à l'*altar maggiore*.

S[ain]t Sébastien exhorte deux autres saints au martyre. Belle femme agenouillée qui tourne le dos. Main d'un homme appuyé sur une colonne. Martyre du saint sans « chien ». Là où il y a des bâtons, il ne doit point y avoir de chiens. Cicerone enveloppé d'un manteau.

Mardi [25 avril].

Au palais ducal avec Pianta : vase de porphyre dans lequel a été la tête de Carmagnola [168]. Son buste au-dessus. Beaux puits en bronze. C'est une féerie que cette cour, cet escalier avec des incrustations à chaque marche, cette admirable porte [*sic*] della Carta. *Il trionfo della Fede* de Titien. Noblesse et beauté de la Foi. Bel ange qui tient la croix. Colonnes quarrées [*sic*] de S[ain]t-Jean-d'Acre. *Enlèvement d'Europe* de Véronèse. Poitrine incomparable. Volupté du taureau qui lèche les pieds... [169].

Je ne m'habitue pas à l'air de Venise. Je maigris et ne me porte pas bien mais je suis soutenue par le sentiment poétique incessamment réveillé ici par l'art et par la nature. Ce matin, j'ai aperçu « une » grappe de lilas prête à s'ouvrir.

[3 feuilles arrachées [170].]

Juin.

[Arrivée à Gênes, à l'« Italia Nuova ». Orage terrible. Est-ce un présage? Situation superbe, mais la ville ne nous plaît pas. Les palais sont beaux, mais l'espace leur manque. Les jardins sont mesquins et de mauvais goût. Point de promenade autre que la grande route sur des chemins rocailleux qui grimpent à pic sur des collines sans arbre. Point de chevaux, point de livres. Des moines et des mendiants. Les femmes, laides, coiffées d'un long chiffon de mousseline blanche. La veille de Saint-Jean, belle soirée en mer. La ville illuminée, feux de joie, fusées.

Au théâtre, *Lucia di Lammermoor*. Franz se prend de passion pour la voix et la manière de Salvi, sa belle figure romaine. Rencontre du ménage d'Arragon. Elle, distinguée, lui, bon garçon [171].

Vendredi, jour de Saint-Pierre, promenade autour des remparts. Beaux contrastes. La mer et la ville d'un côté; de l'autre une solitude agreste, montagnes sans végétation, feux de joie, divers groupes pittoresques. Au pied d'une croix de bois, un homme assis, un autre plus jeune debout, trois femmes du peuple avec des éventails. Plus loin, jalousie ouverte, un vieillard lit, une jeune fille assise près de lui sous un berceau de vignes.

Lettre de Pictet; il respire à Magnany le doux encens de la louange pour son conte fantastique : « Philosophie, te sens-tu donc aussi chatouillée par la louange, par ce vain mot qu'on appelle succès? N'écris-tu contre la gloire que pour acquérir la gloire d'avoir bien écrit, comme dit Pascal. »

Samedi soir, sur les murs du port. Nécessité de faire des concessions au peuple dans la forme, pas dans le fond. Les grands hommes n'ont jamais dit tout ce qu'ils voulaient faire. Il faut s'expliquer mais ne pas trop s'expliquer. Combien de temps pour que la logique des idées passe dans la logique des faits!

« J'ai plus conscience de moi, dit Franz. Je sais à présent que je ne dois vivre dans aucun milieu, parce que je suis supérieur au milieu où je puis vivre. Je suis un être intermédiaire. Il me tarde d'en finir avec le piano, alors je composerai quelque belle chose que personne ne pourra jouer, que je ne jouerai pas moi-même. Puis viendra quelqu'un qui sera à moi ce que j'ai été à Weber, qui me mettra en lumière. Il faudrait chanter davantage sur le piano; avantage de la plus médiocre voix. Si nous entendions chanter un soir, sur une grève déserte, le chant d'un nocturne de Chopin, quelle émotion! Mais aussi, on dit : ce n'est pas du chant... »]

[Chiavari, 4 juillet].

...litanies « illustrées » : turris eburnea, rosa mystica, etc. Au bord de la mer. Beau et grand mugissement. La lune à demi cachée par les nuages. Il repose sa tête sur mes genoux et s'endort... La pluie nous force à regagner non pas l'auberge qui est pleine mais la voiture...

A une heure, nous repartons. Café noir à cinq heures sur la montagne. Pays divin.

Au retour, lettre de Maurice désagréable. Le « jugement » ajourné mais inévitable... [172].

[GÊNES]

6.

Projet de voyage à Constantinople. F[ranz] de plus en plus ennuyé de son métier. Lettre de M[auri]ce. Charles voulait m'écrire une lettre amicale, on l'en empêche. Ma mère touj[ours] irritée [173].

Cathédrale. Chapelle de S[ain]t-J[ean]-Baptiste. Excommunication d'Innocent VIII pour les femmes qui entraient dans la chapelle parce que c'est une femme qui a ordonné la mort du saint. Promenade à Pelly [Pegli]. Villas Doria et Lomellini. Luciole, laurier g[rand] comme un chêne. Immenses charmilles. Orangers. Châtaignier d'Inde. Fleur en grappes. Quatre pétales blancs, cinq étamines rouges, feuille palme comme notre marronnier. Fleur blanche d'une senteur divine. On me dit que c'est un gardenia florida – *fior del angelo*. Nos projets de Const[antinople] nous ravissent.

Dans une église, une chapelle tout en marbre noir. Crucifix, etc. (les prêtres « l'ornent » de vieilles fleurs artificielles!).

Olinde et Sophronie de Paolo (Véronèse) au palais du roi. Belle poitrine de la femme, rappelle celle d'« Europe » à Venise.

L'homme qui commande le supplice, un esclave qui rassemble du bois, beaux.

Cape de la Madeleine.

Mariage de s[ain]*te Catherine* [de Véronèse]. Toujours les mêmes types de femmes grasses et blondes.

Beau portrait de Rubens (palais Durazzo), ressemble à Chopin. Enfants par Van Dyck. Madeleine du Titien. Du *Guide* [174].

Mardi.

Concert au palais Mari éclairé en bougies. Société élégante. Il joue les *Puritains,* l'*Orgie,* les variations de Thal[berg], Chopin, Herz. Attention religieuse. Étonnement. Sa personne plaît autant que son talent. Pendant qu'il joue l'*Orgie,* une jeune fille de dix-sept ans, mademoiselle Pallavicini, est assise à côté du piano. Elle regarde d'abord les doigts, puis le visage de l'artiste. Elle écoute avec surprise. Elle semble l'interroger. Je faisais à part moi tout un dialogue entre cette jeune fille aux joues roses ignorante de la vie, curieuse et troublée en entendant pour la première fois le langage des passions, et l'homme jeune encore, mais déjà pâli, fatigué par la lutte. Cela était vraiment poétique. Mon bouquet dans lequel se trouve un gardénia fait trouver mal la marquise Spinola. Son amant, monsieur Sobolowski, me parle de Mickiewicz, de Grzymala, etc. La nuit, un bouquet de fleurs oublié sur une table me rend malade. Je crains quelquefois de devenir folle. Mon cerveau est fatigué. J'ai trop pleuré... Miri part de Milan. Il ne veut pas me revoir. J'en ressens un vif chagrin [175].

Mercredi [11 juillet].

Visite du Polonais, de Cambaggio, etc. Bouquet de la Spinola. Au théâtre, *Il Ventaglio;* F[ranz] prononce une parole de mort... [176].

Jeudi [12 juillet].

Chez di Negro. Lion de carton. « Je vais envoyer mon domestique pour le faire remuer et alors vous serez épouvantée. » Pique-assiettes. Vaisseau de Cléopâtre. Dîné en balançoires. Phrase de Circourt. Pain « jeté » aux enfants. Franz a de grosses larmes dans les yeux [177]. Au retour, supériorité immense de Byron :
« Il était supérieur au bien qu'il faisait comme au mal. Si j'étais quelque chose, je serais ainsi [178]. » Conversation sur Miri. Mallef[ille]... Horace. Je me sens atteinte au cœur d'une tristesse plus incurable qu'aucune autre (rôle de mari. Odieux).

Vendredi [13 juillet].

A l'église Carignan beau panorama. Église simple, noble. Beau *S*[ain]*t Étienne* de Puget [179].

[Bas de feuille déchiré.]

Samedi [14 juillet].

Les Peschiere et le jardin [180]. Belle terrasse. Beau magnolia. Dessins de Michel-Ange. Départ [181].

Dimanche [15 juillet].

Route. Corso de Pavie.

[16 juillet].

Chartreuse. Je la trouve plus belle que la première fois. Arrivée à la Bella Venezia. Journée passée seule. Soir, visite à la Bonamy. Chez la Maffei, « Casati » [182].
    Au retour, poésie en prose de Franz : *je te hais puissance fatale,* etc. Toi qui te [illisible] entre la bouche aimante et le front chéri. Article de *La Moda* [183].

Mardi [17 juillet].

Article du *Pirate* [184]. Rumeur dans les cafés. Dîné chez Cova. Chez la Bassi.

Mercredi [18 juillet].

Visite de Liszt à la Maffei. Puttinati conte ce qu'a dit Vitali. Liszt revient me dire qu'il va se battre. Nuit d'agitation.

Jeudi matin [19 juillet].

Neipperg et Martini vont trouver Vitali qui nie tout. Ce sont de lâches fanfaronnades et de plats cancans. La Samoïloff vient. Ricordi, Marignani, Pezzi. Tout le monde ne parle que de cela [185].

[Bas de page déchiré.]

Le spleen prend le dessus. Mon cœur et mon esprit sont desséchés. C'est un mal que j'ai apporté en venant au monde. La passion m'a soulevée un instant, mais je sens que je n'ai pas en moi le principe de vie... Je me sens une entrave dans sa vie, je ne lui suis pas bonne. Je jette la tristesse et le découragement sur ses jours.

Vendredi [20 juillet].

Soir chez la Maffei. Rencontré Puttinati qui « nie » avoir dit à Liszt, etc. Mais on répète que Vitali ne s'est pas rétracté, etc. Je regarde le duel comme nécessaire. Nous allons chez N[eipperg]. Il dit que la question n'est pas changée.

Samedi [21 juillet].

Lettre dans le *Glissons*[186]. A P[uttinati] qui refuse de l'ouvrir.

Dimanche [22 juillet].

Chez la S[amoïloff]. Elle a fermé sa porte à P[uttinati]. Les Italiens mêmes reviennent. On est mécontent de Vitali qui s'est mis en avant et recule. Bon effet de la lettre du *Glissons.*

Lundi [23 juillet].

Adieux à Neipperg, Pezzi, etc. Arrivée à Como.

Mardi [24 juillet].

Vu la Fornarina plus « réelle » que la Genevoise. Les événements ne sont rien pour nous, les émotions sont tout. D'arragon[187] [*sic*].

Mercredi [25 juillet].

Arrivée à Lugano. Conte fantastique du Sourd. Petit chef-d'œuvre. Écrit à Maurice, pasteur d'Ivernois, Montgolfier [188].

Août.

Séjour à Lugano (chez Camossi). *Coffee House.* Absolue solitude. Le lac est triste. La ville est un sale trou.

Nous lisons alternativement Goethe, Shakespeare, Dante. Dante : conception générale du poème étroite, monotonie dans le détail, manque d'intérêt du personnage principal; sa descente aux enfers non motivée, la gradation des supplices absurde. « Brutus » est au fond du dernier cercle. Matérialisme des supplices. Mélange ridicule du paganisme et du christianisme (cascade de feu, supplice pour les ambitieux : idée de Belle à la cascade desséchée du Cavallino [189]). Dante a toujours peur, les lecteurs jamais. Admirable concision. Forte âpreté d'un grand nombre de vers.

Le Tasso : admirable développement de caractères, profondément vrais. Magnifique hymne d'amour du *Tasso*. La poésie déborde; monologue sublime. *Crux via, crux via.* Le malentendu nouveau entre la nature maladive du poète et la nature raisonnable des gens positifs n'est nulle part établi plus réellement et plus équitablement démontré. Personne n'a tort; chacun a les meilleures intentions; personne n'a « réellement » à se plaindre et pourtant on ne saurait s'entendre et vivre ensemble.

Comte d'Egmont : marche très belle et très naturelle des trois premiers actes, puis l'intérêt languit. Le peuple disparaît trop de la scène. Egmont n'est plus vrai dans sa prison; il regrette la vie et parle non en soldat mais en poète. Il n'a point assez de colère, point de vues prophétiques sur l'avenir de liberté de sa patrie. Le suicide de Claire n'est pas naturel; on dirait que G[oethe] a voulu s'en débarrasser parce qu'il ne savait plus qu'en faire. Le fils d'Alba est aussi un personnage manqué, qui eût pu être admirable; d'abord soumis, obéissant à son père puis enflammé d'indignation en apprenant la condamnation d'Egmont, opposant tout à coup à la froide et ferme politique du vieillard la sainte colère d'une jeunesse loyale et sympathique.

[1 demi-page blanche.]

12 août dimanche, 11 heures du matin.
Lundi, 13 août.

Pourquoi me plaindre? Pourquoi pleurer? Pourquoi gémir? Ô souffrance, tu es une sainte et bonne sœur. Mon âme allait peut-être s'alanguir et perdre sa vigueur première, mais voilà que tu viens, avec ton aiguillon le plus ardent, la réveiller, lui faire honte et l'animer d'une force nouvelle. Ô, souffrance, tu es pour moi l'ange de Jacob; je te résiste, je lutte contre toi, pourtant je sens que tu es une divine messagère et que Dieu lui-même t'envoie vers moi.

Ma pensée s'était construit à elle-même son propre sépulcre. Elle était couchée en disant : je ne veux plus espérer, je ne veux plus croire, je ne veux plus chercher Dieu, je ne veux plus aspirer vers lui, je veux m'anéantir, je veux cesser d'exister. Ce blasphème, ô, mon Dieu, tu devais le punir. Et combien ta punition est douce! Tu me fais sentir que ma douleur n'est inépuisable que parce que mon amour est immortel, et tu me révèles, jusque dans les profondeurs de ma misère, le sentiment de l'éternel infini dont mon âme doit prendre possession un jour.

Être mystérieux, ange de colère et de bénédiction, toi
qui m'attires et me repousses; toi qui m'inondes de clarté
et qui amasses les orages sur ma tête, promesse et menace,
amour et haine, joie et douleur; je veux aller où tu vas,
respirer l'air que tu respires, parler ta parole, vivre ta vie,
mourir ta mort. A toi! A toi! A toi!

[2 feuilles arrachées.]

J'ai passé quatre jours à Milan. Le petit sanctuaire de
poésie que Franz avait fait dans son cœur à E. [Malazzoni]
s'est écroulé. Une grosse, manifeste et palpable platitude
l'a jeté bas.

Une singulière impression m'attendait aussi. J'ai revu
E. [Malazzoni]. Il est laid, commun, absolument dénué
d'idées, sans grâce, sans charme, sans mouvement, langou-
reux et ennuyeux à périr. Il m'a fait mal aux nerfs. Si
j'avais été seule à l'aimer, je croirais aujourd'hui qu'un
engouement absurde m'a aveuglée mais Franz aussi le
trouvait singulièrement attachant... Je le sais bien, je le
sens bien, il m'est impossible d'aimer; il m'est même
impossible de me plaire longtemps dans la société d'aucun
autre que la sienne.

J'ai revu Neipperg avec plaisir. Franz a donné un concert
pour les pauvres. La haute société milanaise a « protesté ».
Le soir, il a joué pour Gay [190], Neipperg et moi ses fleurs
mélodiques des Alpes et plusieurs morceaux de *L'Album
d'un voyageur*. Tant d'énergie, de puissance, de simplicité
et de grâce ne se sont sans doute jamais rencontrées à
pareil degré dans un artiste.

J'ai vu le Cavaliere Spontini [191]. Grand génie, logé dans
une étroite médiocrité. La musique, suivant lui, est dans
un état de décadence complète. L'Allemagne, c'est-à-dire
Berlin, est le seul rempart resté debout contre la dépravation
et le mauvais goût.

PLAISANCE

Dimanche soir, 30 septembre.

Depuis Milan jusqu'ici, toujours le même paysage; des prairies, des rizières, des champs de maïs, coupés de canaux, bordés de saules et d'aulnes; cela est monotone mais point triste pourtant. Je sens plus que jamais la beauté infinie, les mille grâces de détails de la nature extérieure. A mesure que je me détache de la société et des hommes, les voix de la création me parlent un langage plus doux et plus tendre. Il me semble parfois qu'elles m'appellent. Je ne saurais surtout contempler le cours paisible d'un ruisseau solitaire, sans éprouver un vif désir de confondre mon existence avec la sienne. Quelquefois, je voudrais être une belle plante, une fleur qu'« Il » aimerait, que sa main arroserait et soignerait...

Il me semble quelquefois maintenant que je saurais vivre... Au fait, dix années de souffrances, de passions, d'expérience du monde, ont dû me servir à quelque chose, mais voici que j'aperçois à mon front une première ride, sur mes tempes un cheveu blanc... Bien! Il me faut maintenant apprendre à « ne plus vivre »; il faut habituer mon âme à regarder la mort en face, elle qui eut tant de peine à regarder en face la vie! Et à quoi bon tout cet apprentissage, tout ce triste et stérile travail? Demandez aux vers de la tombe, ou bien encore aux faiseurs d'épitaphes?

Il y a une pensée contre laquelle toutes les forces de mon âme viennent se briser; une question insoluble qui absorbe et dévore toutes mes facultés... Cette pensée s'éveille avec moi et ne s'endort pas toujours avec moi, car mes rêves la reproduisent. Ô mon Dieu, faites qu'elle ne pénètre pas la pierre de ma tombe!

[PARME]

Mardi 2 octobre. Journée « palpitante d'artistisme ». Je n'en peux plus. J'ai vu (Petit Jean, viens à mon aide) :
1° La galerie. Des Schedone que je n'aime point. Des Corregio magnifiques. C'est de la peinture toute matérielle moins noble que Titien mais peut-être plus réelle et plus séduisante. Le tableau qu'on appelle le *Saint Jérôme :* la Vierge a un air singulièrement « heureux » quoique plus grave que la Madeleine qui baise le pied du *bambino* qu'elle soutient d'une main, la *mano* du B[ambino] posée sur sa chevelure blonde. C'est un chef-d'œuvre de grâce et de vérité. Un ange feuillette un livre.

La Madonna della Scala presque plus grande que nature, « gâtée ». Très belle.

Repos en Égypte ou *Madonna della Scodella :* Jésus a l'air d'un ange malicieux.

Martyre de saint Placide et de sa sœur percée d'un glaive : tableau inférieur mais beau par l'expression du visage de la sainte. Sa main exprime l'horreur du supplice, ses yeux la joie du martyre.

Steccata, tomb[eau] d'Alex[andre] Farnèse [192].

Deux statues colossales antiques en basalte. Agrippine. Belles draperies. Le musée des fouilles de Velleia très intéressant. A la bibliothèque, belle fresque du Corrège, Madone couronnée, copiée par Carrache.

Au couvent de Saint-Paul, chambre peinte pour l'abbesse par Corrège. Diane. Génies admirables. « Chairs » superbes [193].

Éditions Bodoni, Paternoster en 52 langues.

Portrait de Pétrarque par Titien, de Dante par Andrea Del Sarto.

Cathédrale, coupole « invisible » du Corrège. Baptistère

gothique très curieux à saint Jean, mausolée à Pétrarque « chanoine », portraits du Corrège par P[armigianino] et du Parmigianino par C[orrège] des deux côtés de la grande porte.

Chez Toschi, magnifique gravure du Raphaël de Broca. Entrée d'Henri IV [194].

Au palais del Giardino, belles fresques d'Aug[ustin] Carrache. *Bacchus et Ariane.*

Mercredi de Parme à Modena. Maux de dents sans relâche tout le jour. Le courage m'abandonnait. Je voulais mourir. J'implorais je ne sais qui pour cesser de souffrir. A quoi bon ces souffrances? Le mal physique est l'expiation du mal moral, disent les experts. Ah! Et le mal moral, à quoi bon? C'est le résultat de la liberté? A quoi bon cette liberté dont le premier usage fut la désobéissance?

Le pays est plat. Les guirlandes de vignes à une assez grande hauteur donnent au paysage une grâce qu'il n'a jamais dans les contrées septentrionales. A Modena, éther laudanum, bain de pieds, cataplasme, sommeil.

Jeudi [4 octobre].

Belle journée. Arrivée à Bologne. Première impression, désappointement. Ville mal bâtie, mal pavée, vilaines arcades, galerie très choisie. *Sainte Cécile* [195] moins admirable que je ne pensais. Je commence à croire qu'il y a quelque chose de trop dans la gloire de Raphaël. Il y a maints tableaux de Titien, de Corrège, de Véronèse, de Léonard qui me plaisent plus que ce que j'ai vu de lui. Des Carrache, ce ne sont pas « mes » peintres. J'y retournerai. Un Perugin charmant, c'est tout à fait la manière du Sposalizio. Le *duomo,* méchante église. Les tours penchées, vilaines masses de pierre. La fontaine : le Neptune, mauvaise statue célèbre de Jean de Bologne. Saint-Pedronio, grande et importante église; jolies portes gothiques.

Chapelle d'Élisa; beaux vitraux. Musique d'orchestre assez médiocre, mais jouée juste. Émotion. Oh, il serait si beau de prier, d'adorer... La musique devrait être par excellence l'art divin. Elle enlève nos âmes et les porte vers Dieu!... Ô, que seront jamais pour moi les joies de la terre, auprès d'un acte de foi au pied des autels en communion avec des âmes pieuses... Ô mon Dieu, mon Dieu, pourquoi nous avez-vous abandonnés?

Une lettre de « lui », de Padoue. Son écriture me cause toujours une émotion inconcevable; ses serments d'amour, une surprise et un ravissement toujours nouveaux.

Courses de chevaux berberi. Laids petits chevaux chargés de morceaux de papier d'argent et couleurs.

Vendredi [5 octobre].

A l'université, rien de curieux.

Galerie Zambeccari : des Francia, c'est le G. Bellini de Bologne. Ouvrage médiocre de B. Cellini.

Église des dominicains : corps du saint, contesté. Ange de M[ichel] Ange. Cinq tableaux d'Elisabetta Sirani, morte à 26 ans, empoisonnée, dit-on.

Course de chevaux libres, *coglioneria.*

Escalier de Palladio à l'hôtel Bacchiocchi. Hôtel Bevilacqua. Lavinia Fontana [196].

Samedi [6 octobre].

Campo Santo. Le plus bête des cimetières. Ni architecture ni sculpture, ni peinture. En fait d'illustration, le mausolée de Colbran, il « suocero » di « Rossini ». Le peintre Cesi fait pour les chartreux une Vierge « enceinte ». Une autre à la galerie Sampieri. Galerie Bentivoglio, beau portrait de Ph[ilippe] II par Titien.

De samedi soir à dimanche, douleurs incessantes. Maux de dents aigus. Opium. Promenade en calèche à la Montagnola.

Lundi 8 [octobre].

Galerie Turini : *Assomption de la Vierge* du Guerchin.
[Galerie] Sampieri : *Nativité de saint Jean* du Guide, superbe. Cimabue 80 luigi.
Le propriétaire d'un cabinet d'antiquités me demande pardon de ne pas me donner de titre. Il m'appelle Madame de peur de se tromper. Église St... [*sic*] *acqua del giardino.* Colonne *dell'altezza* di J.-C.
Comédie Triffoli. *Villeggia.*
[Galerie] Sampieri, jardins anglais passables, ours empaillé, cerfs.
A 6 h, arrivée de Vieux! Fiasco de Blandine en diligence [197].

Mardi 9 [octobre].

A l'Accademia. Franz n'aime point non plus les Carrache. *Sainte Cécile,* tableau symbolique. S[ain]t Paul, pensée. Madeleine, sensualisme. Cécile, idéal religieux. V[ieux] n'aime pas beaucoup la figure de sainte Cécile. Beau S[ain]t Paul. Trop de recherche dans le bras courbé qui soutient le menton. Il n'aime point le type de S[ain]t Jean [198].
Admire beaucoup la grande piété du Guide.
Vu Rossini. Quasi-négociation pour aller dîner chez lui.

A Ravenne.

Tombeau de Dante au coin de deux rues. Dessus de puits. Médaillon de Dante debout, de Virgile, B[runetto] Latini [199], etc. Exécrable.

Mausolée de Théodoric. Désappointement.
Forêt de pins. Paludes. Effet désolé. Obermannique. Plaît singulièrement à Vieux.
Belle basilique.
Passage des Apennins. Bal dans la cuisine d'auberge à la Rocca.
Arrivée à Florence, à [l'hôtel de] l'Europe. Recherche d'un appartement en vue d'un établissement. Première impression satisfaisante.
Fait connaissance avec Perlet le peintre, bien élevé, simple, agréable. Stürler, amateur de vieille peinture. Herpin, possidente. Possoz, *seccatura* [200].
Comédie. Poniatowski. A côté du D[uc] de Rohan. « Les bons ». La marquise de Jumilhac [201].

                                                22 octobre.

Tasse en pierre verte. La 3e Epoca. Vieux va voir H. Allart, notre voisine [202]. Elle lui fait mille questions sur moi.

                                                Le 23 [octobre].

A midi, chez H[ortense] A[llart]. Je m'attendais à trouver une jolie femme assez coquette et élégante. Je la trouve passée; sans tournure, sans grâce, assez pédante. Je crois que c'est une femme distinguée, mais elle est loin d'attirer et de fasciner comme George. Elle veut me mettre en relation avec madame de Fauveau [203].
Aux Uffizi, avec Perlet.
J'ai revu plusieurs fois madame Allart. C'est une personne absolument dépourvue du charme féminin, pourtant elle ne me déplaît point. Je la crois très sincère. Je respecte cette vie pauvre et occupée, ses convictions, bien que dans

leur expression, elle soit parfois proche du ridicule. Ses livres m'ennuient.

31 décembre 1838.

Quel sera le résumé de ces deux mois passés à Florence? Beau climat, ciel presque toujours transparent. Fleurs en profusion. Promenades en calèche, toilettes ouvragées, concerts et théâtres. Voilà les distractions.

« Occupations. » Lecture de Machiavel, de B[envenuto] Cellini. Chateauvieux, belle et poétique description de l'Italie agricole [204].

Une cinquantaine de pages du Bachelier.

Objets particuliers de mon admiration :

Il Pensiero;

La Fornarina, Léon X et les cardinaux, 3e m[anière] de Raphaël. *Les Quatre Philosophes,* Rubens. *Trois Musiciens,* Giorgione *Descente de croix,* Perugin. Portrait d'Andrea Del Sarto et de sa femme. Portrait de L[éonard] de Vinci par lui-même. *Madonna del Cardellino,* 2e [manière de] Raphaël. Fresques de Masaccio. (*Judith* d'Allori), etc. [205].

Relations nouvelles.

« H[ortense] Allart » : esprit brillant *(ohne Anhaltspunkt* [206]*).* Style diffus. Point de « bonté ». Le XVIIIe siècle a déteint sur ce caractère. Sincérité et dignité dans la pauvreté. Préoccupations aristocratiques. Au fond, plus de préjugés que moi.

« Aug[uste] Barbier » : esprit ingénieux mais inconsistant. Il « fait » du christianisme poétique. Il est de la réaction à la mode contre le XVIIIe siècle. Plaisante agréablement sur la femme libre, etc. Je le crois sec et sans enthousiasme vrai.

[1 demi-feuille arrachée.]

Rencontré chez B[artolini] la jeune Mathilde, fille de Jérôme, aimable personne qui m'est très sympathique [207].

Plus aucune nouvelle directe de George. Elle est partie pour l'Espagne avec Chopin. Son dernier roman prétendu philosophique ne vaut rien. Je crois qu'elle va gâcher et son talent et sa vie.

Franz n'a presque rien fait ici. Il a joué sept fois en public, deux fois à la cour, deux fois pour les pauvres et trois fois pour lui. Beaux succès, surtout les improvisations [208].

1839

1er janvier 1839, Florence.

A midi, soleil; il est arrivé. Il me semblait que je ne pouvais assez ouvrir mon cœur pour toute la joie qui y entrait de toutes parts. Causé des succès de Bologne. Rossini malade de la terreur que lui cause l'idée de la mort. Son avarice. Mademoiselle Pélissier [209] épluche la salade. Une belle dame essaye de dire à Vieux qu'il est bien dommage qu'il sacrifie tout à la forme et ne se laisse pas aller aux inspirations de son cœur. Cadeau de Paganini à Berlioz. Franz est indigné de la manière. Cette publicité donnée à un acte de bienfaisance, cette forme de proclamer partout que tel individu est votre obligé le révolte. Présentation de monsieur Muller, pianiste anglais, plein de prétentions et vide de talent. (b[êti]se universelle).

Le 2 [janvier 1839].

Journée divine; désir de vivre en Italie. Bienfait du climat. Séance chez Bartolini. Vieux très content de mon buste. Bartolini nous a pris tous deux en grande tendresse. Il m'a engraissée parce qu'il me prédit que je reprendrai tout à fait à Naples.

Vu le portrait de B[artolini] par Ingres; beau portrait, dur, coloris faux. Cette vie italienne, point agitée, assez méthodique me convient beaucoup. La distraction d'une promenade en calèche, l'intérêt d'un objet d'art visité suffisent à ma journée. Il me reste plus le temps de me recueillir en moi-même, de « repasser ces choses en mon cœur » comme Marie. Comme elle, j'ai besoin d'écouter longtemps, longtemps au-dedans de moi, les échos de son amour [210].

3 [janvier 1839].

Montre donnée à Romanillo; il ne sait que dire de joie et de surprise.

A l'atelier de B[artolini] puis à Poggio Imperiale. Longue avenue de cyprès et de chênes verts. Cela a du caractère. Statues à la chapelle, les reliefs de Thorwaldsen [211] représentant la vocation de saint Pierre. B[artolini] trouve cela exécrable. « Nous » trouvons cela noble, expressif, beau enfin. Apollino qu'on dit de Phidias. Adonis de M[ichel] Ange. V[ieux] trouve la statuaire un art très froid.

Lettre de P[ictet]. Blandine sera demain à Milan [212]. Émotion profonde. Souvenirs de Louise. Je sens que j'aimerai immensément cette enfant, qu'une grande partie du principe égoïste va se détacher de moi, que ma vie va changer, s'améliorer. Je ne sais si cela doit durer, mais je me sens, en ce qui la touche, une grande paix. Je ne « veux » plus la laisser troubler.

Le soir, H[ortense] Allart m'apprend le mariage de Didier [213]. Discussion sur la nation italienne. Elle les trouve « braves ». Les femmes sont les premières femmes du monde; tendres mères de famille, passionnées, « fortes »... J'ai le malheur d'être d'un avis absolument contraire.

Monsieur Muller a la délicatesse de conter à V[ieux] des détails, je dirai obscènes, sur sa liaison avec la femme de son hôte. Elle a dix-sept ans. S'il dit vrai, rien ne peut aller au-delà de cette corruption.

4 [janvier 1839].

Journée passée au lit avec étouffements.

5 [janvier 1839].

J'ai déjà manqué à ma promesse. Je lui ai fait de la peine; je l'ai blessé. Ses projets de voyage, d'établissement pour moi à Florence m'ont beaucoup attristée. J'étais souffrante. Je lui ai reproché la sécheresse avec laquelle il parlait de notre séparation.

6 [janvier 1839].

Toujours même vie. Séances chez Bartolini. Lui, à ce que je prétends, comme « Clopin, roi de Thune », entouré des « gueux de Paris ». Je suis tout engourdie et ne peux rien faire [214].

[1 feuille arrachée.]

11 [janvier 1839].

Lettre de Vienne pour le prier de venir. Le moment serait fav[orable] pour obtenir le titre de « Kammervirtuos ». Colère de Franz. Il refusera : « A mon âge, on est peu désireux de titres honorifiques. Qu'on me donne un moyen d'agir, etc. »

12 [janvier 1839].

Utilité et nécessité des « gueux de Paris » lorsqu'on veut « agir » et acquérir de l'influence.

13 [janvier 1839].

Je fais un relevé effrayant de notre dépense. 5 000 en un mois! Idées progressives de Franz sur la « toilette » comme moyen de damnation.

14, lundi [janvier 1839].

Schlesinger trouve la lettre de Venise trop peu musicale [215]. On coupe les ailes au bachelier. Projet de Franz de consacrer tous les ans quatre mois aux affaires et de vivre le reste du temps seul avec moi.

Mardi 15 [janvier 1839].

Lettre annonçant l'arrivée de B[landine] pour demain! Bartolini veut faire d'elle une statue. Cela me ravit.

Hiller m'écrit une lettre très simple, très convenable, pour me dire que les Milanais n'ont pas même voulu écouter son opéra. Il est tombé à plat à la deuxième représentation. Ignoble patriotisme à coup sûr que celui qui se manifeste ainsi.

Mercredi 16 [janvier 1839]

Avec Stürler, promenade artistique : le *Pensieroso*, Académie des b[eaux]-a[rts]. Franz reproche aux Fra Angelico l'expression trop gentille, trop coquette. La Madeleine baise les pieds du Christ mort comme elle baiserait les pieds du bambino! La charité de B[artolini], « l'enfant qui apprend à lire ». Satire pour le g[rand] duc. Idée philosophique et neuve.

[4 feuilles blanches.]

Cinq jours à Pise. Boccella se fait notre ami. Concert que Vieux donne tout seul. Campo Santo au clair de lune (ville commencée et abandonnée) [216].

[18 feuilles arrachées.]

Rome, mercredi [12 juin].

Départ à quatre heures. Brykczinski, Lehmann [217]. Couché alle [à l'hôtel des] Sette Terre. Franz cause tout le jour.

Jamais je ne l'ai vu aussi animé, aussi aimable, aussi spirituel dans toute l'étendue du mot. Il parle longuement de Sainte-Beuve pour lequel il a toujours eu beaucoup d'attrait, de sympathie, d'estime : « J'avais subi l'influence du « ron-ron » de George, de Didier, et surtout celle de votre éloignement pour lui, et je m'étais laissé aller à lui dire hors de propos qu'il avait une façon de louer ses amis peu obligeante. Il m'avait fait sentir délicatement que j'avais tort et nous nous étions quittés toujours bien, mais un peu en réserve, en observation. Je crois aussi qu'il supposait que nous nous quitterions au bout de peu de temps et qu'il ne voulait pas se hâter de me défendre. »

« Je ne veux pas sur mes vêtements de tache qui ne se lave plus. Je consens à me crotter, tout le monde se crotte mais je ne veux pas d'huile. » « La racine s'étend ».

Puzzi [218] est grossier, indélicat. Il aime la grasse plaisanterie, le vaudeville... « Je crois que je n'aurai jamais à me plaindre de lui, j'aurai plaisir de faire le pédagogue. Sans g[rand] succès... Peut-être à vingt ans sera-t-il frappé de mes observations d'aujourd'hui ! Depuis deux ans, il n'a fait qu'un progrès, celui de se bien habiller. Je ne lui parle même plus de son talent. J'ai renoncé à ce qu'il fût un artiste distingué mais parce qu'il veut vivre avec le g[ran]d monde, il faut au moins qu'il soit convenable et ne se fasse pas moquer de lui [219]. »

Procès du prince Odescalchi contre le peintre Valadi qui paye 15 piastres un tableau du Corrège « recouvert ». Le peintre perd une fois et gagne l'autre. *« Io son artista, è vero, ma voi siete un principe disperato. »* Brykczinski conte l'histoire du juif polonais qui a un procès : il offre de partager avec son adversaire. « Je ferai ainsi avec le public. Je n'aurai pas eu peut-être tout ce qui me revenait mais on m'offre de partager, je partagerai. Les choses sont toujours venues à moi sans que je les ai désirées ni cherchées. Il en sera sûrement encore ainsi. Je crois que je serai une espèce d'Émile Deschamps [220] transcendant. Je verrai tout le monde, je serai bon avec tous. J'exercerai ma petite influence. Peut-être [je] me ferai naturaliser mais j'attendrai. Je veux encore conserver mon chez-moi. »

Si j'étais maître de Rome, je ferais jeter bas toute la Rome moderne, avec défense d'y jamais rebâtir. Je ferais construire pour les habitants une ville à Ostie ou ailleurs, et ne laisserais à Rome qu'une grande rue pleine d'hôtelleries. Je planterais de vastes jardins autour des ruines [221].

« Sainte-Beuve n'a jamais eu ce que j'ai eu. Les trois ans que je viens de passer avec vous ont fait de moi un homme. Je prends maintenant la vie au point de vue antique. Je ne me sens pas le droit de demander autre chose ; je ne désire qu'un peu plus de fortune, non pas pour être comme monsieur X... ou Y..., mais afin d'éloigner de nous la « compassion » ; c'est un sentiment qui m'est à charge. »

Jeudi [13 juin [222]].

Rafraîchi à Cività Castellana. Trouvé Chevandier [223], fils de la sœur de Stephen Guaita et d'un gentilhomme émigré qui change de nom, se fait industriel sous l'Empire, est fait pair par L[ouis]-Philippe. Le fils refuse d'entrer dans la diplomatie pour se faire peintre. Il nous mène au « ravin » et nous escorte à cheval jusqu'à Narni. Il faut que la muse vienne à l'artiste, qu'il la rencontre par hasard sans la chercher, comme Jacob rencontre Rébecca à la fontaine. Puis alors il entre en servitude.

L'olivier, c'est l'arbre de la sagesse antique et de la sagesse moderne, de Minerve et de J[ésus] C[hrist].

Vendredi [14 juin].

A la cascade de Terni. Allée d'orangers. Conversation sur le panthéisme. Chev[andier] veut faire du paysage panthéistique. Il nous quitte à Terni. Allé coucher à Spolète. Comparaison de la cascade de Terni avec les g[ran]des cartes historiques : d'abord un seul empire, puis divisions, réunions, etc. Une cascatelle isolée, c'est l'empire de Chine qui se sépare dès l'origine. L'iris sur la cascade, ce sont les âmes poétiques que rien ne trouble, qui réfléchissent le ciel. La cascade de Terni, c'est le mouvement, la vie, l'industrie, la guerre, etc.

Samedi [15 juin].

Rafraîchi à Foligno. J'ai un peu raillé V[ieux] sur son amitié improvisée pour Chevandier. Claude Lorrain ou Poussin [224]. Cabas effeuille des roses devant une dame.

Chevandier trouve que Moucheron [Blandine] rappelle les enfants de Van Dyck.

Une nouvelle ère me semble « commencer » pour lui. Il a « conscience » de lui, de son avenir. Il connaît les hommes et le monde; il sait comment on agit sur eux, quelles concessions sont nécessaires, dans quelle mesure on peut dominer et par quelles voies l'on arrive. Il est « calme »; il possède sa vie. Il est plus fort que la force même.

[1 demi-feuille arrachée]

[ASSISE]

Au couvent de Saint-François-d'Assise. Depuis David, l'art de la danse est discrédité. J'ai touj[ours] considéré la danse comme un art fort sérieux, fort religieux même. Le geste est pour beaucoup dans l'expression de la peinture et de la sculpture, mais comme les hommes sont grossiers, ils n'y ont vu ou du moins ils n'y voient aujourd'hui qu'un appel aux appétits grossiers. « Quand donc en arrivera-[t-on à] ennoblir, à sanctifier toute jouissance par l'élévation de l'âme vers la force inconnue qui la produit, vers la cause, vers Dieu. » On en arrivera là, mais ce sera l'œuvre de plusieurs siècles, car il faut faire plus que n'a fait le christianisme, et c'est beaucoup.

Franz me dit que le sentiment du beau s'est développé chez lui, qu'il n'en est pas encore à jouir mais à apprécier. Il aime les fresques qu'il ne goûtait nullement en entrant en Italie. Le sentiment des anciens maîtres dans leurs tableaux religieux lui est plus sympathique; cela est noble et naïf tout à la fois.

[1 demi-feuille arrachée]

Petite Vierge de Raf[faële] à Casa Conestabile, 2 000 louis. Franz commence un petit morceau sur le chant de Blandine, « din don din redin ». [six mots illisibles.].

Conversation en voiture sur la route de Pérouse à Passignano.

« Ma place sera entre Weber et Beeth[oven] ou bien entre Hummel et Onslow [225]. Je suis peut-être un génie manqué, c'est ce que le temps fera voir. Je sens que je ne suis point un homme médiocre. Ma " mission " à moi sera d'avoir le premier mis avec quelque éclat la poésie dans la musique de piano. Ce à quoi j'attache le plus d'importance, ce sont mes harmonies ; ce sera là mon œuvre sérieuse ; je ne sacrifierai rien à l'effet. Quand j'aurai terminé mon tour de pianiste, je ne jouerai plus que pour mon public à moi ; je le formerai, je l'élèverai, puis dans quatre ou cinq ans peut-être j'essayerai un opéra. C'est déjà beaucoup pour moi, qui ne prétendais à rien, d'être de l'avis de tous au moins le " second ", une moitié de " premier " ; entre Th[alberg] et moi, il y a un premier prix partagé. Mes premières harmonies sont " malheureuses ", mais on y sent une pensée, une poésie non commune. Je n'en voudrais rien retrancher, si ce n'est peut-être le profond " sentiment d'ennui " que je remettrais dans quinze ans.

« A quoi conclura votre livre ? Au divorce. Au fait, cela se présente tout naturellement. Il serait, je crois, aujourd'hui fort sympathique, quoique en définitive ce ne soit qu'une platitude car il y a bien longtemps que le protestantisme a " établi " le divorce dans les trois quarts de l'Europe. »

Je veux aussi montrer la femme poétisant le foyer, rappelant incessamment l'homme à l'idéal, développant en lui le principe d'amour, qui tend toujours à s'altérer par le contact obligé avec le monde, par la vie d'affaires.

Moucheron [226] « fait » la « statue ».

Ce qui distingue surtout la musique des autres arts, c'est

le « mouvement ». Ne serait-ce pas une des causes qui font que la musique produit sur nos âmes une impression indéfinie, assez analogue à « celle » que produit la vue de la nature. Il n'y a point de paysage sans « mouvement ». Autre analogie : l'effet physique de l'atmosphère et l'effet physique de la musique sur les nerfs.

[3 mots illisibles.]

Mardi 17 [juin 1839].

Arrivée à Arezzo. Inscriptions. Sur la maison de Guy l'Aretin [227], « ut ré mi fa sol la ».

Mercredi 18 [juin 1839.]

Arrivée à Florence. Perdu Othello [228].
Huit jours à Florence. Séances chez Bartolini. Franz le décide à venir à Paris, puis avec lui à Londres. Je trouve mon buste trop mignon, trop gentil, d'un aspect trop peu sévère; celui de Franz pas assez délicat, le bas du visage trop fort. Compliment de Bingham à Bartolini : « Vous êtes le premier statuaire du monde; il n'y a jamais une tache dans vos statues ni dans vos bustes. Les statuaires de Rome sont des ignares, leurs ouvrages sont pleins de taches. » Madame Bingham désire entendre Franz; il va jouer chez Mathroni; elle m'entretient tout le temps de son enthousiasme et n'écoute pas une note.
Bague. La Samoïloff avec monsieur Prattin, comédien ambulant. Vaudeville.
Dîné à Stürler, Arpin, B[ingham], Possoz et Hermann [229]. « Je suis trop grande, je compte par-dessus la marche. » Appréhensions... Revu Allart, gaie, en train, nourrissant son enfant de père inconnu.

Jeudi, 26 [230] [juin 1839].

Arrivée à la Villa Massimiliana. Terrasse, arcades, établissement en plein air Boccella. Atonie complète. Je sens que les facultés de mon cerveau sont épuisées. Je souffre horriblement; il me semble que je ne puis vivre ainsi, que je dois nécessairement mourir bientôt ou que l'imbécillité doit devenir complète, et alors quel désespoir pour « lui »! Sa vie sera brisée, son avenir d'artiste perdu, son génie éteint... Combien je regrette, aux moments où je sens ces choses (et cela est presque incessant), l'aveugle et égoïste enthousiasme qui m'a fait m'attacher à lui!

Le soir, lu une partie de la partition de *Benvenuto Cellini*. Franz : « Je n'aime pas beaucoup cela; cela est extrêmement remarquable; il y a beaucoup à étudier là; mais beaucoup aussi pour voir ce qu'il ne " faut pas " faire. Cela est aux opéras ce que les drames de Hugo sont à la tragédie. Cela est fait avec la tête; abus de modulations cherchées, style fatigant. Il ne faut pas que B[erlioz] plaisante; il ne sait pas être gai, il devient tout de suite héroïque; cela n'est pas vrai, n'est pas simple. » (joue des passages de R[ossini]). « A la bonne heure! Voilà qui est franc. Voilà de la mélodie riche, abondante, un jet qui ne s'épuise point. »

Vendredi 27 [juin 1839].

Demande à Boccella. H[orreu]r du piano à la mort de Louise. Je ne puis m'empêcher de pleurer.

Vieux conseille plus que jamais d'écrire un livre. Belle discussion sur le catholicisme. Monsieur de Lamennais condamné par les ambassadeurs d'Autriche et de France, etc. Conciles, question de majorité.

Soir, chants de Puzzi, deux ou trois jolies mélodies, airs touj[ours] uniformes, négligés, pousseux [*sic*].

[1 feuille arrachée.]

« Un homme qui casse un carreau n'est évid[emmen]t pas dans son bon sens, et [*sic*] bien, je ne sais pas ce que [je] dis, je suis violent et je m'en veux de l'être. Je sens que je suis brutal, absurde [231]. »

Mercredi soir.

Ad. [232] vient avec le m[arqu]is B[occella]. Je la reçois dans ma chambre. Mon cœur battait horriblement. Je me remets en la regardant. Elle est horriblement changée. Sa taille est déformée, ses yeux louches, ses traits grossis, son teint brouillé. Elle a l'air excessivement « faux ». Elle croit comme l'abbé Gerbet croit. « Je sais que vous ne me croyez pas sincère. Je compte cette vie pour rien. Je vais prendre le voile. Si Dieu m'avait accordé la grâce de faire des enfants, je les aurais avec moi au couvent. Je ne retournerai jamais avec mon mari. Il n'est pas mon mari. J'ai cru et j'ai péché. Je ne réponds pas de demain mais aujourd'hui, je sens que je ne veux plus pécher. Je suis dans un ensemble de choses dont je ne veux pas sortir. Comme vous êtes changée. Vous êtes m[aintenan]t une belle Romaine. Vous n'étiez que jolie, m[aintenan]t vous êtes t[out] à f[ait] belle, etc. » Franz la reconduit. Scène du médecin consulté pour les eaux de Recoaro. Le Monsignore a des attaques de nerfs. Prétexte pour rester à coucher. Franz la croit grosse.

13 juillet, samedi [1839].

Arrivée de Leh[mann]. J'en suis toute joyeuse. Une velléité de tendr[esse] me reprend. Mauv[aise] humeur de

Vieux. *Quest'homo mi fa noya* [*sic*]. *Questo riso non è sincero,* etc. Continuation d'engourdissement et de « non-être ».

14 [juillet 1839].

Premier jour d'am[our] depuis longtemps. Il va à Lucques et y reste tout le jour. Pour être « seul ». Cela est jeune, cela est beau... Hélas! Hélas, où retrouver de pareils élans, de pareilles folies?

15 [juillet 1839].

Au soir. Je trouvais Boccella changé pour nous. Plus froid, plus contraint. Franz pensait que cela tenait à un sentiment trop vif pour moi qu'il croyait de son devoir de réprimer. Nous eûmes une explication. Effectivement Franz avait raison. Il m'a juré de nouveau un attachement inaltérable et promis d'adopter Blandine si je meurs.
Cette conv[ersation] m'a profondément touchée. Je l'aime.
Le soir, sur la terrasse, seul avec Lehmann et moi, Vieux est triste : « Je vois avec peine une époque de ma vie qui va finir. Jamais rien ne fera renaître ces trois années; je n'ai plus rien à apprendre, à vouloir; le « projet » remplace la vie libre, spontanée. Je suis à l'âge où l'on sent que rien ne « suffit ». Je sens avec amertume que je ne suis pas ce que j'aurais voulu. Quand on a tout brisé autour de soi, on a aussi brisé en soi. »
Il me paraît avoir un sentiment plein de douleur du peu de joie qu'il me donne. Il ne sent pas ce que je sens si bien, « l'atrophiement » [*sic*] de mon cerveau, la vieillesse anticipée, la négation de toute volonté.

23 [juillet 1839].

Lettre de Boccella. Franz dit que je lui « dois » de lui écrire souvent, d'être tendre et bonne pour lui. Son catholicisme devient d'une étroitesse singulière. Lehmann a commencé nos portraits. Projets d'acheter une maison en Italie. Lucques. 15 000 par an, soit 50 000. Puzzi va donner un concert. Il ne sait rien, pas un morceau. Franz lui fait encore les plus fortes exhortations et les plus paternelles : « Il n'y a pas un amateur de 2e classe qui ne joue mieux que toi. Tu ne sais ni ne veux travailler. Si selon toute apparence tu ne fais pas de progrès d'ici à deux ans, tout le monde se moquera de toi. Je n'ai pas " un élève ". Kalkbrenner [233] fait de bons élèves et moi je n'en ai pas un seul à peu près " digne "... Cela me " blesse " de voir que le premier venu a plus d'influence sur toi que moi. »

Pour pouvoir faire des choses « utiles », il faut en faire beaucoup d'« inutiles ».

29, lundi [juillet 1839].

Veille du départ de Puzzi. Vieux prend la résolution de le laisser « voler » de « ses » propres ailes si d'ici un an il n'a pas tenu au moins une partie de ses promesses.

Le concert de Lucques manqué par les intrigues du majordome, frère de Boccella. La m[arqui]se de Caraman y est avec mademoiselle Delarue. Vieux la trouve « grotesque de dignité ». En face de nous, les « Cadore » avec l'abbé Gerbet [234].

Un bal de paysans sous la loggia. Ils reconnaissent le portrait de Boccella et battent des mains en voyant les nôtres.

Mon état de marasme continue. Je ne fais absolument rien.

Franz va reconduire Puzzi à Livourne. Jusqu'au dernier jour, il se montre « personnel », « parcimonieux », « gourmand », nonchalant. Durant tout le temps qu'il a été avec nous, il n'a pas trouvé à dire un mot aimable à personne. J'ai la conviction qu'il restera toute sa vie un médiocre et désagréable personnage.

Lehmann me fait part de sa théorie de bienfaisance, de ses projets de réalisation. Il veut vivre exclusivement pour les autres, suivre à la lettre le précepte de l'Évangile aussitôt que son talent et sa réputation lui auront « assuré » son existence et celle des siens.

Août, mercredi.

Projet de cours de philosophie fait chez moi par Leroux.

Conversation avec Franz sur mon hiver à Paris. Je dois me poser, reprendre une assiette, me former un entourage de gens distingués. Pour cela, ne pas craindre la dépense, les dîners, [les] petits cadeaux. Aller partout où l'on doit être, n'aller que là : conférences, sermons, premières représentations, réceptions à l'Académie.

Septembre, San Rossore.

Établissement dans une maison de bois. Bains de mer. Dîner sous les pins. Brykczinski établi à Pise. Ses illusions sur la « chose » se dissipent. Lehmann parti pour Rome après avoir fait nos deux portraits. Il est « essentiellement » bon et d'un esprit très aimable. Projets de faire venir sa sœur pour élever les Mouches [235]. Couché à Pise sous la même clef [236]. Opposition prévue des « tantes ». Explications entamées avec Piffoël. Nous n'imaginons pas ce que ce peut être. Correspondance explicative avec Boccella. Je suis horriblement « militante ». Franz veut que je sois plus conciliante. Il dit que ma paix doit se faire d'ici à trois ou quatre années, qu'il ne faut « repousser » personne tout en « restant digne ». Mais éviter surtout les apparences de la colère. J'ai de la peine à suivre cet avis. Je me sens de plus en plus semblable à ma sœur qui était irritable, colère, presque haineuse.

« Sainte-Beuve est comme la colombe de l'Arche qui rapporte le premier signe de paix. »

« Boccella pareil à une éponge qui est agréable ou désagréable suivant la liqueur dont on l'imbibe. »

[1 feuille déchirée.]

Premier sentiment de la « vieillesse ».

6 [octobre].

Lettre de Sainte-Beuve. Esprit de l'hôtel Rambouillet. Grâce et flatterie délicate avec une pointe de bel esprit. Drame de madame Sand. « Haine dans l'amour [237]. » Je dis que je n'aime pas ce titre. Franz : « Ce titre annonce assez de choses. Il a une portée philosophique assez profonde. Après avoir détruit les religions et les institutions, il est logique de détruire les sentiments. Ce qu'il y a eu de faux dans les religions et les institutions n'a pas été sans influence sur les sentiments. La " convention " a dominé les affections (rappelez-vous certains moments de votre vie où vous m'avez " haï "). »

FEUILLETS D'ALBUM

Écrits par Liszt

NOTE DE L'ÉDITEUR

Daniel Ollivier a publié dans son volume les notes de Franz Liszt qui suivent. Elles viennent appuyer le Journal de la comtesse d'Agoult. Nous n'avons pas retrouvé l'original.

JOURNAL DES ZŸI

Lugano, août 1838.

Elle m'a dit aujourd'hui : « Vous devriez mieux employer votre temps, travailler, apprendre, vous exercer, etc. » Bien souvent elle m'a grondé (à sa manière) de ma paresse, de mon insouciance ; je suis attristé de ses paroles. Moi travailler, moi employer mon temps ! Et qu'ai-je à faire de mon temps ; à quoi puis-je et dois-je travailler ? J'ai beau réfléchir et chercher à tâtons, je ne sens point ma vocation en moi, et je ne la découvre pas au-dehors. La seule chose positive que je pourrais faire, le seul rôle que je devrais remplir, ce serait de mieux abriter sa vie contre le mal accidentel, et de lui rendre ses mélancoliques bonheurs plus doux par le reflet que j'en garde.

J'ai tout l'amour-propre et tout l'orgueil d'une haute destinée ; je n'en ai point la conviction calme et soutenue.
Rossini a nui et servi au progrès de l'art, comme Bonaparte a nui et servi au progrès des sociétés. Il a peut-être trop magnifiquement prouvé que l'art pouvait se passer de conscience et de vérité, tout aussi bien que Bonaparte a prouvé que l'État n'avait que faire de ces grands mots de Liberté et de Constitution...
Utopies ! Utopies des honnêtes naïfs !

2 août.

Il y a de l'orage dans l'air, mes nerfs sont irrités, horriblement irrités. Il me faudrait une proie. Je sens les serres de l'aigle au-dedans de ma poitrine; ma langue est desséchée. Deux forces contraires se combattent en moi : l'une me pousse dans l'immensité de l'espace indéfini, là-haut, toujours haut, par-delà tous les soleils et sous les cieux; l'autre m'attire vers les plus basses, les plus ténébreuses régions du calme, de la mort, du néant. Et je reste cloué sur ma chaise, également misérable de ma force et de ma faiblesse, ne sachant que devenir.

Pourquoi avoir gaspillé ces beaux dons pour quelques mesquines idoles de femme, qui devaient nécessairement en rire?

Il y a bien des jours que je n'ai écrit une seule ligne; je souffre parfois amèrement de ne pouvoir manier la parole comme je manie les touches de mon clavier. Il me serait doux d'exprimer noblement, avec puissance et simplicité ce que j'ai senti ainsi, à certaines heures de ma vie.

Ce soir, pour la première fois je crois, on est venu à parler (et c'est un tiers, Il... qui aborde ce sujet) d'une femme dont j'aurais voulu toujours ignorer le nom. Pendant qu'il en causait avec Marie, je continuai de jouer du piano, et mon ancienne, mon éternelle plaie se rouvrit au-dedans de moi. Je souffrais intimement, immensément.

Maintenant, les voilà causant de choses diverses. Pour moi, l'œil intérieur ne saurait se détourner de ces images de désolation, de profond désenchantement qui planent sur ma destinée entière...

Mon Dieu! Il m'eût été si aisé de poser ma couronne

d'innocence sur le front de Marie... C'eût été le plus précieux de ses joyaux.

Vivre, penser, parler, agir au hasard.

Je suis comme la louve du Dante :

> ... *Che di tutte brame*
> *Sembiava carca nella sua magrezza.*

Le café et le thé ont une bonne part dans mes tristesses et mes irritations. Le tabac y contribue beaucoup aussi. Ces deux choses (le café et le tabac) me sont devenues absolument nécessaires. Je ne saurais vivre sans elles. Le plus souvent elles me font du bien. Parfois je m'en ennuie (comme de mes meilleurs amis) et, de loin en loin, elles m'agitent et me tourmentent d'une étrange façon.

Ici, où nous dînons en plein air, au milieu des champs, ce m'est un plaisir incomparable de faire ma libation de café noir au soleil couchant et de chasser d'énormes bouffées de ma pipe en guise d'encens. Je ne saurais dire combien, à ces intervalles de doux loisir, mon âme se dilate et s'épand mystérieusement à travers les rayons et les ombres de mes souvenirs, de mes espoirs brisés. Alors aussi les arbres et les gazons, les montagnes et le lac se colorent d'un éclat plus énergique : toutes les formes revêtent une beauté sympathique et inconditionnelle. Je me laisse aller à une incroyable paresse; je n'ose me lever de ma chaise de peur de ne plus retrouver le point précis d'où je vois mon tableau mi-fantastique, mi-réel...

Bienheureux si, à ce moment, elle me dit quelque parole, même insignifiante; sa parole, c'est la plus douce lumière de la plus blanche des étoiles.

LUGANO

Ma tête ploie, mon cœur se brise, mes genoux fléchissent, mes mains se joignent...
Je ne demande plus rien, ô, mon Dieu! Tu m'as donné ce qui peut être donné ici-bas : tout, tout!
Laisse, laisse-moi dormir, solitaire et oublié!!!

MILAN

Pourquoi désespérer? Mais pourquoi espérer? Pourquoi le pourquoi?
Les forces qui nous dominent obéissent à des lois que nous n'avons pas déterminées.
Il y a toujours de grossières erreurs, de fondamentales aberrations dans le langage. Je viens d'écrire : « Que nous n'avons pas déterminées. » Nous? Qu'est-ce que nous, qui nous, qui vous, qui moi?... Le catéchisme l'apprend à des enfants de six ans. On sait qu'ils le comprennent à merveille.
Dans la tourmente de mes heures d'angoisses, alors que tout s'ébranle, se déchire, se déracine violemment dans mon cœur, une seule pensée, un seul remords me reste – j'aurais dû la rendre heureuse! Je l'aurais pu!
Mais le puis-je encore???...

[Écrit de la main de madame d'Agoult]

Mets ta main sur ton cœur et réponds :
Vermag die Liebe alles zu dulden so vermag sie noch viel mehr alles zu ersetzen [238] (Goethe).
Réponse noble et belle, quoique à un autre diapason.

6 septembre.

Je ne suis point, je n'ai jamais été impressionnable. Le spectacle extérieur, quelque beau qu'il soit, me laisse indifférent, à moins qu'il ne fasse saillir en relief et puissamment une idée qui m'est sympathique. Ces pompes, ces cérémonies, ces fêtes du couronnement [239] ont passé sans me laisser la moindre trace. J'ai peu et mal regardé. Les fastueuses puérilités, les étiquettes surannées, le bourgeois épique de tout ce grand va-et-vient parfaitement utile et parfaitement inutile, ce petit grand, tout enfin, tel quel, m'inspire une profonde compassion pour la misérable espèce dont je suis « susceptible de marcher avec », pour parler comme monsieur M... Il semblerait qu'il n'en faudrait pas plus pour améliorer définitivement le sort des populations les plus inquiètes, mais il s'agit bien de cela... « *E incoronato* », a crié le héraut! et la foule battait des mains. Le hasard de la naissance a reçu la plus solennelle des consécrations. Il n'a même pas fallu d'amnistie pour obtenir l'acclamation de la multitude. N'est-ce donc pas assez que d'être l'héritier légitime des Habsbourg? – Il y a bien quelques-uns qui le prétendent. Mais les saintes huiles et plus encore l'huile des lampions qui réjouissent le populaire, battent en brèche tous leurs raisonnements. Agenouillons-nous donc et divertissons-nous, comme l'on nous permet, comme l'on nous ordonne de nous agenouiller, de nous divertir!

(A propos des tentatives saint-simoniennes, etc.) Il s'agit d'arriver au rivage opposé. Les hommes énergiques, les croyants, les fous se jettent à la nage. Les uns périssent, d'autres se fatiguent et retournent en arrière, d'autres enfin arrivent. Ils crient à la foule de les suivre, mais en vain. La foule attend qu'on lui construise un pont pour qu'elle puisse passer commodément, sans danger, sans fatigue. Mais, en définitive, elle passe.

Mon propre cœur m'ennuie. Je n'aime point l'analyse de mes sentiments. Elle me fait souffrir et me jette dans un profond découragement; d'ailleurs il y a un très petit nombre d'éléments simples qui se retrouvent partout les mêmes et qui expliquent tout. A quoi bon tant de paroles? Tout le mal, toutes les souffrances ne sont-elles expliquées par ces deux paroles de l'apôtre : Orgueil et concupiscence?...

14 novembre.

Elle m'a demandé de reprendre son ancienne bague.

Les diverses phases de notre vie s'enchaînent-elles harmonieusement? N'y a-t-il pas de ces chocs violents, de ces crises désespérées qui semblent rompre toute unité?

Tant de brisements, tant de larmes et de sanglots seraient-ils nécessaires au développement de notre énergie morale?

Je ne sais, mais en remettant cette bague à mon doigt il m'a semblé que je guérissais tout à coup d'une longue maladie, et je me laissais aller à tout l'emportement de confiance de ma première jeunesse, alors que nous nous rencontrâmes pour la première fois.

Quelquefois, le matin, j'oublie volontairement cette bague. Je ressens un plaisir étrange à abandonner ainsi à tout hasard ce triste et terrible signe de notre union. Vingt fois, le jour, je songe à la reprendre et je n'en fais rien.

Il est des choses violemment et très profondément senties que je ne veux pourtant point écrire.

Février 1839.

Une lacune de deux mois. Voyage de Bologne, Florence, Pise et Rome. – Rossini. – Ingres.

Si je me sens force et vie, je tenterai une composition symphonique d'après Dante, puis une autre d'après Faust – dans trois ans – d'ici là, je ferai trois esquisses : Le Triomphe de la mort (Orcagna); la Comédie de la mort (Holbein), et un fragment dantesque [240]. Le *Pensiero* [*sic*] me séduit aussi.

[Écrit de la main de madame d'Agoult]

Relu à Saint-Lupicin, le 15 octobre 1866. – vingt-huit ans après!

Qu'a-t-il fait de ces vingt-huit années? Et qu'en ai-je fait?

Il est l'abbé Liszt et je suis Daniel Stern! et que de désespoirs, de morts, de larmes, de sanglots, de deuils, entre nous!

JOURNAL D'UN ENFANT
ÉTUDE

NOTE DE L'ÉDITEUR

« *Madame* [*d'Agoult*] *écrivait d'Italie l'an dernier à Madame* [*Marliani*] *en post-scriptum d'une longue lettre consacrée à demander des robes et des chapeaux :* "*A propos, j'oubliais de vous dire que je suis accouchée à Rome le mois dernier d'un garçon que j'y ai laissé. Madame (Allart) en a fait autant de son côté.* "

« *Il y a pourtant cette différence que Madame* [*Allart*] *emporte ses enfants, les nourrit, les élève et leur donne son nom, son temps et sa vie. Tandis que l'autre les abandonne, les oublie, les fait élever dans un taudis, tout en vivant dans le velours et l'hermine, ni plus ni moins qu'une femme entretenue et ne s'occupe de sa progéniture, non plus que d'une portée de chats.* »

Voilà ce qu'a écrit George Sand dans son Journal, le 7 janvier 1841. Bien que tout y soit faux, madame d'Agoult ne s'est jamais relevée de cette réputation de mère indigne que son entourage lui a faite. Elle provient du comportement froid et hautain qu'elle adoptait en public pour se protéger des calomnies que sa liaison avec Liszt risquait toujours de susciter. Mais c'était aussi son caractère : peu expansive, jugulant constamment ses élans, et aussi le spleen qui la ravageait, madame d'Agoult souffrait d'une fondamentale inaptitude à l'enthousiasme.

C'est pour la réhabiliter que nous publions ici, pour la

première fois, le journal qu'elle a tenu pendant quelques mois sur sa fille Blandine, alors qu'elle achevait aux côtés de Franz Liszt son long séjour en Italie. On y découvrira une comtesse d'Agoult certainement exigeante, mais toujours attentive et uniquement guidée par le souci de bien faire. Mais de l'indifférence dont parle George Sand, nulle trace.

Née le 18 décembre 1835 à Genève, Blandine Liszt avait été laissée en nourrice à Étrembières, sous la surveillance d'un pasteur. C'est le 15 janvier 1839 que ses parents la reçurent à Florence où ils s'étaient installés. Ce ne fut pas sans mal : le pasteur ayant montré quelque réticence à la restituer, la comtesse d'Agoult dut solliciter l'intervention de son ami, le savant Adolphe Pictet. Puis, une coqueluche se déclara, qui retarda de plusieurs semaines le départ de l'enfant et de sa nourrice, tandis que la comtesse d'Agoult, souffrante, renonçait de son côté à se rendre à Milan où les retrouvailles avaient été initialement prévues.

Ce *Journal* a été écrit par la comtesse d'Agoult dans un petit carnet noir, de format 12 × 18 cm. Le texte couvre 36 pages. Il appartient à madame Edme Jeanson que nous remercions une nouvelle fois de sa généreuse collaboration.

Nous reproduisons ici l'intégralité du manuscrit, à l'exception de quelques mots illisibles, dont nous signalons l'emplacement. Les mots en romain et entre guillemets étaient soulignés par madame d'Agoult.

Quel « doit » être le but de l'éducation? Que « peut » être son résultat? Quels sont les moyens à employer pour parvenir à ce résultat?

Telles sont les trois questions que se pose naturellement toute créature raisonnable le jour où elle entreprend cette tâche sérieuse : l'éducation d'un enfant. Voici les réponses que je me suis faites : le « but », c'est le développement le plus complet et le plus harmonieux possible des facultés, des sentiments et des forces. Le résultat ne saurait jamais être de « changer » le naturel ni le tempérament mais de « modifier » l'un et l'autre par un long et sain régime moral et physique.

Les « moyens » seront aussi divers que les individus sur lesquels ils doivent agir. La première et la plus indispensable condition d'une bonne éducation, c'est la connaissance parfaite de la constitution morale et physique de l'enfant qu'on élève.

La sévérité ou l'indulgence me paraissent avoir égals [sic] avantages égals [sic] inconvénients. Ce qui est rigoureusement nécessaire, c'est l'équité dans la répartition des châtiments et des récompenses. Équité dont les enfants ont le sentiment bien avant que nous le leur supposions. Je n'aime point les châtiments corporels. Je les regarde comme au moins inutiles et comme produisant des perturbations

souvent fâcheuses. La « sincérité » me paraît une autre
condition de toute bonne éducation. Jamais de promesses
trompeuses, ni de menaces vaines. Ou point d'explications
lorsqu'elles seraient prématurées ou l'explication « vraie ».
Je crois qu'en général on fait trop grand abus de paroles
niaises avec les enfants. On ne saurait trop tôt faire intervenir le raisonnement dans l'éducation. Quant au développement intellectuel, voici quel serait mon plan :

De six à douze ans, exercer la mémoire; calcul; géographie; « langues »; chronologie; comme récréations les notions
premières des sciences naturelles.

De douze à quinze, études d'histoire en suivant l'ordre
logique des civilisations progressives. Étude réfléchie et
comparée des langues. Sciences naturelles à partir de quinze
ans. Philosophie, littérature en suivant l'ordre historique.
Développement des sentiments et la connaissance des arts.

[1 feuille blanche.]

Le [15] janvier 1839, Blandine m'a été amenée de Genève
par sa nourrice. Elle a trois ans. Elle est grande. Sa
constitution est robuste. Elle a la tête forte, très développée
à la région des « instincts ». Ses traits sont réguliers. Son
regard tendre et intelligent. Son sourire gracieux et fin, sa
peau transparente. Ses cheveux qui n'ont jamais été coupés
sont d'un blond doré, soyeux et fins comme des cheveux
d'ange.

Elle m'arrive avec un reste de coqueluche, une fièvre
intermittente et l'habitude de pleurer à propos de rien, de
dominer la nourrice et d'avoir des caprices sans termes. Je
ne m'en occupe point tant que la nourrice reste avec nous.
Ce serait peine perdue.

Nous partons pour Pise. La nourrice vient avec nous
jusqu'à la porte de Prato. Au moment où elle nous quitte,
Blandine commence à pleurer. Je l'établis commodément

sur les coussins, entre son père et moi et ne dis absolument rien. Elle pleure « tranquillement » pendant une heure puis s'endort. Elle s'éveille en arrivant à l'auberge. Elle a faim et mange bien. Je l'amuse avec des oiseaux en albâtre qui se trouvent sur la cheminée. Elle s'endort. Le lendemain, en s'éveillant, les pleurs recommencent. Même silence de ma part. Le reste du jour et les jours suivants, elle est extrêmement sérieuse, ne répond que par oui et par non mais paraît fort sensible au sentiment d'un bien-être « progressif » et se convaincre de l'inutilité de toute résistance avec moi.

A Pise, la fièvre la quitte. Elle tousse moins, elle engraisse. Le régime est bon. Elle tente de nouveau de pleurer pour Annette [241] comme elle a pleuré pour la nourrice. Voyant qu'elle manque son effet, elle ne recommence plus.

Je crois que cet enfant est très observateur et très raisonnable. je n'aurais jamais cru possible un changement aussi prompt et aussi complet de l'insubordination à l'obéissance; du caprice à la règle, de la violence à la douceur.

« Rome »
Février.

Blandine annonce un goût prononcé pour les images. Elle les préfère à tous ses joujoux et ne s'en lasse jamais. Nous l'amenons voir les églises et les statues. Je suis convaincue que l'on ne saurait de trop bonne heure développer chez les enfants le sentiment du beau.

Ce que je remarque de plus saillant chez elle, c'est la « raison » et l'amour propre. Deux excellents leviers d'éducation.

18 [février].

Hier soir en se couchant, Blandine a demandé à boire. Sur mon ordre (car j'étais persuadée que c'était une fantaisie et non un besoin réel), Annette lui a refusé. Alors elle a recommencé à pleurer avec colère. Je suis entrée dans la chambre, je lui ai dit avec beaucoup de sang-froid et sans entrer dans le débat qu'elle eût à se taire parce qu'elle gênait son père qui travaillait. Elle s'est tue à l'instant. Je suis ressortie en ordonnant à Annette de sortir aussi. Alors a commencé un monologue comique. Sans pleurer le moins du monde mais avec l'accent le plus impérieux, l'enfant a appelé Annette à plusieurs reprises, lui a « commandé » de lui donner à boire et a ajouté à cet ordre toutes les injures et toutes les menaces possibles. Cela durait depuis un grand quart d'heure, lorsque je suis entrée dans sa chambre. Je l'ai trouvée debout auprès de son lit, très animée. Je l'ai assise dans son lit, lui ai souhaité le bonsoir et tout a été dit.

(Caractère impérieux qui se développe. Instinct du commandement. Notion de l'infériorité des domestiques. Appréciation juste de l'irrévocabilité de mes arrêts et je crois aussi à leur équité.)

Ce matin, Annette veut lui mettre une robe qui ne lui plaît pas. Refus de se laisser habiller. J'ordonne à Annette de la laisser là. Je me moque d'elle et parais trouver fort bouffon qu'elle reste en jupons. Réflexions solitaires durant cinq minutes puis elle vient à mon lit et après quelques raisonnements, je lui dis de « prier » Annette de lui mettre sa robe et de « lui » promettre d'être sage et de n'avoir plus de caprices. Elle le fait, non sans pleurer un peu.

Lehmann [242] me fait remarquer son bras et sa main. Elle a une grâce et une distinction infinie dans tous ses mouvements et dans ses « poses ».

Sa santé est parfaite.

Régime : matin, en s'éveillant, soupe au chocolat ou au lait. A onze heures et demie, avec moi, un plat de viandes, le plus souvent poulet, avec un plat de légumes, le tout sans sauces, quelque peu de dessert, raisin, orange ou miel, etc. Vers deux heures, un morceau de pain sec. A cinq heures et demie, soupe, deux plats de viande, un plat de légumes, un peu de dessert en très petite quantité.

21 [février].

Journée mauvaise d'un bout à l'autre. Pleurs à déjeuner, révolte ouverte à la promenade avec Annette et Louis. Punition (privation de dessert) subie sans pleurer.

22 [février].

L'esprit d'ordre est très remarquable chez elle, plus une gourmandise sérieuse, le plus profond respect et une affection sincère pour moi. Je lui ai rapporté de la villa Mills et de la maison de Néron une touffe de jonquilles et une branche de cerisier en fleur. Elle était ravie.

1er mars.

Aujourd'hui, je lui ai appris sur *Le Journal des Débats* à distinguer un A, un D, un S, etc., et je lui ai dit que si elle continuait ainsi, elle pourrait bientôt lire les belles histoires qui expliquent les images. Son visage s'est éclairé de joie. Toujours mêmes indications : esprit d'ordre, désir de savoir, sentiment du beau, courage, esprit de domination, raison, gourmandise, coquetterie.

15 [mars].

Aujourd'hui, je lui ai demandé qui elle aimait mieux, son père (le Bon Vieux) ou un pot de miel. Elle a répondu un pot de miel. Nous avons naturellement beaucoup ri. Le soir, Lehmann était là. Je lui demande : qui aimes-tu mieux, monsieur Lehmann ou un pot de miel? – Monsieur « Lehmann » et, au même moment, elle se met à pleurer. Elle avait remarqué nos rires le matin et s'apercevait qu'on se moquait d'elle.

Elle a une susceptibilité d'amour-propre excessive.

Lehmann me promet de diriger ses études de dessin et de peinture. J'aimerais assez à en faire un peintre.

5 avril.

D'après les conseils de l'homéopathe Braun, j'ai commencé pour elle un bain froid chaque matin. Elle pleure un peu mais sans résister.

Nous avons décidé que « Moucheron », comme je l'appelle, serait un grand « architecte »! Elle s'occupe beaucoup de colonnes, d'arcades, de marbres, etc., elle me demandait l'autre jour en voyant les festons de mon mouchoir : « Quelles étaient ces choses qui ressemblaient à des arcades? »

Elle est très timide, timidité qui me paraît venir d'un grand amour-propre. Elle n'est tout à fait à son aise qu'avec moi. Son principal divertissement, ce sont toujours les gravures et un dîner imaginaire qu'elle compose avec moi et qu'elle sert dans un ménage de bois.

L'autre jour, elle me demande ce que c'est que saint Paul. « C'est un ami de Jésus-Christ, lui dis-je. – Et saint Baroque? » (cinq baroques).

Elle est habituellement sérieuse mais lorsque la fille de notre *housemaid* vient jouer avec elle, elle fait des rires incommensurables. Celle-là (âgée de dix ans) joue son rôle de plébéienne : elle saute, elle chante, elle saute, elle s'évertue à divertir la « signorina » qui, assise dans son fauteuil, daigne rire des inventions de « Camilla ».

21 mai.

Aujourd'hui, elle a pris un fort accès de fièvre. Patience, poudres homéopathiques et changement d'air le plus tôt possible. Voilà ce que dit le docteur et ce que je compte faire.

Fortes transpirations à la tête, sommeil agité. Il faudra prendre garde aux congestions au cerveau.

Nous allons voir le petit frère à Palestrina. Il me semble fort laid.

Monsieur Ingres [243] trouve que Blandine est un type raffaëllesque. Lehmann fait d'elle une multitude de croquis tous plus drôles les uns que les autres. Elle a des poses pleines de grâce et de noblesse qui ne sont guère les poses d'un enfant de son âge. Elle est toujours « absolument » silencieuse, excepté avec moi. Elle sait maintenant toutes ses lettres.

Pendant quinze jours, elle avait pris la mauvaise habitude de ne plus demander à satisfaire ses besoins et de salir son lit et ses vêtements. Nous avons employé inutilement, pour la corriger, le raisonnement, la prière amicale, le point d'honneur, les châtiments, même le fouet! Un beau matin, elle est redevenue propre sans que je sache pourquoi car je désespérais de la corriger et je ne disais plus rien. Franz prétend qu'elle tient de lui cette personnalité qui ne cède à aucune influence extérieure mais agit par des mouvements indépendants et spontanés.

« Juin ».

Elle imite les gestes des personnages représentés sur ses gravures. Je la fais rire en lui disant qu'elle dit des « cochonnies » au lieu de cochonneries (elle ne peut pas prononcer les « r ») mais elle se fâche quand Louis veut la plaisanter. Elle a vraiment de singuliers instincts aristocratiques. Elle ne parle jamais de sa nourrice et paraît fort contrariée lorsque je lui rappelle « Maman Jean » [244]. Je crois qu'elle a un souvenir confus de la maison du père Jean et d'un état de chose très inférieur qui l'humilie.

Dimanche 15 [juin] [245].

A Pérouse. Blandine vient avec moi voir la *Gazza ladra*.

24 [juin].

Bartolini [246] la trouve fort belle; un front très intelligent. Il dit qu'elle ressemble à son père.

Juillet. Villa Massimiliana.
16 [juillet].

Hier soir, à la suite d'une conversation longue et intime, Cesar Boccella [247] m'a promis d'adopter Blandine si son père et moi nous venions à mourir ou si même moi venais à mourir la première. Je le désirais.

24 [juillet].

Nous remarquons que le visage de Blandine prend un caractère beaucoup moins enfant. Ses traits se forment et s'ennoblissent. Elle perd aussi sa sauvagerie et sa promptitude aux larmes. Elle devient plus caressante et de plus en plus coquette.

20 août.

Blandine vient d'avoir une fièvre gastrite qui a duré dix jours. La diète et des purgations douces l'ont guérie. Durant cette maladie, elle s'est attachée exclusivement à Annette et répétait sans cesse en pleurnichant de la façon la plus drôle et la plus inintelligible : « Je ne veux aller " qu'avec Annette ". » Lehmann la contrefait à merveille.

Nous avons fait un essai de « tunique » grecque qui lui sied on ne peut mieux. Je décide d'adopter la tunique et le cothurne pour l'hiver prochain.

Le médecin Giavelli lui trouve de la disposition à l'engorgement des glandules, qui produit ce gros ventre dont nous rions quelquefois et contre lequel il ordonne le fer.

Septembre.

Établissement à San Rossore. Bains de mer pris très volontiers. Disposition « pleurnicheuse » combattue par la négation de ce qu'elle demande et la privation de dessert.

Facilité à rester seule. *Selbständigkeit* [248]. « In alta solitudine », disons-nous.

11 [septembre].

Aujourd'hui, Mouche a fait preuve de caractère et d'« héroïsme ». Le matin, j'ai voulu qu'elle vînt avec moi dans le bois; elle s'y est refusée obstinément; je l'ai forcée de marcher et l'ai fouettée à deux ou trois reprises lorsqu'elle se couchait par terre afin de me résister. Elle n'a jamais cédé et n'a cessé de dire un « non » ferme et articulé, toutes les fois que je lui demandais de nouveau (immédiatement après le fouet) : « Veux-tu venir? »

Après l'avoir contrainte à faire environ deux cents pas, je l'ai laissée dans le bois et nous sommes revenus sans elle. Elle s'est immédiatement « assise » et a cessé de pleurer. Une demi-heure après, Annette y est allée : « Pourquoi êtes-vous là? lui a-t-elle dit. – Je n'" ai " pas " voulu " revenir avec papa et maman et je suis restée là. »

A dîner, morale avec privation d'un oiseau rôti et de raisin. Elle fronce le sourcil mais ne dit rien.

A la fin du dîner, je lui tends la main en lui disant comme d'habitude : « *Siam' amici?* » Elle retire sa main avec indignation. « Tu ne m'aimes donc pas? – " Non ". » Son père lui tend la main, elle la lui donne : « Aimes-tu mieux Bon Vieux ou moi? – " Bon Vieux! " » C'est la première fois de sa vie qu'elle répond ainsi et qu'elle me refuse sa main. Elle attache donc un sens à ce signe. Elle a donc compris que c'était moi, plus que son père, qui voulait aujourd'hui briser sa volonté?

J'avoue que cela me paraît au-dessus de son âge. Ce caractère fier et persistant plaît singulièrement.

12 [septembre].

Aujourd'hui, Mouche, en regagnant le rivage, est tombée dans l'eau. Annette l'a « repêchée ». Elle n'a ni pleuré ni crié ni témoigné la moindre peur.

Le 25 [septembre].

Accès de fièvre qui n'a pas de suite.

Octobre à Pise.

Constipation prolongée, boutons sur la tête. Je ne sais à quoi attribuer ce dérangement continuel de santé. Il me tarde de consulter un médecin français. Je n'ai pas fait le traitement des poudres de fer parce que je n'ai aucune confiance dans les médecins italiens.

Sa petite compagne « Amabilia » lui a appris l'italien sans que je m'en doute. Elle a presque entièrement perdu sa sauvagerie.

7 [octobre].

Elle ne paraît faire aucune attention à la musique de son père. Elle ne parvient point à chanter juste les petits airs qu'on essaye de lui apprendre. Elle ne sera pas musicienne. Tant mieux.

[3 feuilles coupées]

[1842]

Octobre.

J'ai emmené Blandine et Cosima à Versailles pour huit jours. Cosima est très embellie; elle a un profil régulier, un teint superbe, de beaux cheveux. Son caractère semble un peu sournois, taquin, enclin à la solitude. Je crois qu'elle souffre de la préférence qu'on donne à sa sœur.

Blandine est moins régulièrement belle peut-être mais elle a une grâce et une distinction infinies. Son regard et son sourire ont quelque chose d'ineffable. Elle aime l'étude. Son intelligence est ouverte à tout. Elle questionne juste. Elle est aimante, extrêmement raisonnable et désireuse de plaire. Elle lit et déclame presque avec beaucoup d'intelligence. Elle est moqueuse et « contrefait » très bien. On dirait une comédienne en herbe. Elle apprend la musique mais comme autre chose. Sa susceptibilité n'admet aucune plaisanterie. Je crois qu'elle me ressemble beaucoup. Elle a de l'intelligence plutôt que de l'esprit, des passions vives et de la raison. Elle est sensible et fière. Je l'adore. Sa santé est devenue parfaite.

22 janvier 1843.

Ils ont dîné ici tous les trois avec les Fillets, Lehmann et Ronchaud. Le soir, lanterne magique.

Daniel est une magnifique organisation, une force calme. La douceur de ses grands yeux, la sérénité de son visage, la tendresse de son sourire ne se peuvent rendre. Il parle et marche lentement avec décision; ne s'étonne, ne se trouble de rien. Il prend possession de la vie avec une satisfaction tranquille. Nous l'avons grisé avec un peu de vin de Champagne. Alors il voulait embrasser tout le monde, et le chien en particulier.

Cosima semble s'apercevoir qu'on lui préfère Blandine et se retire fièrement à l'écart. Elle est stoïque. Les caresses de Ronchaud la charment. Elle aimerait qu'on l'aimât mais elle s'en passe.

Blandine avait hier tous les symptômes d'une « passion ». Je n'aurais jamais pu le croire si je ne l'avais vu. Elle était absorbée par Fillets. Ses yeux étaient languissants, son sourire éclairait tout à coup son visage mélancolique. Elle le contemplait avec ravissement. Quand il est parti, elle s'est jetée à son cou avec une expression indicible.

Elle « aimera ». Elle « souffrira » exactement comme j'ai

aimé et souffert. Et je crains qu'elle n'ait pas cette personnalité fière qui survit à tout et triomphe de tout.

Karl est un charmant enfant. Son regard est plein de candeur et d'intelligence. Il joue avec une grâce infinie.

Mars 1843.

Après un essai d'un mois chez madame de Montigny [249] qui est tombée gravement malade, j'ai pris Blandine chez moi.

Elle se lève à huit heures, écrit une page d'allemand avec moi, lit et « commente » un chapitre de l'Évangile, déjeune, apprend par cœur des vers d'Uhland ou de Heine; puis de onze à deux heures, va apprendre l'anglais et la géographie chez madame Leconte. A deux heures, goûter puis une heure de piano chez les Hall. De là, jeu et promenade rue Pigalle [250] puis dîner conversation, calques de Flaxman [251], etc., jusqu'à huit heures et demie.

Son caractère n'a pas changé mais il est complètement adouci. Je n'ai jamais à la gronder. Son intelligence est merveilleuse. Elle questionne toujours juste, elle ne dit jamais une bêtise. Elle est naturelle, sérieuse, distinguée au possible.

Jésus en croix. Je lui parle du mal : De quel supplice Dieu devait-il nous punir? « Ce doit être du supplice de la croix. » « La moelle des hommes, en fait-on de la pommade? – On respecte trop le corps humain pour cela. – On le respecte et on le fait manger aux vers. »

« *Sie ist so schön wie du* [252] », Uhland.

Il aurait dû dire « *so dick* [253] » puisqu'il lui mange un anneau.

« Et leurs mamans ne les ont pas défendus? » Massacre des Innocents.

« Leurs mères n'étaient donc pas là [254]. »

Dimanche 8 mai.

Mickiewicz, à dîner avec sa fille Marie [255]. Il a paru très frappé de la simplicité de Blandine et de ce que j'étais parvenue à la maintenir si vraie et si pure à travers l'éducation. Il l'a regardée souvent avec attendrissement, trouvant qu'elle me ressemblait, qu'elle était bonne, qu'elle souffrirait beaucoup si on ne la fortifiait pas contre son imagination et sa sensibilité.

Il n'est pas d'avis du latin ni de l'éducation virile. Ce qu'il est essentiel [*sic*]

A Nonnenwerth
Juillet-août.

Blandine s'est incroyablement développée et « affranchie ». Elle a de la vie, de l'entrain, plus la moindre poltronnerie, plus de timidité. Elle est d'une force physique étonnante. Ses reparties sont merveilleuses.

« Ce n'est pas pour les pommes de terre que je pleure : vous m'avez " trompée " » (avec désespoir).

Brouille avec Teleki [256]. Elle lui rapporte un livre de messe qu'il lui a donné : « Tiens, reprends ton livre. Tu en as plus besoin que moi car il faut que tu pries Dieu pour qu'il te rende meilleur. »

15 septembre.

Pris Philippe Kaufmann [257] pour élever Blandine. Il a un caractère extrêmement doux, des connaissances suffisantes, le sentiment poétique des choses, un peu trop de « raisonnabilité ».

Blandine répète souvent qu'elle mourra à trente-sept ans sans qu'on puisse imaginer d'où lui vient cette bizarre idée.

17 [*septembre*].

En voyant une gravure du *Génie du christianisme* : « Pourquoi les Noirs ont-ils des enfants noirs? Pourquoi Dieu a voulu qu'il y ait toujours une race noire? Quel a été le premier homme noir? Les femmes ont-elles du lait noir? »

1844.

10 janvier.

Blandine a commencé le latin avec empressement. Fiévée [258] lui trouve une tête éminemment philosophique. Elle a une mémoire prodigieuse. Les trois enfants commencent à avoir à un haut degré le sentiment de leur supériorité sur leur grand-mère. Daniel est calme et fort. Cosima, très sensible. Elle veut absolument venir chez moi et dit à sa grand-mère : « *" Maman n'est pas du tout comme toi. "* »

12 mai.

Entrée chez madame Bernard [259]. Je lui ai dit hier « mon histoire ».
« Maman, vous avez une drôle d'histoire. Y a-t-il d'autres femmes qui aient une histoire comme vous? »
La chambre des « députés » [1 ligne illisible].

Septembre 1844.

Blandine me témoigne une tendresse passionnée et délicate qui me rappelle « Mignon » [260].

Elle ressemble de jour en jour davantage à Léon. D'extérieur par ses « rires », ses inflexions de voix caressantes, l'habitude de se vautrer partout avec grâce. Ses gestes, ses regards facilement en « coulisse », etc. A l'intérieur, par la tendresse, l'imagination, la rêverie, la mélancolie portée parfois jusqu'à la pensée du suicide. Le désir de l'effet et la facilité au mensonge. Elle aime beaucoup Daniel et peu Cosima qui lui est trop inférieure. Elle aime à faire des jeux de mots : « Je ne dois pas manger de " veau " parce que je me " vautrerais " encore plus. »

Puis, pendant que je parlais avec emphase à Jesi [261] de son *Léon X,* elle me dit à l'oreille : « Vous lui faites beaucoup de compliments mais je ne crois pas que vous les pensiez. »

Jupiter foudroyant Prométhée de Flaxman : « Avec quoi, puisqu'il avait dérobé le feu du ciel? »

A Cosima qui avait un fou rire : « Tu vas mourir de joie comme le chien d'Ulysse. »

Une dame à la pension dit : « Quel bel enfant! – Voilà une dame bien polie, dit mademoiselle Laure pour atténuer l'effet du compliment. – Elle aurait pu le dire plus bas », reprend Blandine.

« Je voudrais que vous restiez toujours comme vous êtes. Quand vous aurez quarante ans, vous commencerez à devenir vieille! »

Elle m'a coiffée hier de façon à me faire ressembler à son père.

Elle s'est confessée pour la première fois. Son confesseur lui a donné pour pénitence de faire quatre jours de suite un signe de croix en disant : « Mon Dieu, bénissez-moi. » En faisant avec mademoiselle Laure son examen, elle s'est accusée de s'être moquée de la maîtresse d'anglais, etc.

Un peu plus tard, elle dit : « Je suis jalouse de Ludovie qui reçoit plus de lettres que moi. Ah! Jalouse! C'est un péché. » Et elle va prendre la plume et écrit : « J'ai été jalouse à la suite de mon examen. »

Goût pour les jeux de mots. Elle me parle de la mer Noire et de la mère blanche et, tout à coup, avec une expression très drôle : « Dans l'histoire de Salomon, c'était une " mère " noire et une " mère " blanche. »

20 septembre.

Besoin d'idéalisme : – « Tu es mon commissionnaire. – " C'est-à-dire votre Mercure. " Jeux de mots (Je suis mal à droite ? maladroite).

ÉPISODE DE VENISE

NOTE DE L'ÉDITEUR

Madame d'Agoult a rédigé un fragment de Mémoires, consacré au séjour qu'elle fit à Venise en 1838. Celui-ci resta dans son souvenir un moment douloureux à un double titre : d'une part, Franz Liszt choisit de l'abandonner quelque temps après leur arrivée, afin de se rendre à Vienne pour donner des concerts au profit des victimes d'une inondation causée par le Danube. D'autre part, restée seule, elle tomba gravement malade et il fallut qu'un ami adressât des courriers très pressants à Liszt, que la société viennoise ne laissait pas de séduire, pour qu'il se décidât à revenir.

Lors des retrouvailles, passé la fièvre des premiers embrassements, vinrent, semble-t-il, des explications assez tendues.

Nous possédons deux versions de ce texte :
– celle publiée par Daniel Ollivier dans son volume de *Mémoires*. Nous n'avons pas retrouvé le manuscrit original ;
– un manuscrit, qui n'est pas de la main de madame d'Agoult, conservé à The Library of Congress, à Washington, aux États-Unis. Celle-ci nous a écrit l'avoir acquis de monsieur Théodore Front, en 1967. C'est cette version, parce qu'elle est plus complète que la précédente, que nous suivons ici. Il s'agit probablement d'un texte écrit assez tôt par madame d'Agoult car les personnages y apparaissent sous des noms d'emprunt : Franz Liszt devient Wolfram,

la comtesse, Lucie et le comte Emilio Malazzoni, leur ami, Theodoro (ou Teobaldo).

Le manuscrit de Washington comprend sept feuillets. La dernière partie ne suit ni l'ordre chronologique ni le texte publié par Daniel Ollivier. Elle est plutôt rédigée sous forme de notes. On y trouve un texte que Daniel Ollivier a publié en annexe dans son volume, sous le titre de Notes (p. 183-184). Enfin, un appendice décrit le premier séjour que fit la comtesse d'Agoult sur l'île de Nonnenwerth en 1841.

Un jour, il entra dans ma chambre brusquement, contre son habitude, il tenait à la main un journal allemand. Il venait d'y lire le récit d'une horrible inondation du Danube; la misère était au comble. La charité publique faisait des efforts inouïs. « C'est affreux, me dit-il, je voudrais envoyer tout ce que je possède. » Puis, avec un sourire amer : « Mais je ne possède rien que mes dix doigts et mon nom!... Qu'en dites-vous? Si je tombais à Vienne à l'improviste? L'effet serait prodigieux. Toute la ville voudrait entendre ce petit prodige qu'on a vu tout enfant! On est enthousiaste et prodigue à Vienne. Je gagnerais une somme folle... Quand on ne peut pas faire de grandes choses, il faut essayer d'en faire de bonnes. Quand on n'a pas le génie, il faut avoir la charité. Dieu s'en contente... Cela me prendra huit jours, pas plus... Qu'en pensez-vous? – Vous avez une bonne pensée », lui dis-je, et tout bas je pensais : « D'autres que lui pourraient secourir ces pauvres, mais moi, seule, malade, qui viendra à mon secours? »

Il partit le lendemain en me recommandant à la seule personne avec laquelle nous fussions en relations à Venise, un jeune comte Theodoro, que j'avais vu une ou deux fois à peine. Je refoulai au plus profond mes tristes pensées, je lui dis adieu d'un œil sec, et le jour même je fis avec le comte Theodoro une visite dans les palais qui n'étaient point ouverts à la curiosité publique et dont ses relations me firent ouvrir l'accès. Quelques jours se passèrent ainsi. Wolfram n'arrivait pas, mais il m'envoyait les journaux qui parlaient, en termes inouïs, de la réception qui lui avait été faite. Il surpassait tout ce que l'on avait jamais entendu dans cette ville si musicale; il égalait Mozart et Beethoven. Les souverains avaient voulu l'entendre dans le cercle de famille. Une pluie d'or et de fleurs tombait à ses pieds et, à l'issue de son premier concert, on l'avait porté en triomphe. Les plus grands seigneurs lui faisaient cortège; des présents magnifiques s'amassaient sur sa table. On lui faisait les offres les plus brillantes s'il voulait écrire un opéra, diriger des concerts.

Quant à lui, dans des lettres fort courtes, il parlait de tout cela avec simplicité, sans étonnement, avec des regrets d'être parti, de se voir rejeté au monde; mais ses lettres me semblaient froides... Ce monde dont j'entendais parler tout à coup comme d'une nécessité, ces noms aristocratiques, ces princes, ces empereurs, c'était comme des sons faux dans une harmonie bien différente. Nous étions allés à la solitude, il entrait en triomphateur dans ce monde qu'il avait tant méprisé, dédaigné, qu'il avait voulu fuir avec moi. Il y a pour les hommes comme pour les femmes bien des manières différentes d'aimer le même homme. J'aurai aimé Wolfram pour son génie, on l'aima pour le bruit de son nom.

Je continuais toujours mes promenades et le comte Theodoro y prenait chaque jour plus de plaisir. Nous ne parlions que de Wolfram. Il avait pour lui admiration et amitié. Il s'étonnait un peu qu'il pût rester ainsi loin de moi. Il parlait de notre amour comme de quelque chose d'inouï, le rêve d'un paradis. Nous comptions ensemble les jours de l'absence. Wolfram avait dit huit jours, et il y en avait déjà quinze, et il ne parlait plus de retour. Ses lettres devenaient plus rares, quelques noms de femmes s'y mêlaient. Un jour, une lettre m'arriva cachetée d'un double écusson; le papier portait également un écusson féminin... La pensée me vint que cette lettre avait dû être écrite chez une femme... Je la déchirai...

Le soir en revenant du Lido, où nous avions passé presque tout le jour, je me sentis courbaturée; je me mis au lit; j'avais la fièvre. Theodoro [262] très inquiet alla chercher le médecin de la famille. Il paraît que le médecin trouva la chose grave, car aussitôt, sans me le dire, Theodoro écrivait à Vienne. Il me croyait malade surtout d'inquiétude, il disait à Wolfram que son retour me guérirait. Il voulait me cacher cette lettre, mais me voyant plus mal le lendemain, il crut devoir me donner cette espérance. Nous calculâmes ensemble le jour de l'arrivée de la lettre et, d'après le départ immédiat dont nous ne doutions ni l'un ni l'autre, le jour de l'arrivée à Venise. J'eus un moment de relâche. L'intensité de la fièvre diminua. La réponse à Theodoro arriva. Elle était très amicale pour lui; il le remerciait tendrement des soins qu'il me donnait, s'excusait de ne pouvoir quitter Vienne encore et demandait de m'y conduire. Quand Theodoro m'apporta cette lettre il était d'une pâleur mortelle; je m'étais levée un moment, je m'étais évanouie en allant de mon lit à mon fauteuil, ma femme de chambre avait eu beaucoup de peine à me faire revenir à moi. J'avais l'air d'une morte. Theodoro entra comme je commençais à peine à ouvrir les yeux. Il fut effrayé. Il se précipita à mes pieds. « Ô Lucie! (C'était la première fois qu'il m'appelait ainsi.) Pauvre femme! s'écriat-il. Oh! si ma vie, mon âme, mon amour pouvaient être quelque chose pour vous, Parents, amis, fortune, carrière, tout serait quitté, foulé aux pieds. Oh! quel bonheur d'essayer de sécher vos larmes! » Je le regardai comme stupéfiée. « Où est Wolfram? lui dis-je. – Il ne peut revenir encore; il demande que vous veniez à Vienne et que je vous y conduise », et sa lèvre avait un pli de dédain, d'ironie... Je le regardai fixement. Je crus sentir que je perdais la raison. On me porta dans mon lit. Theodoro fut chercher le médecin. Je passai huit jours entre la vie et la mort, presque sans connaissance, appelant Wolfram dans mon délire. Les lettres continuaient d'arriver, je ne les ouvrais plus. Enfin la fièvre diminua, je repris quelques lueurs de sentiment et j'écrivis à Wolfram, les lignes suivantes : « Vous me demandez de vous rejoindre ; il y a deux cents lieues d'ici à Vienne. Je vais avec peine de mon lit à mon fauteuil. Vous ne pouvez venir. Vous laissez à un autre le soin de ma pauvre vie. Si j'étais morte, il vous aurait pourtant bien fallu venir, ou bien auriez-vous aussi laissé à d'autres le soin de me fermer les yeux... et de mettre une pierre sur ma fosse ? Wolfram, Wolfram, est-ce bien vous qui m'abandonnez ainsi ? »

A cette lettre il répondit qu'il partait. Huit jours se passèrent encore. J'allais mieux, le soleil du mois de mai me rendait quelque force. Les soins touchants, fraternels de Theodoro, sa constante sollicitude, sa douceur, la certitude d'être aimée, me causaient une sorte de joie amère. Wolfram m'abandonnait pour de si petits motifs. Ce n'était ni pour une grande œuvre, ni pour un dévouement, ni par patriotisme, c'était pour des succès de salon, pour une gloire de feuilleton, pour des invitations de princesses. Son langage était changé tout à coup.

Je suis sur la place de Saint-Marc. On vient m'avertir qu'il est là (hôtel de maître Marseille). Je m'étais traînée au bras de Miri [263] ; je cours, je vole ! Je me jette dans ses bras. « Priez Dieu que je vous aime encore comme je vous ai aimé. »

Deux jours à trois, sincérité absolue dans la situation la plus délicate. Il veut se retirer, attendre, n'est pas digne de moi... Moi, je me cramponne en désespérée. Un froid mortel était descendu, la neige était tombée pendant la nuit. Au réveil, je voyais la campagne couverte mais la volonté intervenait. Nous partîmes.

La manière dont il me parle de son séjour à Vienne me fait tomber de haut. On lui a trouvé des armoiries (à lui républicain, vivant avec moi, grande dame). Ses faiblesses. Il m'avait voulue héroïque. Les femmes s'étaient jetées à sa tête ; il n'était plus confus de ses fautes. Il les raisonnait en philosophe. Il parlait des nécessités... Il avait raison contre moi ; il était élégant en ses habits, il ne parlait plus que de princes, il avait de secrètes complaisances pour sa vie de Don Juan. Je lui dis un jour un mot très blessant (Don Juan parvenu). Je repris toutes mes fiertés de femme, de grande dame, de républicaine, pour le juger de haut.

Cependant, ce beau climat, notre jeunesse, l'attrait des arts qui me passionnaient nous rendirent encore quelques beaux jours. Un lien nouveau se noua entre nous, un enfant de la plus extraordinaire beauté. Mais bientôt cet enfant d'une intelligence précoce, restée à Genève, devint un motif de séparation (non rupture).

La facilité avec laquelle il avait ramassé l'or. Il l'avait laissé pour les inondés, mais il avait vu qu'en deux années, il pouvait gagner une fortune. Il le fallait non pour lui, mais pour l'enfant, Blandine, enfant de la plus extraordinaire beauté. Il fallait d'ailleurs que, de mon côté, je reprisse une position. Je souffrais trop aussi, disait-il ; il fallait revoir ma fille, ma famille, mon entourage personnel ; j'étais aussi trop subordonnée, trop dépendante de lui, j'avais du talent, du génie, il fallait le montrer, écraser mes ennemis, montrer « qui » j'étais. Le monde quitté devenait son objectif...

« Votre cœur s'est déchiré, il ne s'est pas ouvert. Ne vous jouez pas de moi, car je vous forcerais à jouer trop gros jeu. »

Il me voulait maintenant raisonnable. Le programme l'était à la condition que je fusse très forte et, qu'après m'avoir voulu absorber toute à lui, « seule » je pusse retrouver en moi la puissance de me recréer un monde. Cette puissance je l'avais, mais il l'ignorait, moi aussi. Il voulait que j'allasse retrouver ce que j'avais repoussé, blessé irréparablement ; que la femme qui avait voulu n'être qu'amante, redevînt fille, sœur, mère, amie ; que le talent employé à des œuvres musicales devînt un talent capable de me soutenir; il m'envoyait à des hasards, à une entreprise impossible.

Je le trouvai dur, sec, ironique.

Il m'accompagna à Livourne, me donna un bouquet. De Livourne à Gênes, tempête. Puisse-t-elle m'engloutir! Je prends Blandine dans mes bras. Seule dans l'univers. Hôtel garni. Je me rappelle alors le mot dit un jour (30 juillet 1833) : « Vous n'êtes pas la femme qu'il me faut, vous êtes celle que je veux. »

Seule sur ce bateau, quelles réflexions [264]! Mes relations avec ma famille s'étaient beaucoup relâchées. Ma mère subissait des influences. Elle ne m'écrivait plus. On lui avait persuadé que je ne désirais plus entretenir des relations avec elle. J'ignorais qu'il me serait accordé de revoir mon enfant; mes amitiés du monde m'avaient quittée; les nouvelles amitiés dispersées. Jeune, belle! Je ne croyais pas en mon talent, je ne savais pas comment il eût fallu m'y prendre pour la publicité. Fière – un vague espoir de nous réunir un jour – mais c'était une entrave. Que faire? que dire? que penser? Je n'appartenais plus à aucun milieu, j'avais les idées républicaines mais je ne connaissais presque aucun républicain. J'avais blessé monsieur de Lamennais. Les hommes seraient amoureux de moi. Aucune idée religieuse, pratique, un caractère qui ne pouvait s'accommoder d'une vie moindre, facile, de plaisirs et de liberté. Pouvais-je faire comme lui?

Lui, je le vois accepter une vie moindre, abaisser ses ambitions. J'en souffre, mais je n'ai rien à dire... et je sens instinctivement que, si je ne peux pas m'y associer, je ne dois pas les combattre.

A son retour, il me conseilla d'aimer Teobaldo [265]. Je lui dis : « Essayons encore. » J'avais besoin de l'air de la mer. Il va avant moi à Gênes, loue une villa magnifique. Quand j'arrive, je trouve des chevaux; il a été dans le monde. « C'est assez vous condamner à la pauvreté, à l'isolement. »

Un jour, il me prie d'ouvrir son courrier. Je sus alors qu'il avait pris des engagements pour toute l'Allemagne. Il m'avoue que c'est son projet. « Vous ne pouvez pas me suivre dans cette vie inférieure. Vous aussi d'ailleurs, vous avez besoin de votre expression. Vous vivez refoulée par moi. Allez, revoyez votre fille, votre famille, vos amis... » Je l'arrêtai : « Ma famille, en ai-je une encore ? Ma fille, me reconnaîtra-t-elle ? Mon talent c'était mon amour, le désir de vous plaire. » Il versa une larme [266].

Nous eûmes ainsi deux mois d'alternatives et de déchirements. Je partis. Il m'apporta une branche de magnolia. Je montais sur le bateau. Il me fit signe de son mouchoir. Le roman de ma vie était fini à trente-deux ans [267]. J'allais recommencer la vie seule.

Cette vie fut difficile. Mais je gardais en moi une étincelle du feu sacré allumé par l'amour. J'eus d'affreuses rechutes. Un jour, après avoir tout reconstruit, un impérieux besoin me [prit] de tout détruire.

Il m'écrivait des lettres où je croyais sentir des éclairs de passion. Il désirait me revoir. J'acceptai un rendez-vous dans une île du Rhin.

NONNENWERTH [268]
SUICIDE

Dans cette partie de son cours entre Bonn et Cologne où il s'élargit, il décrit une courbe majestueuse au pied des sept montagnes qui surmontent le Drachenfels et Rolandseck. Deux îles voisines étendent leurs vastes prairies. L'une est submergée tous les hivers et n'a point d'habitation. L'autre portait un monastère de femmes. Les religieux avaient été chassés par les guerres et les révolutions. Un homme du pays avait acheté à vil prix, cultivait l'île et y tenait une auberge. Mais il n'y avait personne. J'y fus retenir pour un mois un appartement. C'était celui de l'abbesse. Il était spacieux, avec un air de grandeur. On y arrivait par de longs corridors; une des fenêtres de la chambre ouvrait sur la chapelle juste au-dessus de l'autel. C'est là que l'abbesse entendait la messe quand elle était malade et qu'elle surveillait les nonnes.

J'y arrivai au mois d'août et je m'y installai solitaire. Il m'offrit lors l'amitié, le dévouement. Je le rejetai. Par une nouvelle hardiesse ou folie, je rompis ce lien. A partir de ce jour commence pour moi une vie dont je ne me rappelle pas sans frisson les épreuves, les tentations, les amertumes.

Quand on vit que je n'entrais pas au cloître, quand on me crut heureuse, quand on devina mes opinions, « fureurs ».

L'amitié me fait une atmosphère. Le travail me sauve. C'est à « lui » que je dois tout. Il m'a inspiré un grand amour, il m'a détaché des vanités. Il m'a cruellement mais salutairement détachée de lui-même. Qu'il n'ait jamais ni regrets ni remords. S'il m'a fait souffrir, s'il eût été ce qu'il devait être, je serai restée; mon nom ne serait pas sorti de l'obscurité...

PALMA

PALMA

NOTE DE L'ÉDITEUR

Le fragment suivant a été publié par Jacques Vier dans son volume intitulé *Marie d'Agoult, son mari, ses amis* (Paris, les Éditions du Cèdre, 1950). Il relate les premières années de la liaison de la comtesse d'Agoult et de Franz Liszt. Liaison tenue secrète, que la mort de la petite Louise d'Agoult, en 1834, remit en cause. Probablement rédigé assez tôt dans la vie de madame d'Agoult, ce texte se présente sous la forme romanesque. Il constitua peut-être une première ébauche de *Nélida* (1846), unique roman de Daniel Stern, dont elle se servit en partie pour régler ses comptes à son ancien amant. On sait en effet qu'à la lecture d'une première mouture, quelques amis conseillèrent vivement à l'auteur de ne pas publier son roman, les ressemblances avec des personnages existants leur paraissant trop éclatantes! La comtesse accepta de se remettre à l'ouvrage et *Nélida* devint pour elle bien autre chose qu'un règlement de compte. Il la libéra de la chape sociale et culturelle qui l'étouffait pour lui permettre de vivre enfin par elle-même. Dans ses notes, Jacques Vier a souligné plusieurs traits communs entre ce fragment et le texte de *Nélida.*

Les noms propres y sont déguisés. Franz Liszt s'appelle Walther, madame d'Agoult, Palma. L'anachronisme, et un zeste d'exotisme, règnent. Le personnage appelé Georges fut probablement inspiré par le neveu de la comtesse d'Agoult, Léon Ehrmann, qui mourut mystérieusement à Athènes en 1845, soit plus d'un an après la rupture définitive du couple. La comtesse d'Agoult resta frappée toute la vie par la mort de ce jeune homme, âgé de vingt-trois ans, avec lequel elle avait engagé, semble-t-il, des rapports ambigus. L'idée de suicide, en général, ne cessa de la hanter. On se souvient que sa demi-sœur se jeta dans le Main en 1832. Elle-même fit plusieurs tentatives, et traversa une grave crise de folie à la fin de sa vie.

Comme nous n'avons pu retrouver le manuscrit original, le texte qui suit est repris de l'édition réalisée par Jacques Vier.

« ... Je fus visitée de songes étranges... Je rêvais que, étant seule, la nuit, dans un lieu inconnu, je voyais soudain devant moi deux personnes éclairées d'une lumière surnaturelle qui se tenaient par la main et me faisaient signe de les suivre. Ces deux personnes, en qui, par une contradiction pénible assez fréquente dans les rêves, je reconnaissais également Franz, étaient de même stature et de même visage. Mais l'une était toute rayonnante d'une calme beauté séraphique, tandis que l'autre, qu'on eût dit sa parodie, grimaçait affreusement et comme en proie à quelque puissance démoniaque. Toutes deux, je les voyais distinctes ; néanmoins, je comprenais qu'elles ne faisaient qu'un et qu'elles me voulaient ensemble du bien et du mal. Je redoutais de les suivre et je m'y sentais entraînée. Mon angoisse, dans cet état, était inexprimable ; j'ignore si elle se prolongea longtemps. Lorsque je m'éveillai en sursaut, me débattant sous l'étreinte de la figure démoniaque, j'étais baignée de sueur et je frissonnais de tous mes membres.

Beaucoup plus tard, un jour que je parlais à Franz de ce songe énigmatique et qui me poursuivait malgré moi, il sourit avec amertume : « Votre rêve, me dit-il, était un pressentiment, une image trop exacte de la triste réalité. La figure harmonieuse, la puissance bienfaisante, c'était moi, tel que vous m'eussiez voulu, tel que Dieu m'avait fait, peut-être; la figure discordante et tourmentée, c'était moi encore; moi, tel que m'a fait la vie, tel que m'ont voulu le monde et sa perversité... »

Mais je reviens à ces premières heures, indifférentes encore à mes propres yeux, où rien d'apparent ne changeait; où déjà pourtant couvait en moi la passion et où, sourdement, s'allumait, au foyer étouffé de ma jeunesse, une flamme cachée.

W. sans me répondre se rendit à mon invitation. Dans ce petit cercle intime où il connaissait fort peu de gens, il se montra tout à la fois à l'aise et réservé. Il y eut dans ses respects envers moi une nuance imperceptible à d'autres yeux qu'aux miens que je n'aurais pas su expliquer mais qui me faisait sentir que je n'avais pas été mal comprise. Franz, dès qu'on l'en pria, se mit au piano, il y resta aussi longtemps qu'on voulut, il parut aimable, enjoué, il plut à toutes les femmes. On remarqua la grande noblesse de ses traits, son air de génie. En prenant congé de moi, l'ambassadrice d'Autriche me remercia d'avoir invité le jeune artiste : « Je l'ai connu enfant, me dit-elle, je m'intéresse à son sort, il n'est pas heureux, protégez-le... » Ces derniers mots, dits à haute voix, me causèrent un certain malaise; je pensais que W. (Franz) les entendait peut-être, que peut-être il s'en trouvait offensé. Je regardai de son côté : nos yeux se rencontrèrent. Nous rougîmes tous deux comme si nous nous étions devinés et je me promis de ne plus l'engager avant de m'être assurée qu'il venait volontiers pour son plaisir et pour le nôtre...

...vint me plonger plus avant encore dans la tristesse. Un jeune homme de notre proche parenté se donna la mort. Le mystère le plus profond recouvrait ce suicide. On soupçonnait une passion, mais rien n'avait transpiré. Je m'en voulais de ne pas avoir exercé sur Georges l'ascendant que me donnaient quelques années d'avance sur la vie, et aussi la sympathie qu'il me laissait voir quand nous étions ensemble. Je me disais que j'aurais dû obtenir sa confiance, que, peut-être, en intervenant à temps, par mes conseils et ma sollicitude, j'aurais pu sauver une vie à peine commencée et qui promettait d'être heureuse. Ce chagrin, ce remords augmentaient mon agitation. J'allai demeurer quelque temps dans ma famille. A mon retour, quand je revis W., je fus frappée de sa pâleur (et) de l'expression de souffrance empreinte sur ses traits. Il avait été malade, me dit-il, mais il se sentait mieux et, sous peu, il ne resterait plus trace de ce qu'il avait souffert. Son accent et le ton de sa voix démentaient ses paroles. Nous parlâmes de Georges. W. l'avait vu chez moi; il s'était attaché à lui. Comme je peignais mes regrets, mes doutes sur cette mort inexpliquée : « Quoi de plus simple », me dit W. avec une tranquillité étrange, et, en me regardant attentivement : « il aimait, il aimait une femme mariée... » Je me sentis frissonner : « Il l'aimait éperdument, elle ne l'aimait pas. Et si elle l'eût aimé? Ils eussent été deux coupables et deux misérables. Il a voulu rester seul dans sa faute et dans sa misère. Il est parti pour un voyage dont on ne revient pas. Le blâmeriez-vous, Madame? Quant à moi, je l'approuve; je pense qu'il a bien fait, et, si j'avais encore la folie d'aimer, c'est ainsi que je voudrais m'en punir... »

Plusieurs jours passèrent sans que j'osasse prononcer le nom de Georges. W. ne me parlait plus de lui. Il me tenait, tout à coup, sans que rien ne les amenât, des propos singuliers et qui me surprenaient dans sa bouche. Il me vantait ce qu'il appelait ma belle existence; il me félicitait de ma grande situation dans le monde; il admirait, disait-il, ma demeure royale, l'opulence et l'élégance de tout ce qui m'environnait. Était-ce sérieusement, était-ce avec ironie? Dans son air impassible, dans sa voix morne, je ne savais plus rien discerner et je demeurais confondue.

Un soir que nous parlions d'un aventurier célèbre qui occupait les journaux et les salons... « Moi aussi, me dit Franz [269], j'ai envie de faire fortune; qu'en dites-vous,

Madame? Ne faut-il pas que je sois riche à mon tour?
Grand seigneur aussi, pourquoi non?... » Et comme je le
regardais, stupéfaite : « Mais pour cela, continua-t-il, il me
faut aller loin, très loin, divertir beaucoup de gens, beaucoup de princes surtout; il me faut inventer sur mon clavier
des prodiges de dextérité qui amusent les femmes... Plusieurs années y passeront et beaucoup de choses avec elles.
Quand je reviendrai, j'aurai vieilli, je serai un homme sage
et considérable... Vous ne me reconnaîtrez pas, alors, ce
sera tant mieux! Car j'ai toujours porté malheur à ceux
qui m'ont aimé... » Et W., en marchant à pas précipités
dans la chambre, se prit à rire d'un rire de fou.

Je ne savais pas où j'en étais ni que penser de tout cela.
Le lendemain matin, W. retournait à Paris. Je descendis
du salon de bonne heure pour lui dire adieu. Je le trouvai
seul. Il tenait dans ses mains un volume d'une reliure très
usée qu'il avait apporté avec lui et dans lequel je l'avais
vu lire au jardin les jours précédents. C'était *Werther*.
« Voudriez-vous me permettre de laisser ici ce livre? me
dit W. Il vous rappellera Georges quand je ne serai plus
là pour vous parler de lui. Il ne faudrait pas l'oublier, ce
pauvre Georges! Ce serait mal, car c'est vous qu'il aimait...
c'est à cause de vous qu'il est mort... »

Je regardai W. avec égarement... « Juste Dieu! m'écriai-
je, que vous ai-je donc fait pour me torturer ainsi?... » Il
attacha sur moi ses yeux pleins de flamme. Sa lèvre trem-
blait. Qu'allait-il me dire? Toute mon âme était en suspens...
à ce moment, la porte s'ouvrit. On entrait, c'était la gouvernante allemande des enfants qui les amenait pour me
souhaiter le bonjour avant que d'aller jouer... W. me fit un
salut et s'éloigna. Deux minutes après, la voiture qui l'attendait dans la cour passa sous les fenêtres du salon.
J'entendis le sable grincer sous les roues. Mes enfants
n'étaient plus là; l'émotion était trop forte, je ne pus la
contenir, je fondis en larmes.

Quand la crainte d'être surprise me fit revenir à moi, je

n'avais plus qu'un sentiment confus de ce qui venait d'arriver. Une seule pensée était distincte dans mon esprit, une seule épouvante : si nous ne devions plus nous revoir! Si j'allais perdre cette partie de ma vie!... De cet adieu bizarre, de ces propos obscurs et incohérents, du penchant de W. aux résolutions extrêmes, n'y avait-il pas tout à craindre? Et ce livre, ce livre sinistre, resté là comme un reproche! Que penser, que faire, que devenir? A tout prix sortir de ce doute, voir W.; nous expliquer entièrement, ouvrir nos cœurs; mettre fin sans retard à un état d'oppression et d'anxiété qui me semblait pire que tout.

Le lendemain, à deux heures, je montais en voiture. J'avais imaginé un prétexte qui m'appelait en ville subitement. Je recommandai au cocher de mener vite; sans songer aux bienséances, moi qui les avais toujours sévèrement observées, au risque des interprétations les plus fâcheuses s'il m'arrivait d'être rencontrée, je me fis descendre à l'entrée de la rue qu'habitait W.; et tout à ce que j'allais lui dire, sans rien voir, sans rien entendre autour de moi, je m'acheminai vers sa demeure. Je montai plusieurs étages avec une hâte fébrile. Arrivée sur le palier supérieur, je sonnai au hasard, dans un angle obscur, à une porte étroite et basse. J'y attendis longtemps; je pris peur, mes esprits se troublèrent. Je perdis le sentiment de la réalité. Une imaginaire et vive certitude égara tous mes sens; plus de doute, j'arrivai trop tard; le silence qui me répondait était un silence de mort; je voyais l'appareil lugubre et le corps de W. inanimé, étendu sur son lit funèbre... Cependant, quelqu'un marchait dans l'intérieur de l'appartement; on venait m'ouvrir; c'était la mère de W.; sa physionomie tranquille n'annonçait rien de sinistre; je respirai. Elle m'introduisit avec quelque cérémonie dans une pièce voisine où elle me pria d'attendre son fils. Au même instant, W. paraissait; et comme s'il fût sorti de la tombe, j'éprouvai à le voir un tel saisissement que tout mon corps fléchit et que je tombais à terre s'il ne m'eût reçue dans ses bras.

Quand je revins à moi, j'étais assise auprès de la fenêtre entrouverte; W., à mes genoux, tenait mes deux mains dans les siennes; il pleurait. Je voulus parler : « Palma, s'écriat-il, en m'interrompant, par pitié, ne parlez pas! Je sais tout, je comprends tout. Qu'aurions-nous à dire, désormais? Palma, Palma, mon amour, mon impérissable amour, pardonnez-moi le mal que je vous ai fait; soyez miséricordieuse, Palma! Je ne suis que silence et prière devant vous... » Puis, en se relevant, W., qui tenait toujours mes deux mains, voulut me faire lever aussi. Je chancelai... « Courage, me dit-il d'une voix pleine d'autorité, levons la tête; n'ayons plus ni peur ni honte de notre amour. Appuyez-vous sur moi, fiez-vous à moi! Dès ce moment, je ne suis plus le même homme. Je ne suis plus un enfant lâche et égoïste. Je serai digne de vous, Palma. Pour vous, rien ne me sera difficile; j'aurai toutes les résignations, toutes les abnégations. Pour vous, tout mon orgueil ne sera qu'humilité; toutes mes révoltes ne seront qu'obéissance. Ne crains rien, Palma, regarde-moi. Ne sens-tu pas, déjà, ma jeunesse flétrie qui se relève, et la paix, la paix divine, qui descend sur moi dans ton regard!... » Pendant que W. parlait ainsi, j'écoutais au plus secret de mon âme, comme un doux écho qui lui répondait timidement. Moi aussi, du fond de mes tristesses, je sentais quelque chose d'inconnu, un désir, un espoir, une...

... Cette prière entrecoupée, involontaire, me déchirait les entrailles. Je ne sais quelle crainte superstitieuse y pénétra soudain. Si, peut-être, en offrant à Dieu un grand sacrifice, j'apaisais ses colères? Si, en immolant mon amour, j'arrêtais son bras prêt à frapper mon enfant? Je courus à l'église de... Il faisait jour à peine, la nef était vide. Les messes n'étaient pas commencées. Dans une chapelle latérale, une vieille femme, une pauvresse veillait auprès des cierges votifs qui brûlaient en l'honneur du saint. Je lui mis dans la main une pièce de monnaie, elle alluma un cierge et le plaça à son rang sur le triangle de fer. Je m'étais jetée à genoux devant la balustrade; j'y restai longtemps, la tête dans mes mains, sans pouvoir prier. Enfin, rassemblant tout mon courage, je levais les yeux vers l'autel; j'allai prononcer mon serment, jurer de ne jamais revoir celui qui m'était plus cher que la vie... A ce moment, un rayon oblique perçait l'épais vitrail et touchait la poitrine du saint martyr qui marchait au supplice entre les licteurs. Sa robe blanche resplendissait; l'auréole éclairait son front. Je crus voir W..., W. enthousiaste et inspiré, tel qu'il m'était apparu aux premiers jours quand il me parlait de Dieu. Je me sentis rougir et pâlir : j'eus honte de moi-même et de ce que je venais de faire là! Renier mon amour, mon amour si pur et si fier! Plutôt souffrir mille morts et je quittai...

NOTES

NOTES

Quatrième partie

1. Dans l'édition des *Mémoires* réalisée par D. Ollivier, figure une note, peut-être de la comtesse, à propos de cette expression : *« On désignait vers ce temps sous le nom de satisfaits les conservateurs qui soutenaient le ministère Guizot. »*

2. Jean-Charles Leonard Simonde de Sismondi (Genève, 1773-Chêne, près de Genève, 1842), économiste et historien suisse.
   Adolphe Pictet (Lancy, 1799-Genève, 1875) savant suisse, spécialiste de sanscrit. Il resta très lié avec la comtesse d'Agoult jusqu'à sa mort. Leur correspondance subsiste (Archives de monsieur Pierre Pictet). Il publia en 1838 *Une course à Chamonix,* qui relate son excursion avec la comtesse d'Agoult, Liszt et George Sand dans les Alpes en 1836.
   Jean-Charles Walcker Coindet (Genève, 1796-*id.,* 1876), médecin aliéniste suisse. Il soigna la comtesse d'Agoult lors d'un voyage qu'elle fit avec son mari en Suisse, en 1832.
   Édouard Diodati (Genève, 1789-Perroy, canton de Vaud, 1860), écrivain et théologien genevois.

3. Emmanuel Kant (Königsberg, 1724-*id.,* 1804), philosophe allemand.
   Friedrich Wilhelm Joseph von Schelling (Leonberg, 1775-Bad Ragaz, 1854), philosophe allemand.
   Johann Gottlieb Fichte (Rammenau, 1762-Berlin, 1814), philosophe allemand.
   Georg Wilhelm Friedrich Hegel (Stuttgart, 1770-Berlin, 1831), philosophe allemand.

4. Baruch Spinoza (Amsterdam, 1632-La Haye, 1677), philosophe hollandais.

Épictète (Hiérapolis, 50-Nicopolis, 125 ou 130), philosophe grec.

Marc-Aurèle (Rome, 121-Vindobona, 180), empereur et philosophe romain.

5. Madame d'Agoult envisagea un moment de consacrer un ouvrage à madame de Staël. Ses notes subsistent (Bibliothèque nationale).

6. L'*Éthique* (1677), œuvre posthume de Spinoza.

7. *Histoire des républiques italiennes* du Moyen Age de Sismondi (1807-1818), seize volumes.

Augustin Thierry (Blois, 1795-Paris, 1856), historien et écrivain français.

Alexis François Auguste Mignet (Aix-en-Provence, 1796-Paris, 1884), historien français.

8. Pour le passage qui suit, relatant les liens de la comtesse d'Agoult et de Lamennais, le comte Josserand de Saint-Priest d'Urgel possède une copie dactylographiée de l'original, très précise, qui comporte quelques fragments de phrases ne figurant pas dans l'édition de Daniel Ollivier. Nous les avons intégrés dans le texte.

9. La copie du comte de Saint-Priest d'Urgel précise que la comtesse d'Agoult avait porté en surcharge de son texte : « *Je donne à la fin de ce volume une lettre que je reçus un jour de la Chesnaie.* »
Cette lettre semble avoir disparu.

10. Surcharge du manuscrit, indiquée sur la copie du comte de Saint-Priest d'Urgel : « *pour la garder cette fois très longtemps sans que je l'interrompisse* ».

11. Charles Forbes, comte de Montalembert (Londres, 1810-Paris, 1870), homme politique français.

Pierre Olympe Gerbet (Poligny, 1798-Perpignan, 1864) devint évêque de Perpignan.

Eugène Boré (Angers, 1809-Paris, 1878), orientaliste et supérieur général des lazaristes.

12. Variante signalée par la copie du comte de Saint-Priest d'Urgel : « *où je me rétracterai* ».

13. Variante signalée par la copie du comte de Saint-Priest d'Urgel : « *que je demeurais muette* ».

14. Cet ami, c'est Franz Liszt.

En effet, Jacques Vier (*La comtesse d'Agoult et son temps*, Paris, Armand Colin, 1955, t. Ier, p. 154) cite un autre extrait de Mémoires inédit, relatif au même épisode, qui diffère sensiblement. Selon cette version, Lamennais se serait rendu chez la comtesse, non pas seul mais accompagné de Liszt. N'ayant pas retrouvé le manuscrit original, nous reproduisons donc ce texte, important dans la mesure où il montre Liszt moins convaincu de la nécessité de son départ qu'on ne le croit souvent :

« *J'ai connu l'abbé de Lamennais dans des circonstances singulières; voici comment. C'était en 1835. Un matin, sans s'être fait annoncer, il entre chez Liszt, pour lequel il avait une vive amitié : "Je viens causer avec vous de choses sérieuses, lui dit-il; est-il vrai que madame d'Agoult se sépare de son mari?" Et, sur un signe affirmatif de Liszt : "Est-il vrai que vous êtes pour beaucoup dans cette résolution? – En effet. – Est-il vrai qu'elle songe à quitter la France, pour aller avec vous vivre à l'étranger?" Et, comme Liszt hésitait à répondre : "Je suis envoyé vers vous, reprit l'abbé, par une personne très liée avec les parents de madame d'Agoult, qui m'a conjuré de savoir de vous la vérité et de faire appel à votre honneur afin que vous usiez de toute votre influence pour dissuader madame d'Agoult d'une résolution funeste..." Liszt, qui avait pour monsieur de Lamennais les sentiments d'un fils, n'hésita pas à lui faire la confidence entière, je pourrais dire la confession de ce qui avait été résolu entre nous. Ma séparation d'avec monsieur d'Agoult était accomplie, lui dit-il, et irrévocable. Dans un mois, nous devions, Liszt et moi, quitter Paris, pour n'y plus revenir. Liszt ajouta qu'il sentait profondément ce qu'une pareille résolution avait de grave, mais qu'après une lutte de plusieurs années et lorsqu'il avait tout fait pour vaincre à cet égard mes répugnances il lui siérait mal de venir tout à coup me prêcher la résignation et me conseiller de renoncer à lui, après qu'il m'avait détachée de toutes mes affections, de tous mes liens. "Aujourd'hui, ajouta-t-il, la résolution de madame d'Agoult est, je le crois, inébranlable. – Si j'allais la trouver, dit monsieur de Lamennais, croyez-vous qu'elle consentirait à m'entendre? – Assurément, dit Liszt, vous êtes la personne au monde pour laquelle elle a le plus de vénération; si quelqu'un peut encore quelque chose sur son esprit, c'est vous. – Eh bien, conduisez-moi à sa porte, dit l'abbé, et demandez-lui si elle veut me recevoir. " Cela fut fait aussitôt. Liszt et monsieur de Lamennais vinrent ensemble en voiture jusqu'à ma porte. Liszt monta, me fit un bref résumé de l'entretien qu'il venait d'avoir; je lui dis que j'étais touchée de l'intérêt que me témoignait un homme tel que monsieur de Lamennais, et que je le recevrais volontiers. Liszt redescendit. Cinq minutes après, on m'annonçait monsieur de Lamennais. »*

Nous savons aujourd'hui que Lamennais intervint auprès de madame d'Agoult sur les instances du comte Benoist d'Azy, lequel fut probablement sollicité par le comte Maurice de Flavigny, frère de la comtesse. Celui-ci écrivit en effet à Lamennais, de Paris, le 10 février 1836 : « *J'ai vu, il y a quelques jours, le frère d'une pauvre jeune femme dont tu me parlais l'année dernière. Je sais que tu as fait tout ce que je t'avais prié de faire pour la tirer du précipice où elle était tombée. Tu comprends bien que je veux parler de madame d'Agout* [sic]; *sa famille est désespérée et de la faute et du scandale qu'elle a cherché comme exprès.* » (*Correspondance générale de Félicité de Lamennais,* publiée par Louis Le Guillou, Paris, Armand Colin, 1978, t. VII, p. 560.)

15. Selon la copie dactylographiée du comte de Saint-Priest d'Urgel, la comtesse d'Agoult a écrit puis biffé : « *sans me parler toutefois d'aucune chose personnelle* ». En marge : « *et croyant voir dans le développement de mon talent* ».

16. Pierre-Jean de Béranger (Paris, 1780-*id.,* 1857), poète et chansonnier français.

17. Surcharge indiquée par la copie dactylographiée du comte de Saint-Priest d'Urgel : « *Revirements brusques.* »

18. Surcharge de la copie dactylographiée : « *esprit* ». En marge : « *Crédule, la proie du premier venu, inflammable comme un enfant, incapable de justice et de modération.* »

19. En marge dans la copie dactylographiée : « *Essai, p. 67, je donne le passage.* » *L'Essai sur la Liberté* fut publié par Daniel Stern, à la fin de novembre 1847, chez Michel Lévy. Et biffé : « *Il s'éloigna plus tard de madame Sand* », *cf.* note suivante.

Et, enfin, en surcharge : « *A Saint-Malo, il aurait dû être corsaire, c'était sa vocation. Il aurait tué, pillé, violé; il serait aujourd'hui doux comme un agneau. En politique, la « haine » [de] Louis-Philippe, un affreux tyran.* »

20. Entre le 1ᵉʳ février et le 27 mars 1837, George Sand publia six *Lettres à Marcie* dans *Le Monde*. Lamennais, désapprouvant ses idées féministes, mutila une partie de la troisième.

La comtesse d'Agoult, qui séjournait à Paris, voulut intervenir auprès de l'abbé pour clarifier leurs rapports. Mais lorsque celui-ci apprit plus tard que la septième lettre défendrait le divorce, il suspendit la collaboration de la romancière. Voici ce qu'écrivit la comtesse d'Agoult à George Sand le 26 mars 1837 :

« [...] *L'abbé est positivement sous le joug. D'après ce que je vois, je vous engage bien vivement à ne pas aliéner votre liberté avec* Le Monde. *Il n'y a pas là d'avenir parce qu'il y a inconséquence, incertitude, hésitation et préjugés. Dans l'autre parti même, on le trouve trop " vague " et trop nébuleux. On se tient à ce que vous savez; on n'a pas en vain soixante ans.*

« *" Les Lettres à Marcie " ont un succès dont vous ne pouvez vous faire une idée. Beau succès et succès bête tout à la fois. Il faut absolument dire si on aime mieux la 1ʳᵉ, la 2ⁿᵈᵉ, la troisième ou la 4ᵉ. Je crois que, pour en finir plus vite, je vais prendre le parti de dire que je n'en aime aucune* [...]. » (Lettre datée de Paris, 26 mars 1837, 7, rue Grange-Batelière, samedi. Copie à la Bibliothèque municipale de La Châtre.)

Et le 6 avril suivant : « [...] *J'ai dîné hier avec l'abbé. Il m'a recommandé par trois fois de vous supplier de ne pas les abandonner. Il est ravi de vos lettres. La 4ᵉ comme éloquence et poésie, la 6ᵉ comme raison lui paraissent les plus belles. Tâchez de leur envoyer vite la 7ᵉ. Le journal ne peut aller sans cela.* » (Lettre datée de Paris, 6 avril 1837. Copie à la Bibliothèque municipale de La Châtre.)

21. La copie dactylographiée s'achève ici par des notes :
« *La république de 1848 nous rapprocha. Un moment,*

nous eûmes mêmes espérances, même désir. Il fut un moment très raisonnable. Il voulut se rattacher à Lamartine et se rencontra avec lui chez moi.

« *Je dirai en son lieu comment il se rencontra chez moi avec Lamartine. J'ai déjà trop anticipé sur les événements. Je ne voulais que dire l'action suscitatrice* [surcharge : *agitatrice*] *qu'exerça sur moi ce grand esprit passionné, révolté. Une lettre que je retrouve de notre correspondance pendant l'année 1837 fera mieux comprendre cette action.*

« *Je venais de relire les* Paroles d'un croyant *et je lui en avais écrit quelques mots. Voici qu'elle fut sa réponse. On y reconnaîtra les grandes préoccupations du temps, le style, les illusions généreuses, etc.*

« *"Si les paroles qui vous ont émue" jusqu'à "tombe".*

« *La pauvreté de celui qui avait écarté la pourpre et les plus grands honneurs de l'Église qui attendait sa soumission.* »

22. Jean Joseph Louis Blanc (Madrid, 1811-Cannes, 1882), homme politique et historien français. Jacques Vier (*Daniel Stern, Lettres républicaines du Second Empire,* Paris, les Éditions du Cèdre, 1951) a publié ses lettres à la comtesse qui le consulta pour écrire son *Histoire de la révolution de 1848.*

23. Auvillain : personnage non identifié. Dans son édition de la correspondance de Lamennais (Paris, Armand Colin, tome VIII, pp. 1058-1059), Louis le Guillou a publié une lettre de cet avocat, datée du 5 mai 1848, qui atteste bien de sa collaboration à un projet de constitution.
   Le jour de la lecture chez la comtesse d'Agoult reste imprécis. Dans une lettre sans date *(« Mercredi »),* mais très sûrement du 19 avril 1848, la comtesse d'Agoult écrit à sa fille Claire : « [...] *Je dirige toujours la République en donnant à dîner à messieurs de Lamartine et Lamennais.* » (Archives du comte Josserand de Saint-Priest d'Urgel.) Son agenda n'ajoute rien.

24. Le 13 juin 1849, Ledru-Rollin (Alexandre Auguste Ledru, *dit*), ancien ministre de l'Intérieur au Gouvernement provisoire de 1848 (Paris, 1807-Fontenay-aux-roses, 1874), et les montagnards déclenchèrent une insurrection contre le gouvernement du prince Louis-Napoléon Bonaparte, à la suite des résultats des élections législatives du mois de mai. Un groupe de députés tenta en vain de former un gouvernement provisoire au Conservatoire national des Arts et Métiers.

25. *Lélia* (1833), roman de George Sand.
En août 1834, la comtesse d'Agoult écrivit à sa mère : « [...] *Si vous n'avez pas lu* Indiana, *je vous le recommande pour vos lectures du soir. Il y a là un caractère d'homme très remarquable et une femme pour laquelle on prétend que j'ai dû poser* [...] » (Lettre sans date, cachet de la poste : 8 août [1833]. Archives du marquis Guy de Charnacé.) *Indiana* fut publié en 1832.

26. Alfred de Musset (Paris, 1810-*id.,* 1857), eut une liaison avec George Sand entre 1833 et le début de 1835.

27. Jean François Maurice Dudevant, puis Sand (Paris, 1823-Nohant, 1889) et sa sœur Gabrielle Solange (Nohant, 1828-Paris, 1899), enfants de George Sand (*cf. infra,* Journal de Marie d'Agoult, année 1837).

28. Delphine Gay : voir tome I, note 112.

29. Victor Hugo (Besançon, 1802-Paris, 1885) était très lié à Franz Liszt. Il n'appréciait guère Marie d'Agoult qui reçut pourtant de lui quelques billets flatteurs.
Voici celui qu'il lui adressa à la suite de la publication de son drame *Jeanne d'Arc :*

Hauteville, 14 juin 1857
Madame,
Je viens de recevoir votre Jeanne Darc *et de la lire. Je vous écris dans l'émotion. Vous avez fait là une œuvre. La poésie de la femme traverse l'histoire de l'homme ; il a çà et là des espèces de chants sublimes. Les deux plus beaux de ces chants, c'est Marie, mère de Dieu, et Jeanne, mère du peuple ; deux vierges qui enfantèrent l'une le Christ, l'autre la France. Vous vous nommez comme l'une et vous chantez l'autre. Je vous en félicite, Madame. Je dirais presque je vous en remercie.*
Vous avez réussi Jeanne Darc. *L'insuccès des tentatives précédentes faisait que ce n'était point une médiocre entreprise. Il était beau, il était juste que le grand drame de Jeanne fût écrit par une femme ; vous y avez déployé, Madame, toutes les qualités fortes et toutes les qualités tendres de*

votre ferme et noble et charmant esprit ; vous avez su rester vraie, chose si difficile dans le drame historique, et atteindre l'idéal, ce qui est le presque impossible de l'art. Je suis heureux, Madame, qu'après avoir écrit ce généreux ouvrage, vous vous soyez souvenue de moi. Permettez-moi donc de baiser votre belle main et de déposer à vos pieds l'hommage empressé de mon respect.

Victor Hugo

(Archives de madame Anne Troisier de Diaz.)

Théophile Gautier (Tarbes, 1811-Neuilly-sur-Seine, 1872), écrivain français. Aucune correspondance connue ne témoigne à l'heure actuelle des liens qui l'ont uni à Marie d'Agoult.

Ce dîner auquel participèrent aussi Alphonse Karr et Honoré de Balzac eut lieu le 23 mars 1840.

30. Hippolyte de La Roche, *dit* Paul Delaroche (Paris, 1797-*id.*, 1856), peintre français. Le premier article de la comtesse, paru sous le nom de Daniel Stern, fut consacré à un éreintement de ses peintures pour l'hémicycle de l'École des beaux-arts à Paris (*La Presse,* 12 décembre 1841).

31. Pierre Simon Ballanche : voir tome I, note 60.

32. Monsieur Ch. : il est impossible d'identifier ce personnage. De 1837 à 1840, ce fut Théophile Gautier qui tint le feuilleton des arts dans *La Presse,* qu'il reprit en 1844, et en 1841, ce fut Eugène Pelletan.

33. *Hervé* et *Julien,* deux nouvelles de Daniel Stern (comtesse d'Agoult) publiées respectivement le 13 décembre 1842 et les 27 et 28 février 1843 dans *La Presse.*

34. La comtesse d'Agoult revit notamment Béranger le 28 novembre 1848. Voici ce que relate son journal de ce jour :

« *Béranger. Front chauve. Lunettes. Bouche épaisse. Sourire narquois. Façons affectueusement bonhommes. Après avoir protesté contre le jugement que je lui prête sur Nélida, il dit : " J'ai seulement parlé de l'inconvénient personnel qu'il pouvait y avoir à la publication mais cela, vous en êtes juge. J'ai pensé aussi que votre talent devait s'exercer dans un autre ordre de travaux et il me semble que vous l'avez trouvé. Ce que vous faites est très bien, très sensé, très bien dit... Il est vrai qu'on fait plus d'effet en parlant aux passions mais voyez où l'on va et comment tout cela finit? Autrement on fait moins de bruit mais c'est plus durable. D'ailleurs, il me semble que vous faites assez de bruit. " »* (Bibliothèque nationale, N.A.F. 14326.)

35. *La Boîte aux lettres, Valentia,* deux nouvelles de Daniel Stern (comtesse d'Agoult) publiées le 10 juin 1859 dans *Le Magasin de la librairie* et les 20 et 24 juillet 1847 dans *La Presse.*

36. Anselme Petetin (Morzine, 1807-Lyon, 1873), administrateur et publiciste français.

37. Docteur Ange Marie François Guépin (Pontivy, 1805-Nantes, 1873). La comtesse d'Agoult bénéficia de ses informations pour écrire son *Histoire de la révolution de 1848.* Puis elle se brouilla avec lui. Leur correspondance a été publiée par Jacques Vier *(Daniel Stern..., op. cit.).*

Le docteur Guépin fut le tuteur de Carlos Davila qui, pour certains, serait un fils illégitime de Liszt. La comtesse d'Agoult se montra fort prévenante envers le jeune homme.

Pierre Clément Eugène Pelletan (La Barraque, près de Saint-Palais, 1813-Paris, 1884), homme politique et littérateur français. La comtesse d'Agoult le fréquenta pendant son séjour à Nohant, en 1837, où il était précepteur de Maurice Sand. Elle le jugea ensuite un personnage grossier.

38. Viel Castel, Lagrenée, Bois-le-Comte : voir tome I, note 104.
Mignet : voir note 7.

Aristide Isidore Jean-Marie Delarue, ou de La Ruë (Rennes, 1795-Paris, 1872), général de division (1851), sénateur d'Empire.

William Henry Lytton, comte Bulwer (Londres, 1801-Naples, 1872), diplomate britannique. Il fut un ardent soupirant de la comtesse d'Agoult au début des années 1840 après avoir eu une liaison avec Hortense Allart.

Ferdinand, *dit* le baron, d'Eckstein (Copenhague, 1790-Paris, 1861), littérateur français.

Heinrich Heine (Düsseldorf, 1797-Paris, 1856), poète et publiciste allemand.

Lubomirski : l'édition Daniel Ollivier indique *Lubonowski.* Or il n'existe aucun personnage de ce nom. Il s'agit certainement du politicien et mécène Jerzy Henryk Lubomirski (Vienne, 1817-Cracovie, 1872) qui voyagea en Europe de

1837 à 1845 et fit deux séjours à Paris, en 1843 et 1859 (aimable communication de monsieur Marek Prokop, conservateur à la Société historique et littéraire polonaise à Paris).

Comte Franz de Schönborn : voir tome I, note 42.

Federico Confalonieri (Milan, 1785-Hospenthal, 1846), patriote italien.

Ralph Waldo Emerson (Boston, 1803-Concord, 1882), essayiste et philosophe américain. La comtesse d'Agoult fit paraître un article sur ses *Essais* dans *La Revue Indépendante* du 25 juillet 1846. Lorsqu'il vint en France, Emerson ne manqua pas, le 30 mai 1848, de lui rendre visite.

Georges Herwegh (Stuttgart, 1817-Baden-Baden, 1875), poète dramatique allemand, contraint de s'exiler pour ses opinions républicaines. Il fut très lié à la comtesse d'Agoult qui lui consacra un article dans *La Presse* en 1843. Ils se disputèrent ensuite, puis se retrouvèrent lors d'un séjour de la comtesse à Zurich en 1858. Ils se brouillèrent à nouveau, en partie parce que Herwegh et sa femme restaient fidèles à Franz Liszt, et fréquentaient beaucoup Richard et Cosima Wagner. Leur correspondance a été presque intégralement publiée (Marcel Herwegh, *Au Printemps des dieux,* Paris, Gallimard, 1929).

G.S. : il s'agit bien sûr de George Sand.

Madame L. : il s'agit très certainement de Fanny Lewald (voir plus bas, note 47).

Mikhaïl Alexandrovitch Bakounine (Gouvernement de Tver, 1814-Berne, 1876), révolutionnaire russe.

Georges : sans doute le général Klapka. Voir note 36.

H. : il nous est impossible d'identifier ce personnage.

La comtesse d'Agoult reprend plus loin, amplifiée, la liste de ces personnages.

39. Jeanne Élisabeth Caroline Iwanowska, princesse Nicolas de Sayn-Wittgenstein (Monasterzyska, Podolie, 1819-Rome, 1887), rencontra Liszt en 1847 et partagea avec lui une grande partie de sa vie. Elle faillit l'épouser. Elle détesta la comtesse d'Agoult qui le lui rendit bien.

40. Claire Christine d'Agoult épousa civilement le 28 mai 1849 et religieusement en l'église de l'Assomption, le 29, le comte Ernest Charles Guy de Girard de Charnacé. Leur contrat de mariage a été passé par-devant maîtres Cyprien Saint-Hubert Thomassin et Poumet le 24 mai précédent. (Minutier central des notaires, CX / 942.)

41. Claudius Jacquand (Lyon, 1803-Paris, 1878), peintre français.

42. La belle jeune femme est Claire d'Agoult, comtesse de Charnacé, et son fils Daniel, né le 12 août 1851. A cause d'une harmonie difficile au sein de son couple, Claire était venue vivre avec sa mère.
Les deux jeunes filles blondes et blanches sont Blandine et Cosima Liszt, nées respectivement le 18 décembre 1835 à Genève et le 4 décembre 1837 à Côme. Et l'adolescent est Daniel Liszt, né le 9 mai 1839 à Rome.
Ce tableau idyllique d'une famille déchirée et enfin rassemblée n'a pu exister qu'entre la fin de 1854 et la première moitié de 1855.

43. Jean-Auguste Dominique Ingres (Montauban, 1780-Paris, 1867). La comtesse d'Agoult fit sa connaissance à Rome en 1839 alors qu'il dirigeait la Villa Médicis. Lorsqu'il rentra à Paris en 1841, elle ne manqua pas de l'inviter à sa table avec sa femme. En 1849, pour le mariage de sa fille Claire, elle lui demanda de faire un dessin les représentant toutes deux. Nous avons reproduit intégralement les notes que la comtesse d'Agoult prit pendant les séances de pause dans le catalogue réalisé pour la vente de ce dessin à l'hôtel Drouot-Montaigne, le 17 mars 1989. (Étude Couturier Nicolay.)
Ingres et la comtesse ne cessèrent jamais leurs relations : « *Je suis allée, ces jours passés, voir mon vieil ami Ingres, tout entouré de tableaux nouveaux, qu'il vient d'achever. Je l'ai trouvé tout exalté dans son art et dans sa gloire et s'écriant d'un ton tragique : " Et quand on pense qu'il va falloir quitter tout cela ! " *», écrit la comtesse à son frère le 29 juin 1864. (Archives du marquis Guy de Charnacé.)
Hippolyte Flandrin (Lyon, 1809-Rome, 1864), peintre français, élève d'Ingres.

44. Prévost-Paradol : voir tome I, note 42.

45. Daniele Manin (Venise, 1804-Paris, 1857), homme politique italien. Il fut le président de la République de Venise en 1848, puis dut s'exiler l'année suivante.

46. *L'Histoire de la révolution de 1848* de Daniel Stern parut en trois volumes, de 1851 à 1853, chez G. Sandré, puis en deux volumes, en 1862, chez Charpentier.

47. Louis Pierre-Marie Paulin Hippolyte Dieudonné, marquis de Montcalm (1776-Montpellier, 1858), à moins qu'il ne s'agisse de son frère, qui reprit le marquisat, Louis Marie André Dieudonné (Toulouse, 1786-château d'Avèze, Gard, 1862).

Baron de Viel-Castel : voir tome I, note 104.

Bourgoing : voir tome I, note 86.

Bois-le-Comte : voir tome I, note 104.

Louis Hermann de Brétignières, vicomte de Courteilles (Paris, 1797-château du Petit-Bois, Mettray, 1852). Il est l'auteur d'un ouvrage, *Les Condamnés et les Prisons* (1838), qui lui attira un procès en condamnation, et le fondateur de la colonie agricole de Mettray, destinée à rééduquer de jeunes délinquants. Daniel Stern consacra une longue étude à cette entreprise dans *La Presse* des 26, 27 et 28 novembre 1844 et insista beaucoup, plus tard, pour que sa fille Claire et son frère Maurice visitassent le lieu. L'édition Daniel Ollivier cite à la place de Courteilles le nom de « Courseillet ». Bien que nous n'ayons pas retrouvé le manuscrit original de la comtesse, nous rectifions l'erreur, en nous appuyant sur trois éléments : notre connaissance de l'écriture de madame d'Agoult, où les « s » et les « t » peuvent être parfois confondus, le constat qu'il n'existe aucun personnage répondant au nom de Courseillet à cette époque et, enfin, le fait que le personnage cité immédiatement après, Demetz, était un ami de Courteilles.

Frédéric Auguste Demetz (Paris, 1796-*id.,* 1873), avocat et philanthrope français. Il fonda avec Louis Hermann de Brétignières de Courteilles la colonie de Mettray.

Auguste Théodore Hilaire Barchou de Penhoen (Morlaix, 1801-Saint-Germain-en-Laye, 1855), écrivain et littérateur français. Il soupira après la comtesse d'Agoult, comme en témoignent ses nombreux billets (Bibliothèque nationale).

Eckstein, général Delarue : voir note 38.

Lazare Hippolyte Carnot (Saint-Omer, 1801-Paris, 1888), homme politique français.

Maximilien Paul Émile Littré (Paris, 1801-*id.,* 1881), philosophe, philologue et homme politique français. Il fut très lié à la comtesse d'Agoult, dont les capacités intellectuelles le séduisaient. Leur correspondance subsiste. (Archives du comte Josserand de Saint-Priest d'Urgel et Bibliothèque municipale de Versailles.)

Henri Martin (Saint-Quentin, 1810-Paris, 1883), historien français.

Jules François Suisse, *dit* Jules Simon (Lorient, 1814-Paris, 1896), écrivain et homme politique français.

Charles Brook Dupont-White (Rouen, 1807-Paris, 1878), économiste français.

Eugène Pelletan : voir note 28.

Jules Grévy (Mont-sous-Vaudrey, 1807-*id.*, 1891), avocat et homme politique français. La comtesse soutint ardemment sa candidature dans le Jura aux élections législatives de 1868.

Alexandre Freslon (La Flèche, Sarthe, 1808-Paris, 1867), avocat français. Il s'occupa un moment des affaires personnelles de la comtesse. Leur correspondance subsiste (archives du comte Josserand de Saint-Priest d'Urgel).

Charles Alexis Clérel de Tocqueville : voir tome I, note 86.

François Ponsard (Vienne, 1814-Paris, 1867), poète dramatique français. La comtesse lui garda son amitié toute sa vie. Leur correspondance subsiste.

Ernest Renan (Tréguier, 1823-Paris, 1892), écrivain français. Il eut des rapports amicaux avec la comtesse dont il fréquentait le salon et qui admirait son œuvre. L'inverse est moins vrai. Marie assista à son premier cours au Collège de France. Quelques lettres que Renan lui a adressées ont été publiées. Quant aux siennes, elles ont, bien souvent, servi de brouillon au grand homme. On peut en retrouver des fragments dans ses papiers !

Voici ce qu'elle a noté dans son Journal en février 1862, au moment du scandale causé par le cours de Renan sur Jésus, au Collège de France :

« *19. Je suis allée voir, au palais de l'Industrie où Renan m'avait donné rendez-vous, le résultat de ses fouilles. Rien de bien important, ce me semble. On dit encore qu'il sera hué samedi à son cours par les cléricaux et par la jeunesse libérale qui ne lui pardonne pas son brusque et trop complet ralliement* [...].

« *22 février. Cours de Renan au Collège de France. Grande rumeur. Sergents de ville en masse. Sifflets, cris, huées. Que fait-on? Va-t-on siffler le " rallié " ou le libre penseur? Sont-ce les cléricaux qui protestent? La chose reste q[uel]q[ue] temps incertaine. Quand Renan entre, on lance des " projectiles " (deux sous) sur la chaise. Mais bientôt les cris " A bas les jésuites, A bas la calotte ", A bas Guéroult, Vive Michelet, Quinet, l'emportent. Le silence s'établit et la leçon*

marque la victoire de la libre pensée. ([Jésus est] *est homme divinisé par la mort.)*
    « *Le 23. Effroyable tumulte au Sénat. Violences de La Rochejaquelein, de Ségur d'Aguesseau, du prince Napoléon.*
    « *24. Promenades populaires à la colonne de Juillet. Arrestations.*
    « *Tout cela prend un aspect révolutionnaire. On dirait que nous sommes en 1846* [...].
    « *27 février. La chaire de Renan fermée par Rouland puisque le prof*[esseur] " a exposé des doctrines qui blessent les croyances chrétiennes ".
    « *Quel va et vient! L'empereur le nomme, le ministre le suspend.* » (Bibliothèque nationale, N.A.F. 14331.)
    Pierre Lanfrey (Chambéry, 1828-Paris, 1877), historien français.
    Pierre Eugène Marcellin Berthelot (Paris, 1827-*id.* 1907), chimiste et homme politique français.
    Charles Dollfuss (Mulhouse, 1827-Paris, 1910), littérateur français. Il fut très lié à la comtesse d'Agoult pendant le lancement du *Temps* auquel il se consacra auprès d'Auguste Nefftzer. Leur correspondance a été publiée par Jacques Vier *(Daniel Stern..., op. cit.).*
    Émile Ollivier (Marseille, 1825-Saint-Gervais-les-Bains, 1913), homme politique français, qui présida le dernier gouvernement du Second Empire. Il épousa à Florence le 22 octobre 1857 Blandine Rachel Liszt, fille de Marie d'Agoult et de Franz Liszt (Genève, 1835-Saint-Tropez, 1862).
    François Pierre Guillaume Guizot : voir tome I, note 195.
    Paul Alexandre René Janet (Paris, 1823-*id.*, 1899), philosophe français.
    Louis Gustave Fortuné Ratisbonne (Strasbourg, 1827-Paris, 1900), littérateur français.
    Comte Ladislas Teleki : voir tome I, note 42.
    Georges Klapka, général hongrois (Temeswar, 1820-Pesth, 1892).
    Emerson : voir note 29.
    Adam Mickiewicz (Zaosje, 1798-Péra, Constantinople, 1855), célèbre poète et patriote polonais.
    En 1848, la comtesse d'Agoult écrivit à Jules Michelet :

Monsieur, votre illustre et vénéré ami Mickiewicz vient jeudi prochain déjeuner avec moi et me faire ses adieux, car il nous quitte pour longtemps. Que vous seriez aimable de venir joindre vos souhaits aux miens pour le succès de

*ses desseins. Je sais ne pouvoir lui faire un plus grand
plaisir et j'en prends confiance pour oser vous demander
de déranger peut-être vos habitudes (nous déjeunerons à
11 heures 1/2).*
*Recevez, Monsieur, la nouvelle expression de mon admi-
ration et de ma haute estime.*

Marie d'Agoult.

(Lettre datée *4 janvier,* Bibliothèque historique de la Ville
de Paris, papiers Jules Michelet, tome XII, liasse A 4752.)

Georges Herwegh : voir note 29.
Karl Ferdinand Gutzkow (Berlin, 1811-Sachsenhausen,
1878), poète dramatique allemand. Il décrivit le salon de la
comtesse dans son livre, *Briefe aus Paris,* Leipzig, 1842,
tome 2, p. 38.
Jakob Liebmann Beer, *dit* Giacomo Meyerbeer (Berlin,
1791-Paris, 1864), compositeur allemand. Le champion du
grand opéra français, qu'il porta à son apogée, était lié à
Liszt. La comtesse d'Agoult l'admira un certain temps.
Therese von Struve, comtesse de Lutzow (Stuttgart, 1804-
Batavia, Java, 1852), femme de lettres allemande.
Caterina Querini, comtesse Polcastro (Paris, 1796-1869),
était fille d'Alvise Maria Querini, dernier ambassadeur à
Paris de la République de Venise (déchue le 12 mai 1797),
et de Marietta Lippomano. Elle épousa en 1818 le comte
Gerolamo Polcastro (1770-1869), de Padoue, magistrat et
écrivain.
Voici un commentaire qu'a porté la comtesse d'Agoult dans
son journal au 28 juin 1862. Il prouve que les deux femmes
ne s'étaient pas revues depuis 1838, époque à laquelle Marie
séjourna à Venise avec Liszt (*cf. infra,* Journal) : « *Visite de
madame Peruzzi et de la comtesse Polcastro! Je trouverais
Venise bien changée, dit-elle... Hélas, Malazzoni est ici.* »
Le comte Emilio Malazzoni avait soupiré avec ardeur auprès
de la comtesse (Bibliothèque nationale, N.A.F. 14331, fol. 22,
verso).
Fanny Lewald (Koenigsberg, 1811-Dresde, 1889), femme
de lettres allemande. Elle épousa en 1854 le critique berlinois
Adolphe Stahr.
Caroline, comtesse Zichy zu Zich und Wásonykeo (Pres-
bourg, 1818-Budapest, 1903), épouse de Georg, comte Karolyi, en 1836. Elle rendit visite à la comtesse d'Agoult avec
sa fille Palma (Bergame, 1847-Budapest, 1919), devenue
comtesse Dessewssy en 1869.

Bertha, baronne de Bülow (Brunswick, 1810-Dresde, 1893), épouse de Guillaume, baron de Marenholz (Hanovre, 1789-1865) et liée à Cosima Liszt.

48. Pierre Martinien Tousez, *dit* Bocage (Rouen, 1799-Paris, 1862), comédien français. La comtesse d'Agoult fit sa connaissance en 1837 à Nohant et noua des liens amicaux avec lui sous le Second Empire. Quelques lettres qu'elle lui adressa subsistent (Archives du Théâtre-Français). Il lut *Jeanne d'Arc,* drame de Daniel Stern, dans le salon de l'auteur le 9 avril 1857.

Jeanne d'Arc, drame historique de Daniel Stern, publié en 1857 par Michel Lévy. Il fut représenté les 11 et 12 juin 1860 au Teatro Gerbino de Turin par la troupe du comédien Ernesto Rossi.

Jules Michelet (Paris, 1798-Hyères, 1874), écrivain et historien français. La comtesse d'Agoult entretint avec lui une correspondance suivie (Bibliothèque nationale et Bibliothèque historique de la Ville de Paris). Elle consacra un article à son *Histoire de la Révolution française* dans *Le Courrier français,* le 30 novembre 1847.

Cinquième partie

49. Saint-Preux, personnage de *La Nouvelle Héloïse* (1761) de Jean-Jacques Rousseau.

Werther, René, Manfred : voir tome I, note 90.

Childe Harold : voir tome I, note 91.

Obermann : voir tome I, note 8. La correspondance de Franz Liszt et de Marie d'Agoult, au début de leur liaison, est toute imprégnée de ce livre.

50. La comtesse a déjà cité ces vers de Goethe (cf. tome I, p. 294).

Le voyage en Suisse

51. Il s'agit de Johann August Ehrmann, fils de Johann Daniel Ehrmann et Luise Salomé Treitlinger, né le 15 mars 1786 à Strasbourg, mort le 20 août 1876 à Donaueschingen. Issu d'une célèbre famille de protestants alsaciens, il avait épousé religieusement à Paris le 12 avril 1817 la demi-sœur de madame d'Agoult, Auguste Bussmann, née du premier mariage de la vicomtesse de Flavigny avec le banquier Johann Jakob Bussmann. Auguste Bussmann était divorcée du poète Clemens Brentano. Très riche, associé à la banque Bethmann de 1824 à 1837, August Ehrmann, dont les deux fils moururent avant lui sans laisser de postérité, légua à sa mort la somme importante de 1 511 000 francs à des établissements hospitaliers et éducatifs de Strasbourg.

52. Louise Marie Thérèse d'Agoult, fille aînée de Charles d'Agoult et de Marie de Flavigny, née le 15 juin 1828, décédée le 11 décembre 1834, 22, rue de Surène. La comtesse a raconté ailleurs dans ses Mémoires (voir tome I, p. 311) la maladie et l'agonie de sa petite fille dont elle resta profondément marquée toute sa vie.

53. Claire Christine d'Agoult, comtesse puis marquise de Charnacé, seconde fille de Charles d'Agoult et de Marie de Flavigny, née le 10 août 1830 à Paris, morte le 3 juillet 1912 à Versailles, 4 boulevard de la République (voir note 40).

54. Les points de suspension remplacent un passage que Claire d'Agoult n'a pas jugé utile de recopier. Son commentaire à propos de celui-ci : « *Je passe toute une page de rhétorique sur le Rhin et le soleil levant.* »

55. La phrase entre parenthèses a été rayée au crayon sur l'original, signale Claire d'Agoult.

56. Variante du manuscrit signalée par Claire d'Agoult : « *se fige* ».

57. On verra ailleurs que Franz Liszt était moins favorable à la fuite qu'on ne le croit. Avant leur départ de Paris, c'est probablement sur sa demande que Lamennais est intervenu auprès de Marie pour la dissuader du départ. Mais elle était enceinte et voulait absolument accoucher, semble-t-il, à l'étranger. Quoi qu'il en soit, il apparaît aujourd'hui de manière quasi certaine que c'est la comtesse d'Agoult qui incita Franz Liszt au départ et non le contraire.

58. Commentaire de Claire d'Agoult : « *Ici une amplification sur la chute du Rhin.* »

59. Paroles extraites d'une romance tirée de l'opéra *Telbado e Isolina* (1820) du compositeur Francesco Morlacchi (Pérouse, 1784-Innsbruck, 1841).

60. Commentaire de Claire d'Agoult : « *Suit une interminable description de la ville de Constance avec souvenirs historiques : Jean Huss. Le manuel d'Hebel, sorte de guide du voyageur.* »

61. C'est au château du Wolfsberg, transformé en hôtel-pension, que madame de Flavigny, encore dans l'ignorance des projets de sa fille, voulut initialement se rendre. La visite de Liszt et de Marie, sur laquelle celle-ci glisse, fut moins agréable que l'ensemble du périple si l'on en croit une lettre de Maurice de Flavigny à sa sœur. Elle est datée *Au Mortier, 2 octobre 1835.* Nous en extrayons le passage suivant : « Voici par exemple ce qui m'est revenu du Wolfsberg. " Lorsque madame d'A. arriva, la maîtresse du logis lui présenta une lettre de ou pour monsieur de Flavigny " [les passages entre guillemets et en caractères romains sont soulignés dans le manuscrit]; *en la recevant, madame d'A. rougit beaucoup. Elle quitta sur-le-champ le salon disant à monsieur L. de payer le port. Celui-ci chercha dans toutes ses poches et, au grand étonnement des personnes présentes, il n'y trouva ni petite monnaie ni grande pour payer ce port de lettre qui est encore dû. Ce monsieur cueillit une fleur jaune toute commune et la présenta si gauchement que toute la société s'en amusa. La maîtresse de la maison a eu l'attention de placer* " le nom de madame d'A. " *immédiatement au-dessous d'un homme respectable* " voyageant avec sa famille " *et celui de monsieur L. à une grande* " distance de là dans le livre des étrangers ". *Ce couple voyageur se sentit si mal à l'aise au Wolfsberg* " qu'il n'y fit pas un long séjour ". *C'est là l'extrait d'une lettre de Suisse que je te communique pour ta gouverne. Il me semble que sans te priver de donner aucune preuve de dévouement* [sic], *tu pouvais éviter bien des choses : braver le monde en face ne peut pas être un plaisir en soi, pour un esprit aussi élevé. Qu'on cherche un bonheur indépendant, en dehors des conditions sociales, je le comprends sans l'admirer, mais cela fait, je ne voudrais heurter que là où je ne pourrais faire autrement.* » (L'original de cette lettre est conservé dans les archives du marquis Guy de Charnacé. Une copie en a été faite par Claire d'Agoult dans le même cahier rouge dont elle s'est servie pour retranscrire ces mémoires, p. 191-193.)

62. Napoléon avec des cheveux blonds, il y a de quoi s'étonner! Aussi Claire d'Agoult n'a-t-elle pas manqué de porter ce commentaire : « " Ô Corse à cheveux plats ", *tes cheveux fussent-ils vraiment blonds!* »

63. Note de Claire d'Agoult pour justifier la coupe : *« Amplification. »*

64. Paul Anton, prince Estherházy (1785-Ratisbonne, 1866). Note de Claire d'Agoult : *« Description. »*

65. *Id.*

66. Note de Claire d'Agoult : *« Expression de Jean-Paul Richter. »* Il s'agit bien sûr du romancier allemand (Wunsiedel, 1763-Bayreuth, 1825).

67. Résumé, par Claire d'Agoult, du passage coupé : *« Nature, cascade, etc. »* Rappelons toutefois que la deuxième pièce de la première *Année de pèlerinage* de Franz Liszt est intitulée *Au lac de Wallenstadt.*

68. Résumé, par Claire d'Agoult, du passage coupé : *« Clochettes argentines, bourdonnement de la ruche, etc. »*

69. Note de Claire d'Agoult pour justifier la coupe : *« Amplification. »*

70. Note de Claire d'Agoult : *« Description. »*

71. Note de Claire d'Agoult : *« Amplification..., Luther, la Réforme, le cri puissant de liberté. »*

72. Il s'agit de l'abbé de Lamennais (1782-1854) auquel Liszt était fort lié.

73. Note de Claire d'Agoult : *« Développements sur le Righi. »*

74. Note de Claire d'Agoult : *« Descriptions... route, églises, etc. »*

75. Note de Claire d'Agoult : « *Détails..., guide du voyageur, le cornet à bouquins, etc.* »

76. Note de Claire d'Agoult : « *En 1832, avec mon père et ma sœur Louise... Mon père et ma sœur revinrent seuls avec les domestiques et laissèrent ma mère en arrière en Suisse. J'avais été confiée à ma grand-mère pendant le voyage.* » Rappelons que, si le comte d'Agoult rentra seul, c'est parce que la comtesse fut atteinte pendant leur séjour d'une crise d'aliénation mentale suffisamment grave pour qu'elle fût hospitalisée à l'hôpital de Genève. Dans son *Journal* (Paris, le Mercure de France, 1985, p. 238), l'abbé Mugnier relate une visite qu'il fit à Claire, devenue marquise de Charnacé, pendant laquelle celle-ci lui raconta l'événement : « *Se promenant un jour en Suisse, avec son mari, elle lui avait dit : "Si je me jetais là !" Et son mari l'avait retenue aussitôt, en disant : "On dira que c'est moi qui vous ai tuée".* » La comtesse fut soignée par le docteur Jean Charles Walcker Coindet (Genève, 1796-*id.*, 1876) qui devint deux ans plus tard (1834) médecin-chef de l'hôpital des aliénés. Il occupa ce poste jusqu'en 1856, date à laquelle il fut destitué par le Gouvernement radical. Madame d'Agoult emporta un excellent souvenir des soins de ce médecin et ne manqua pas de l'inviter dans son salon de Genève par une lettre du 31 août 1835. (Archives de la Bibliothèque publique et universitaire de Genève.)

77. Note de Claire d'Agoult : « *Développements... Le bateau les conduit à "Flüelen". Descriptions... Le Griitli, G. Tell... Une tempête commence.* »

78. Note de Claire d'Agoult : « *Isaïe continue jusqu'à "ils marcheront sans se lasser". Moi, je me lasse de copier.* »

79. Note de Claire d'Agoult : « *Détails... Description de la chambre qu'elle occupe au couvent. Romantisme, etc. Monument de Desaix sur le Saint-Bernard. Puanteur des célèbres chiens.* »

80. Note de Claire d'Agoult : « *Amplification.* »

81. Il s'agit du héros de *Volupté,* le seul roman de Charles Augustin Sainte-Beuve, publié en 1834.

82. Sans doute s'agit-il de George Sand.

83. Note de Claire d'Agoult : « *Le manuscrit s'arrête ainsi par trois lignes de points au haut d'une page blanche.* »
Nous pouvons donner en détail la chronologie du voyage :
1835
28 mai : départ de la comtesse d'Agoult de Paris.
31 mai : arrivée à Bâle.
1er juin : départ de Franz Liszt de Paris.
4 juin : arrivée de Franz Liszt à Bâle à 9 h 30 du matin.
14 juin : départ de Bâle à 9 h 30.
15 juin : visite des chutes du Rhin près de Schaffausen, déjeuner au château de Laufen. Nuit à Steckborn.
16 juin : visite de Constance.
17 juin : séjour au château du Wolfsberg.
18 juin : embarquement à 5 h 30 du matin sur un bateau à vapeur pour Rorschach où ils arrivent à 9 heures. Poursuite du voyage en diligence jusqu'à Heinrichsbad. En route, déjeuner à Saint-Gall.
19 juin : promenade à Lichtensteig puis, après la traversée d'Uznach, promenade sur le lac de Wallenstadt. Nuit à Weesen.
20 juin : nouvelle promenade sur le lac de Wallenstadt. Nuit à Weesen.
21 juin : départ pour Einsiedeln où ils arrivent à 15 h 30. Déjeuner en route à Richterswil.
22 juin : excursion et visite du Righi. Déjeuner à Goldau. Nuit dans un relais de montagne.
23 juin : réveil à 4 heures du matin par « le cornet à bouquin ». Nuit à Brunnen.
24 juin : départ à 7 heures. Visite de Flüelen. Tempête sur le lac. Descente de la vallée de la Reuss. Déjeuner à Amsteg.
25 juin : Marie passe la journée au lit à Hospenthal.
26 juin : excursion aux alentours.
27 juin : descente de la vallée de la Furca. Nuit à Gletsch.
28 juin : suite du voyage. Nuit à Lax.
29 juin : arrivée à Brig à 11 heures.
30 juin : déjeuner à Sion. Arrivée à Martigny. Déjeuner à Liddes.
1er juillet : nuit au monastère de Saint-Bernard.
2 juillet : nuit à Liddes.
3 juillet : arrivée à Bex à 18 heures.
19 juillet : arrivée à Genève après avoir pris un bateau à Villeneuve.

(Sources : Maria P. Eckhardt, « Diary of a Wayfarer », *Journal of the American Liszt Society,* vol. XI, juin 1982, et agenda de Franz Liszt, Bibliothèque nationale, département des manuscrits, N.A.F. 14320.)

Journal (1837-1839)

84. Marie d'Agoult et Franz Liszt séjournent chez George Sand à Nohant depuis le début du mois de mai. La comtesse y a passé seule la fin de l'hiver, du 5 février au 15 mars 1837, puis est remontée à Paris auprès de Liszt.

85. Marie Anne Adélaïde Lenormand, la devineresse que la comtesse a consultée le 23 juin 1834 sur les conseils d'Eugène Sue (cf. Mémoires, tome I, note 6).

86. *La Divine Comédie,* chant 1ᵉʳ, vers 2 et 3 :
« par une forêt obscure,
car la voie droite était perdue. »
(Traduction de Jacqueline Bisset, Paris, Flammarion, 1985, p. 27.)

87. Bocage : voir note 48.

88. Thomase Amélie Delaunay, *dite* Marie Dorval (Lorient, 1798-Paris, 1849), célèbre comédienne. Elle noua une tendre amitié avec George Sand et ses amours avec Alfred de Vigny sont connues. Marie, très liée au poète depuis la fin de l'adolescence, la rencontra à plusieurs reprises mais ne la fréquenta jamais.

89. Bignat est le sobriquet de François Victor Emmanuel Arago (Estagel, 1786-Paris, 1896), avocat et homme politique français.

90. Adam Mickiewicz : voir note 47.

91. Jeanne Marie Armand, madame Pierre François Montgolfier (Mâcon, 1794-Lyon, 1879) reçut dans son salon lyonnais toutes les célébrités de passage, dont Franz Liszt en 1826.

92. Gabrielle Solange Dudevant Jean-François Maurice Dudevant : voir note 27.

93. Abbé de Lamennais : voir note 20.

94. Ce passage peut être rapproché de celui de la 3ᵉ « Lettre d'un bachelier », publiée dans *La Gazette musicale* du 11 février 1838 :

« *Entendez-vous, à travers d'effrayantes ténèbres, la course rapide du cheval dont l'éperon fait saigner les flancs?*
Entendez-vous le vent qui mugit, les feuilles qui frémissent?
Voyez-vous le père qui tient dans ses bras l'enfant qui pâlit et qui se serre contre sa poitrine?
"Ô mon père! Vois-tu là-bas le roi des Gnomes?"
Le cheval court, court toujours; il dévore l'espace; il fait jaillir du sein des cailloux mille étincelles qui augmentent l'horreur de ces ténèbres.
"N'ayez pas peur, mon fils, c'est un nuage qui passe."
Mais une voix pleine de suavité se fait entendre derrière un rideau de verdure. Ne l'écoutez pas car elle est perfide et fallacieuse comme celle des sirènes.
"Mon père, mon père! N'entends-tu pas ce que le roi des Gnomes me dit tout bas?"
Le cheval court, court toujours; il dévore l'espace; il fait jaillir du sein des cailloux mille étincelles qui augmentent l'horreur de ces ténèbres.
"Calme-toi, mon fils, ce n'est rien; c'est le vent qui tourmente les feuilles desséchées."
La voix reprend plus douce, plus caressante, plus séductrice. Elle promet à l'enfant des fleurs embaumées, des jeux au bord des eaux, des danses au son des joyeux instruments...
"Ô mon père, mon père! Ne vois-tu pas là-bas les filles du roi des Gnomes qui dansent des danses étranges?"
"Enfant, je les vois maintenant, ce sont ces vieux troncs de saule qui semblent au loin des spectres gris."
La voix reprend douce et suave encore; puis soudain elle menace. L'enfant pousse un cri déchirant...
"Mon père, mon père, le roi des Gnomes me saisit."
Le père sent une sueur froide inonder son visage; il presse les flancs de son cheval, serre contre sa poitrine son fils

gémissant. Il arrive enfin; il respire. Ses angoisses sont terminées. Dans ses bras, il tient son enfant... mort. »

95. Hexen du Blocksberg : dans le *Faust* de Goethe, c'est sur le Brocken ou Blocksberg, dans le Harz, que les sorcières (*Hexen*) se réunissent pour la nuit de Walpurgis.
Didier : voir note 42.

96. Jean-Joseph Bourgoing (Saint-Hippolyte, Gard, vers 1780-Vienne, Isère, 1848), directeur des contributions indirectes de La Châtre de 1833 à 1838.

97. Le long portrait psychologique qui suit est celui de Marguerite Agasta Molliet (La Châtre, 1805-Bourges, 1876), épouse d'Alexis Pouradier-Duteil, prêtre défroqué, avocat puis juge au tribunal de La Châtre.
La comtesse aimait composer ce genre d'étude de caractère. Un petit carnet conservé à la Bibliothèque nationale (N.A.F. 14342) analyse dans le même esprit les personnalités de Julian Bryczinsky, du marquis Cesare Boccella, du prince Félix Lichnowski et d'Émile de Girardin. La comtesse y a aussi rédigé son autoportrait sous le nom d'Arabella.

98. Séraphine est le nom de la baronne dont le narrateur, c'est-à-dire Hoffmann lui-même, est épris dans *Le Majorat*. Quant à Sophie, peut-être s'agit-il de la tante d'E.T.A. Hoffmann. (Kœnigsberg, 1776-Berlin, 1822). Cette sœur de sa mère, qu'il chérit beaucoup, l'initia au piano (aimable communication de madame Madeleine Laval).

99. Ce passage figure dans l'édition des *Mémoires* de Daniel Ollivier, mais il n'apparaît pas sur le manuscrit original. Il ne nous a pas été possible de retrouver le document auquel Daniel Ollivier l'a emprunté. Comme son authenticité ne nous semble pas discutable, bien qu'il ne soit pas ici à sa véritable place, nous l'avons laissé.

100. Citons ici l'extrait d'une lettre de Marie d'Agoult à Adolphe Pictet, datée de La Châtre, Indre, 30 juin (1837) : « *Nous faisons beaucoup de déjeuners dans les bois, de promenades à cheval avant le lever du soleil, et même par-ci par-là quelques bonnes lectures. Les étoiles sont délaissées pour les insectes et les papillons. Les jeunes Piffoël sont gardés à vue par un précepteur et une gouvernante : le baron ne dit* *plus qu'assez rarement* " je m'en... " *Franz fait un beau travail sur les symphonies de Beethoven et médite, entre deux cigares, ses chefs-d'œuvre futurs. Moi, j'ai été proclamée présidente de la République de Nohant sous le nom de princesse* " Mirabelle ", *et je règne par la terreur, dit-on... »* (Archives de monsieur Pierre Pictet, Genève, lettre reproduite *in* Robert Bory, *Une retraite romantique,* Paris, Victor Attinger, 1930, p. 119-120.)

101. Barbara Juliane de Vietinghoff, baronne de Krüdener (Riga, 1764-Karasoubazar, Crimée, 1824), femme de lettres russe d'expression française.

102. Jean-Pierre Félicien Mallefille (Ile-de-France, Ile Maurice, 1813-Cormier, Bougival, 1868), auteur dramatique et littérateur français. Présenté à George Sand par Marie d'Agoult qui avait fait sa connaissance en Suisse en 1836, il devint précepteur des enfants Dudevant puis amant de la romancière. Il disparut assez vite des relations de la comtesse qui n'apprécia guère le ton cavalier d'une de ses lettres et, plus généralement, la vulgarité du personnage.

Une lettre de la comtesse à Louis de Ronchaud, datée du 8 janvier 1839, témoigne de la blessure qu'elle a ressentie devant la défection de cet ami :

« Ce que vous me dites de M[allefille] *m'étonne beaucoup. A son âge ne saurait-il pas encore discerner la loyauté de la fausseté, la vérité du mensonge? Je vous avoue que j'ai été fort blessée de sa conduite envers moi. J'ai l'orgueil de croire que mon amitié ne s'est pas assez prodiguée pour ne pas avoir conservé quelque prix. Et il en a fait, entre nous soit dit, un peu trop bon marché. Comment a-t-il pu laisser des rapports ou des cancans (d'une exactitude toujours très* " contestable ") *influer le moins du monde sur le souvenir que deux années de liaison amicale entre nous devaient lui laisser et sur le sentiment, je dirai* " reconnaissant ", *qu'il devait garder de mon affection? Quand j'ai connu M*[allefille] *à Genève, vous savez comme j'ai été à lui sincèrement et sans arrière-pensée? Aucun intérêt personnel aucun attrait de vanité ne m'engageait* [sic] *à le rechercher. Il était alors au début de sa carrière; fort inconnu encore; je n'avais point d'enfants à lui faire élever; point d'affaires à lui faire arranger; je ne songeais point à en faire mon amant... Vous conviendrez que j'étais parfaitement désintéressée. A mon arrivée à Paris je parle de lui à ceux de mes amis que je*

présumai pouvoir lui être utile ou agréable [sic]. *Je le mis
en rapport avec des gens honorables et s'il jette un coup
d'œil en arrière il pourra se dire que le plus grand nombre
de ses relations amicales d'aujourd'hui c'est par moi qu'il
les a nouées. Que cela lui ait servi peu ou prou, qu'importe !
Mes intentions étaient visibles et certainement très bienveil-
lantes. Arrive G*[eorge] *Sand*]. *Je lui présente M*[allefille] *et
lui en parle en termes excessivement élogieux. Il lui déplaît
énormément. Elle le trouve outrageusement laid, vaniteux,
bête ; enfin les sarcasmes pleuvent sur moi parce que j'ai le
mauvais goût de trouver supportable un homme tourné de
la sorte (ici je* " *n'ajoute* " *rien. Je* " *retranche* " *des détails
trop blessants) et cette guerre dure pendant six mois tant
contre moi que contre Franz qui a toujours aimé et estimé
Mallefille et n'a cessé de lui rendre témoignage. Le seul tort
qu'a eu Franz a été de laisser échapper un jour que M*[allefille]
ne concevait d'autre amour possible pour lui que G[eorge].
Or ceci n'était pas un secret. M[allefille] *l'avait dit à qui
avait voulu l'entendre et ce n'était un tort de le répéter qu'en
raison de* " *l'absolue réserve* ", *que j'ai toujours cru nécessaire
vis-à-vis de certaines personnes dont le commerce offre plus
de charme que de sécurité. Donc voici les termes posés :
G*[eorge] *manifestant une répugnance* " *physique* " *invincible
et le plus grand étonnement de ce qu'une personne, habituée
comme moi à une fleur d'élégance à un choix d'esprit tout
autre, pût goûter l'esprit d'atelier et les manières préten-
tieuses et communes de M*[allefille]. *Moi, me bornant à la
fin à répondre : je le crois loyal et bon. Je lui trouve de
l'esprit, il est mon ami. Franz disant toujours à G*[eorge] :
vous ne le connaissez pas, quand v[ou]*s le connaîtrez, etc.
Enfin arriva la débâcle des précepteurs. G*[eorge] *ne sachant
où en trouver un, je propose non pas M*[allefille] *que je
croyais dans une position trop indépendante et trop fière
pour accepter cela mais son frère. M*[allefille] *sait ce que je
lui écrivis alors et ce qu'il me répondit. J'osais à peine
aborder la question avec G*[eorge] *et me fallut plus de
circonlocutions et de périphrases que s'il se fût agi de
l'alliance de la France et de l'Angleterre. Nous eûmes à ce
sujet deux ou trois conversations sérieuses dans lesquelles
j'insistai beaucoup pour qu'elle acceptât l'offre de M*[allefille].
*Je pensais qu'il serait avantageux pour lui de quitter Paris,
de travailler dans la solitude avec les conseils du plus grand
écrivain de notre temps... Le reste, vous le savez. Je quitte
Nohant. M*[allefille] *reste six mois sans répondre à une lettre*

très affectueuse de moi puis m'écrit quatre lignes saugrenues. Ce procédé m'a paru d'une impolitesse choquante de la part d'un jeune homme envers une femme. A parler "égards" et bienséances M[allefille] *était "obligé" à plus envers moi par les simples lois de la société. A parler amitié j'ai vu là légèreté, une inconsidération que rien ne peut justifier. Quels que soient les "mensonges" qui aient été faits (et je vous délare que tout ce qui sort des lignes que je viens de tracer est pur mensonge) il ne devait pas y ajouter foi ainsi et ne pas se méprendre aussi gravement sur le* [mot déchiré] *de mon amitié pour lui qui, je vous le répète, était bien de quelque prix car s'il eût voulu elle eût été aussi durable qu'elle était sincère et tendre. Maintenant vous êtes libre de montrer ceci à M*[allefille]. *Je veux qu'il sache bien que je "nie absolument" avoir le "moindre" tort, même de parole, à son égard. Je trouve qu'il a très fort raison d'être susceptible mais à son âge on ne se laisse pas troubler dans ses affections par des cancans; on s'explique loyalement avec ses amis et l'on ne jette pas ainsi au premier vent le saint trésor d'une amitié vraie.* » (Archives de monsieur et madame Raymond de Bengy.)

Alexandre Jean-Baptiste Henri Rey (Marseille, 1812-Orange, 1904), journaliste et homme politique français, précepteur de Maurice Dudevant à Paris en 1837.

103. Pierre Leroux (Bercy 1797-Paris, 1871), philosophe français. Il rencontra Marie d'Agoult pour la première fois en 1836, dans son salon de la rue Laffitte (*cf.* lettre de George Sand à Marie d'Agoult du 16 octobre 1837 *in* George Sand, *Correspondance,* édition de Georges Lubin, Paris, Garnier, 1968, p. 236-237). Daniel Stern publia, en 1846, son roman *Nélida* dans *la Revue Indépendante* qu'il avait fondée pour concurrencer *la Revue des Deux Mondes.* Et lors de l'avènement de Napoléon III, en décembre 1851, elle le cacha pendant douze jours et lui donna 300 francs pour fuir avec sa famille en Angleterre (cf. *Histoire d'une amitié, Pierre Leroux et George Sand d'après une correspondance inédite* (1836-1866), texte établi, présenté et commenté par Jean-Pierre Lacassagne, Paris, Klincksieck, 1973, p. 14, 41).

104. Ce tableau de Louis-Léopold Robert (Les Éplatures, 1794-Venise, 1835) appartient aujourd'hui au Musée de Neufchâtel. Ce fut la dernière œuvre du peintre helvétique qui se suicida.

Donnons ici un extrait d'une lettre de Marie d'Agoult à George Sand, datée de Lyon, 28 juillet 1837, jeudi soir :

« *Nous voici donc à Lyon, cher George, après une route dont vous ne connaissez que trop les agréments. A chaque nouvelle tribulation, je me reportais à celles que vous avez supportées si piffoéliquement pour nous venir joindre et je vous remercie encore du fond du cœur.* La Tourangine [on se souvient que bien que née à Francfort, Marie fut en partie élevée au château du Mortier, près de Tours] *s'est comportée en vraie berrichonne ; elle a persisté courageusement jusqu'à Bourges ou elle a été remise en mains propres* [?]. *J'ai été très frappée de la grandeur et de l'austère simplicité de l'église. C'est bien là le temple chrétien où l'homme est néant et où le Dieu se perd dans un infini mystérieux. La maison de J. Cœur m'a beaucoup plu. J'aurais voulu voir apparaître à ce beau balcon quelque noble dame des temps passés, quelque Marguerite de Navarre ou quelque Agnès Sorel, vêtue de velours cramoisi et de brocard d'or par suite de ce même transfert d'imagination qui veut des crocodiles au Knicehnboch et la flotte de Cléopâtre sur la mer de glace* [...].

« *Le gros Nourrit a de grands succès ici. Je ne l'ai encore vu. On monte le concert pour les pauvres qui, je le crains, nous retiendra toute la* [manque]. » (L'original de cette lettre ayant actuellement disparu, nous devons nous contenter d'une copie approximative, conservée à la Bibliothèque municipale de La Châtre.)

105. Très grand interprète de son temps, le ténor Adolphe Nourrit (Montpellier, 1802-Naples, 1839) était aussi un grand lettré. Il se défenestra à Naples après un accueil mitigé au théâtre San Carlo et sa mort causa un tel choc à la comtesse d'Agoult qu'elle n'hésita pas à en rendre responsable le public. Cela n'est qu'en partie vrai car le chanteur possédait malgré tout une nature dépressive. Il laissa une veuve et de nombreux enfants en bas âge.

106. L'abbé Joseph Mainzer (Trèves, 1801-Manchester, 1851) s'était installé en 1834 à Paris où il ouvrit des classes de chant et de musique pour les ouvriers, l'année suivante.

107. Prosper Barthélémy, *dit* le Père Enfantin (Paris, 1796-*id.*, 1864), ingénieur et socialiste français. La comtesse entra en relations épistolaires avec lui lors de la publication de son livre *Esquisses morales* (1849). Trois lettres d'elle sont conservées à la Bibliothèque de l'Arsenal, à Paris.

108. Pierre Simon Ballanche : voir tome I, note 60.

109. Jean-Ernest Reynaud (Lyon, 1806-Paris, 1863), philosophe français.
Claude Henri de Rouvroy, comte de Saint-Simon (Paris, 1760, *id.*, 1825), philosophe et économiste français.

110. On peut rapprocher ce passage du Journal d'un extrait de la « *Lettre d'un bachelier à monsieur Louis de Ronchaud* », publiée par *La Gazette musicale* du 25 mars 1838 :
« *Nous montons par une pente adoucie, au bord d'un torrent, toujours ombragée de sapins, de hêtres et de châtaigniers. A mesure que nous pénétrons dans la gorge elle se resserre et s'ombrage de plus en plus. Au bruit du torrent succède le silence; la végétation, d'une beauté croissante, semble vouloir attirer et retenir l'homme dans la paix du Seigneur. J'ai fait un grand nombre d'ascensions alpestres; nulle part je n'ai vu un pareil effet de discontinuité. Les Alpes se divisent en trois régions distinctes et contrastantes : d'abord la végétation, la culture; puis la région des sapins et des pâturages, qui va en se dégradant, en se dénudant jusqu'aux rochers et aux neiges éternelles. Ici, rien d'interrompu, rien de tranché; toujours un tapis de verdure sous nos pieds; toujours un dôme de feuillage sur nos têtes; toujours une voix cachée qui dit :* " Venite ad me omnes qui laboratis. " *C'est le jour de l'Assomption; au bout de quatre heures de marche, les cloches nous annoncent l'approche du couvent. J'entre dans la chapelle où l'on célèbre le triomphe de la Mère de Dieu, et je vais m'asseoir auprès d'un pilier où dix mois auparavant j'avais entendu les chants funèbres de la messe des morts.* »

111. Sur le manuscrit, le mot « stérile » a été biffé.

112. Allusion au pape conservateur Grégoire XVI (Belluno, 1765-Rome, 1846) qui condamna les travaux de l'abbé de Lamennais.

113. Memnon : figure mythologique qui inspira deux statues colossales, construites sous Aménophis II près de Thèbes. L'une des deux statues fut célèbre pour dispenser un son musical, au lever du jour, sous la chaleur des premiers rayons du soleil.

114. François-Gabriel Grast (Plainpalais, 1803-Genève, 1871), compositeur et professeur au Conservatoire de Genève.
Albera, réfugié italien.

Jean Jacob, *dit* James, Fazy (Genève, 1794-Petit-Saconnex, 1878), homme d'État et économiste suisse, fondateur du *Journal de Genève* en 1825 ; le futur chef du gouvernement de Genève (1846-1853) a certifié en tant que témoin le faux acte de naissance de Blandine, la fille aînée de Franz Liszt et de Marie d'Agoult, laquelle y apparaît sous le nom de Catherine Adélaïde Méran, rentière, âgée de 24 ans, née à Paris...

Louis de Ronchaud (Lons-le-Saulnier, 1816-Saint-Germain-en-Laye, 1887), écrivain et historien d'art. « Enfant chéri de Lamartine », il publia un recueil de poésie, *Les Heures,* en 1844 puis *Phidias, sa vie et ses œuvres* en 1861, *Études d'histoire politique et religieuse* en 1872 et de nombreux articles dans le *Dictionnaire des Antiquités grecques et romaines.* Il devint en 1872 inspecteur des Beaux-Arts puis directeur des Musées nationaux. Toute sa vie, il resta l'amoureux transi et platonique de la comtesse dont il fit connaissance en Suisse, en 1836. Il devint peu à peu son factotum et fut l'un de ses deux exécuteurs testamentaires. Il mourut des suites d'une longue maladie de l'estomac dans l'indifférence générale et dans des conditions fort pénibles : chassé d'un grand hôtel des environs de Paris, il dut chercher un toit qui acceptât de l'héberger, cinq heures avant de s'éteindre.

115. Pour combler cette lacune, citons un bref extrait d'une lettre de Marie d'Agoult à George Sand, datée de Genève, 13 août 1837 : « [...] *Je pars dimanche matin par un* vetturino *pour Milan. J'y resterai assez pour recevoir une lettre, si vous êtes exacte. Sinon, écrivez à Venise* [...]

« *J'ai trouvé ma fille superbe, d'une beauté sérieuse et intelligente, assez analogue à celle de Solange... Elle a déjà la passion des fleurs et de la musique, ce qui est fort poétique, et un grand goût pour les pauvres, ce qui promet des sentiments humanitaires* » (copie conservée à la Bibliothèque municipale de La Châtre).

116. Cette tirade sur les voyageurs britanniques peut être rapprochée d'un autre passage des Mémoires (cf. supra « Voyage en Suisse », p. 105).

117. Gaetano Monti (Ravenne, 1776-Milan, 1847), sculpteur italien.

118. Giuditta Maria Costanza Negri, Mme Giuditta Pasta (Saronno, 1797-Blevio, 1865), célèbre cantatrice italienne. La Villa Pliniana appartenait alors au prince Emilio Belgiojoso, lié à Franz Liszt et à la comtesse.

119. Antoine Claude Pasquin, *dit* Valéry (1789-1847), auteur d'un *Indicateur italien,* Paris, Le Normant, 1831 (3 volumes) qui fit autorité. La seconde édition, *Voyages en Italie, Guide raisonné et complet du voyageur et de l'artiste,* Paris, Baudry et Aimé Landré, 1838, a l'avantage de comprendre un index.

120. *Coglioneria,* c'est-à-dire couillonnerie, l'un des rares exemples de liberté pris par la plume de la comtesse!

121. Giovanni Ricordi (Milan, 1785-*id.,* 1853), célèbre éditeur de musique établi à Milan. Son fils Tito (Milan, 1811-*id.,* 1888), prit sa succession.

122. *Marino Faliero,* opéra de Gaetano Donizetti (Bergame, 1797-*id.,* 1848) fut créé le 12 janvier 1835 à Paris et le 19 août 1838 à la Scala de Milan.
Virginia, ballet du mime et chorégraphe Giovanni Galzerani (Portolongone, île d'Elbe, 1790-après 1853), fut créé à la Scala le même jour que *Marino Faliero.*

123. Bernardino Luini (Luino (?), vers 1480-1490-Milan (?), 1532), Ercole Procaccini (Bologne, 1515-Milan, 1595) et ses trois fils, Camillo (Bologne, vers 1550-Milan, 1629), Carlo Antonio (Bologne, 1555-Milan, 1605) et Giulio Cesare (Bologne, vers 1570-Milan, 1625), peintres italiens.

124. Trivulzi : grande famille patricienne de Milan, à laquelle appartenait Cristina, princesse de Belgiojoso.

125. *Lo Sposalizio,* tableau (1504) de Raphaël.
Paolo Caliari, *dit* Véronèse (Vérone, 1528-Venise, 1588), peintre italien.
Salvator Rosa (Naples, 1615-Rome, 1673), peintre italien. L'une des pièces composées par Liszt pour *Les Années de pèlerinage* s'intitule « Canzonetta del Salvator Rosa ».

Giovan Battista Salvi, *dit* Sassoferrato (Sassoferrato, 1609-Rome, 1685), peintre italien.
Giovanni Francesco Barbieri, *dit* Il Guercino (Cento di Ferrara, 1591-Bologne, 1666), peintre italien.

126. Giovanni Pacini (Catane, 1796-Pescia, 1867), compositeur italien.
Vincenzo Bellini (Catane, 1801-Puteaux, 1835), compositeur italien.
Baron Étienne Henri Ferdinand Denois (Paris, 1792-château de Villebon, Eure-et-Loir, 1861), consul général à Milan. Balzac et Stendhal furent en relations épistolaires avec lui.

127. Julie Pavlovna Pahlen, comtesse Nicolas Samoïloff : cf. tome I, note 82. Franz Liszt lui a dédié ses transcriptions des *Soirées musicales* de Rossini.
Antonio Poggi (Castel San Pietro, 1806-Bologne, 1875), ténor italien.
Vittoria Gherardini épousa en premières noces le marquis Gerolamo Trivulzio, dont elle eut Cristina, future princesse de Belgiojoso. Veuve en 1812, elle se remaria avec le marquis Alessandro Visconti d'Aragona. Après que ce dernier eut sa santé brisée par deux années de prison pour sa participation à la conspiration de Confalonieri, la marquise s'éprit du comte de Sant' Antonio, duc de Cannizzaro (que la comtesse d'Agoult orthographie sur son manuscrit « *Panizzaro* »). Celui-ci, d'origine sicilienne, introduisit notamment Vincenzo Bellini dans la haute société de Milan.

128. Ce passage peut être rapproché d'un extrait de la « *Lettre d'un bachelier à monsieur L. de R.* » (Louis de Ronchaud), datée du 20 septembre, publiée dans *La Gazette musicale* du 22 juillet 1838 :
« *Je vous ai parlé des fêtes de village ; elles ont généralement lieu aux jours consacrés à la Madone. Dès la veille, elles sont annoncées par l'ébranlement continu d'une petite cloche au timbre clair, qu'ils appellent* campanella di festa, *et dont les notes pressées sur un rythme capricieux, varié à l'infini, sèment l'air de gaieté et d'allégresse. Nous ne connaissons point dans le Nord ces cloches folâtres ; les nôtres sont graves, sérieuses ; elles rendent témoignage de l'esprit contraire des deux catholicismes, dont l'un s'est empreint des sombres mythes de la Scandinavie, tandis que l'autre a retenu comme un parfum de la Grèce, comme un*

ressouvenir du paganisme. Comment ne pas se rappeler les anciens sacrifices à Vénus, en voyant dans les solennités de jeunes filles et de jeunes garçons apporter à l'autel des paniers ornés de fleurs, contenant des gâteaux, des fruits et jusqu'à des volailles, que le prêtre bénit et qui se vendent ensuite au bénéfice de la fabrique? Les processions sont chose grotesque : figurez-vous une longue file de femmes, la plupart vieilles, la tête enveloppée d'un châle crasseux en guise de voile, chantant d'une voix aigre les litanies; suivent des hommes porte-cierges, affublés d'une robe étroite comme une gaine de parapluie, en toile jadis rouge, à laquelle le temps et l'incidence des saisons ont donné toujours les nuances des feuilles d'automne. Puis une statue de la Madone, grimaçante et bariolée, portée sous un dais rapiécé. »

129. Comme pour la note précédente, on peut rapprocher ces notes d'un passage de la même « *Lettre au bachelier* » :
« *Le soir, nous nous donnons le divertissement de la pêche au flambeau. Armé d'un long harpon, véritable trident de Neptune, nous glissons sur les eaux, épiant le poisson endormi ou ébloui par l'éclat de la torche qui brûle sur le devant de notre barque. On entend de tous côtés le son des clochettes, que les pêcheurs attachent la nuit à leurs filets, afin de les retrouver plus facilement quand le courant les entraîne. Ce son, qui s'allie toujours pour nous à l'idée des troupeaux, fait une impression singulière lorsqu'il vient à nous du sein des eaux [...]. »*

130. Jacques Bénigne Bossuet (Dijon, 1627-Meaux, 1704), prélat et écrivain français.

131. Filippo di Ser Brunellesco, *dit* Brunelleschi (Florence, 1377-*id.*, 1446), sculpteur et architecte italien.

132. Donato di Angelo Bramante (Monte Asdruvaldo, près d'Urbino, 1444-Rome, 1514), architecte et peintre italien.
Laocoon : marbre antique découvert à Rome en 1506, conservé au musée du Vatican. Restauré à plusieurs reprises, il inspira de nombreux débats esthétiques.

133. Pietro Vanucci, *dit* Il Perugino (Città delle Pieve, vers 1448-Fontignano, 1523), peintre italien, maître de Raphaël.

134. Ce fragment de diatribe s'adresse à Mathilde Louise de Montesquiou-Fezensac (Paris, 1811-*id.,* 1883), qui devint la belle-sœur de Marie d'Agoult en épousant, en 1830, son frère Maurice de Flavigny. A son retour d'Italie en 1839, la comtesse, qui ne l'aimait guère mais la supportait quand même du temps de sa vie conjugale, se mit à la détester car elle l'accusa d'empêcher sa réconciliation avec sa mère. Ce fut probablement vrai, Mathilde s'étant spécialisée dans la rédaction d'ouvrages de piété qui ne pouvaient que dicter son comportement vis-à-vis d'une épouse adultère. Tout le journal de Marie jusqu'à la fin de sa vie déversa des flots de haine à l'égard de sa belle-sœur.

Il est évident que la rédaction de ce passage est postérieure de quelques années à celle du journal. Cette phrase : « *Vous n'avez pas su comprendre que dans un silence de cinq années* », phrase qui fait allusion aux années de pèlerinage (1835-1839), le prouve. Nous l'insérons tout de même dans la mesure où il figure bel et bien sur le manuscrit.

135. Madame Bonamy : personnage non identifié, probablement de nationalité française. Dans une lettre datée de l'Hôtel de l'Europe, à Venise, le 20 avril 1838, la comtesse d'Agoult écrit à son ami Ferdinand Hiller qui séjourne à Milan : « *Si vous pensez que le désespoir de madame Bonamy soit suffisamment appaisé* [sic] *pour lui parler modes, priez-la de se faire donner chez madame Caron des échantillons de* " gros " *de* " Naples moiré ", *première qualité* " gros bleu, grenat " *et* " vert très pâle " » (Korrespondenten Verzeichnis, Historisches Archiv, Cologne, fol. 857).

136. Marquis de Marignano : s'agit-il de Carlo Giovan Giacomo Benigno Medici, marquis di Marignano (Milan, 1813-*id.,* 1877), époux de Giacinta Mennati?

Madame Kramer : Teresa Berra (Milan, 1804-*id.,* 1879). Mariée à un industriel suisse, Charles Kramer (mort en 1844), elle visita la France de 1824 à 1826 et adhéra au mouvement de la Jeune-Italie. Elle dut s'exiler en Suisse en 1848, lors de l'occupation autrichienne. La comtesse d'Agoult, qui écrit « *Cramer* » dans son journal, renoua avec elle à la fin de sa vie.

Marquis Giorgio Teodoro Trivulzio (1803-1856).

Marianne Rinuccini, marquise Trivulzio (1812-1880).

Martini : sans doute Giulio Martini, né en 1804, qui avait épousé Giulia Rinieri de' Rocchi (1801-1881) en 1833.

137. Gustav Adolph Frederick Bernard Leopold, comte Neipperg (1811-Stuttgart, 1850), était le fils du comte Adam Neipperg, second époux de l'ex-impératrice des Français, l'archiduchesse d'Autriche Marie-Louise. Liszt lui a dédié la transcription qu'il a faite, en 1838, de trois mélodies hongroises de Schubert.

138. Après un passé de demi-mondaine (elle eut une liaison avec Balzac), Olympe Louise Alexandrine Descuilliers, *dite* Olympe Pélissier (1799-Paris, 1878), épousa en 1845 le compositeur Gioacchino Rossini.

139. Ferdinand Hiller (Francfort-sur-le-Main, 1811-Cologne, 1885), pianiste, chef d'orchestre et prolifique compositeur allemand (opéras, chœurs, symphonies, mélodies, pièces pour piano) resta lié à la comtesse lorsqu'elle se fut séparée de Liszt et entretint avec elle une correspondance épisodique (19 lettres s'étendant de 1838 à 1874 sont conservées à l'Historisches Archiv de Cologne).

140. Francilla Pixis (Göhringer, 1816-?), fille adoptive du compositeur allemand Johann Peter Pixis, fut un contralto renommé. Elle apparut pour la première fois à la Scala de Milan le 16 janvier 1838 dans le rôle-titre de la *Cenerentola* de Gioacchino Rossini.
La *Cène* de Léonard de Vinci (1497), fresque peinte pour le réfectoire du couvent des dominicains.
Sainte Famille de Raphaël : sans doute une copie, nos recherches sur les *Sainte Famille* certifiées de Raphaël étant restées infructueuses.
Bartolomé Esteban Murillo (Séville, 1618-*id.*, 1682), peintre espagnol, très en vogue au XIXᵉ siècle. Il ne semble pas avoir traité de *Saint Jean endormi,* mais des *Enfant Jésus endormi* et des *Petit Saint Jean-Baptiste.* Aucun tableau de cet artiste n'est conservé à Milan.

141. Sur une page du cahier, qui précède deux feuilles arrachées, on relève cette phrase sibylline : «*Aqueducs. Jour de la fête de Franz.* »
Au dos de cette page, deux lignes : « *du Murillo lui paraissait bien plus profond et plus vrai* ».

142. *Christ* (1506) de Raphaël actuellement conservé à la Pina-
cothèque Tosio Martinengo de Brescia.
Albrecht Dürer (Nuremberg, 1471-*id.*, 1528), peintre et
graveur allemand.
Andrea di Pietro dalla Gondola, *dit* Palladio (Padoue, 1508-
Vicence, 1580), architecte italien.
Jacopo Tatti, *dit* Il Sansovino (Florence, 1486-Venise, 1570),
sculpteur et architecte italien.
Donato di Niccolo' di Betto Bardi, *dit* Donatello (Florence,
vers 1386-*id.*, 1466), sculpteur italien.

143. Sur le coin de cette feuille arrachée, on relève cette phrase :
« *La Malibran avait une gondole rouge et elle avait raison.* »
La cantatrice avait reçu à Venise un accueil triomphal en
1835.

144. Saverio Mercadante (Altamura, près de Bari, 1795-Naples,
1870), compositeur italien. Liszt écrivit en 1838 six *Amusements* pour piano à partir de thèmes de ce musicien.
Caterina Querini, comtesse Polcastro : voir note 47.

145. *Parisina d'Este,* opéra de Gaetano Donizetti, créé à Florence,
en 1833 avec Caroline Ungher (Stuhlweissenburg, 1803-
Florence, 1877), célèbre cantatrice hongroise, qui eut une
liaison avec Alexandre Dumas (*cf.* Alexandre Dumas, *Une
aventure d'amour,* Paris, Plon, 1985), ainsi qu'avec Nikolaus
Lenau et Franz Liszt. Elle épousa enfin le littérateur François
Sabatier.

146. Pedroni : personnage non identifié.
Amalia Brugnoli, née à Milan, danseuse célèbre pour ses
pointes. La célèbre danseuse Maria Taglioni a écrit d'elle
dans ses *Mémoires* (1876) : « *Je ne la trouvais pas gracieuse
parce que, pour se relever sur ses pointes, elle était obligée
de faire de grands efforts avec les bras; cependant c'était
une artiste de beaucoup de talent.* » Elle se retira de la scène
en 1838 et, à plus de soixante-dix ans, enseigna encore à
Londres. Elle avait épousé le danseur chorégraphe Paolo
Samengo.
Giorgio Vasari (Arezzo, 1511-Florence, 1574), peintre,
architecte et écrivain italien. Son ouvrage *Le Vite de' più
eccelenti pittori scultori e architettori italiani,* 1re édition
(1550) et 2e édition (1568), est le premier à avoir rassemblé

d'importantes notices biographiques sur les artistes de la Renaissance.

147. Toile du Titien (Pieve di Cadore, 1488-1489-Venise, 1576), peinte pour l'église Santa-Maria Gloriosa dei Frari où elle a été replacée en 1919.

148. Eugène de Beauharnais (Paris, 1781-Munich, 1824), fils adoptif de Napoléon Ier, vice-roi d'Italie de 1805 à 1814.
Torquato Tasso, en français le Tasse (Sorrente, 1544-Rome, 1595), poète italien.

149. Felix, comte Woyna (1788-Vérone, 1854).

150. Le pasteur Antoine Paul Pierre Demellayer (et non « Demelleyer » comme l'écrit toujours la comtesse) (1765-1839) fut pasteur à Genthod en 1794, puis à Genève de 1800 à 1839. Il avait accepté de veiller sur Blandine, laissée en nourrice à Étrembières près de Genève.

151. Antonino (Tonio), comte Belgiojoso (1787-1854), chambellan de l'empereur d'Autriche.

152. Il faut lire mardi *27* mars.

153. Caterina Cornaro (Venise, 1454-*id.,* 1516), reine de Chypre.
Andrea Brustoloni (Belluno, 1662-*id.,* 1732), graveur sur bois italien.
Hippolyte de la Roche : voir note 30.

154. Il ne nous a pas été possible d'éclaircir cette allusion.

155. La luxueuse Società Apollinea s'enorgueillit par la suite d'avoir été la première Académie qui ait accueilli Liszt à Venise. Comptant plus de cinq cents membres, elle se réunissait deux fois par mois dans une salle du théâtre de La Fenice (*cf.,* Alvise Zorzi, *Veneris Austica,* Bari, Laterza, 1985).
Giovanni Pacini : voir note 126.

156. Lire mercredi *28* mars.

157. Lire jeudi *29* mars.

158. La baronne Wetzlar, née Julia Bydeskuty von Ipp, d'origine hongroise, recevait dans l'actuel palais Gritti avec beaucoup de luxe, deux lévriers à ses pieds. Après avoir eu un fils naturel du comte de Dietrichstein, le fameux virtuose Sigismond Thalberg (Genève, 1812-Naples, 1871), elle avait épousé un baron Wetzlar, en 1820. A ses soirées dansantes, se pressait l'aristocratie vénitienne.

Comtesse Crivelli : peut-être l'épouse du comte Ferdinando Crivelli, grand majordome de la vice-reine, l'archiduchesse Marie-Elisabeth.

Löwenstern : sans doute le baron Waldemar Ivanovitch de Löwenstern (1776-1858), général russe, auteur de *Mémoires* publiés par M.H. Weil, Albert Fontemoing, Paris, 1903. Celui-ci écrit au tome 2, p. 473 : « *Ma santé entièrement délabrée me força de demander un congé pour la refaire en Italie, et de cesser mes fonctions, le 29 août 1834.* »

159. Lire vendredi *30* mars.

160. Giovanni Bellini (Venise, vers 1430-*id.*, 1516), peintre italien. *La Vierge et l'Enfant avec quatre saints,* retable de l'église San Zaccaria, est daté de 1505.

161. A l'évidence, ce sont des propos de Liszt que la comtesse achève de rapporter. Nous les avons donc placés entre guillemets.

162. Vieux : surnom de Liszt. Son grand *Galop chromatique,* composé en 1838, fut dédié au comte Rodolphe Apponyi et la fantaisie *Réminiscences des puritains,* composée en 1836 et publiée en 1837, fut dédiée à la princesse Cristina de Belgiojoso.

Ayant appris à Venise les graves inondations provoquées par le Danube à Pest, Liszt décida de partir pour Vienne afin d'y donner des concerts au profit des sinistrés. La comtesse a relaté çet épisode dans un passage de ses *Mémoires* (cf. supra, « Épisode de Venise », p. 243). Il revint auprès d'elle à la fin de mai.

163. Ludovico Ariosto, *dit* l'Arioste (Reggio d'Emilie, 1474-Ferrare, 1533), poète italien.

La galerie Manfrin était installée dans le palais Barbarigo della Terrazza. La collection de peintures fut en partie dispersée en 1850. Cependant, dans l'inventaire des toiles publié par Cesare A. Levi (*Le Collezioni veneziane d'arte,* Venezia, Ongania, 1900, p. 281-289), ne se trouve mentionné aucun portrait de l'Arioste par Titien.

164. La romancière Giulietta Pezzi, que la comtesse d'Agoult orthographie « Pezzy » (1816-Milan, 1876) était fille du directeur de *La Gazetta di Milano.* Balzac la surnomma « *l'Ange* ».
Giandomenico Tiepolo, *dit* Tiepoletto (Venise, 1727-*id.,* 1804), peintre italien.
Vice-reine : Marie Élisabeth Françoise Isabelle Joséphine de Savoie, princesse de Carignan (Paris, 1800-Bolzano, 1856), épouse de l'archiduc d'Autriche Rénier, vice-roi d'Italie depuis 1818.
Comte Agostino Sagredo (Venise, 1798-Vigonovo, 1871), intellectuel d'avant-garde dans la société vénitienne d'alors.

165. *Les Noces de Cana :* la comtesse parle sans doute du *Repas chez Lévi* (1573) de Véronèse, *Les Noces de Cana* du même faisant partie des collections du Louvre depuis 1798.
Gregoretti : l'Archivio di Stato de Venise a retrouvé trace d'un certain Francesco Gregoretti, de la paroisse de San Salvador, qui était conseiller du gouvernement. S'agit-il du personnage qui nous intéresse?

166. Teresa Gamba Ghiselli (Ravenne, 1800-Florence, 1873) avait épousé en 1818 le comte Alessandro Guiccioli (mort en 1840). Elle eut une retentissante liaison avec Lord Byron. Le pape accorda la séparation conjugale. La comtesse d'Agoult dîna en sa compagnie en mai 1840 chez le diplomate Henry Bulwer-Lytton.

167. Ce passage peut être rapproché d'une note écrite en 1865 pour les *Mémoires :* « *Lettres de Vienne à Venise. Étrange situation* [...]. *Proposition de s'en aller* " pour un temps ". *Sa conception juste peut-être du mariage libre. Elle ne pouvait entrer alors dans ma tête. Cela était trop raisonnable. Il eut toujours pour moi un profond respect. Il doutait de lui :* " *Je suis peut-être un vilain Monsieur* [...] " » (archives de madame Anne Troisier de Diaz).

168. L'ensemble des fresques de Véronèse pour l'église de San Sebastiano a été peint vers 1558.
Francesco Bussone, comte Carmagnola (Carmagnola, 1385-Venise, 1432), condottiere italien.

169. « *Devant la porte de l'église, à droite, près de la Piazetta, deux piliers, couverts de caractères coptes et d'hiéroglyphes, proviennent, dit-on, du temple de S. Saba, à Saint-Jean-d'Acre* » (Valéry, *Voyages historiques et littéraires en Italie*, Paris, Le Normant, 1831, p. 365).
   Le Triomphe de la foi du Titien : sans doute *Le Doge Antonio Grimani agenouillé devant la Foi*, salle des Quatre Portes.
   L'Enlèvement d'Europe (vers 1580) de Véronèse se trouve exposé dans l'anticollegio.

170. Le saut de deux mois et demi constaté dans la chronologie du Journal est dû à une grave maladie de la comtesse, qu'elle a relatée dans un fragment de Mémoires (cf. infra, l'épisode de Venise, p. 243). Voici ce qu'elle écrivit à son ami Louis de Ronchaud, de Venise, le dimanche 6 mai :
   « *Si on vous dit que je suis morte, mon unique Ronchillaud, ne le croyez pas ; j'ai bien trop d'esprit pour cela. Je viens d'avoir une fièvre gastrite avec inflammation au foie, plus deux médecins italiens à mes côtés. C'est plus qu'il n'en faut pour songer à faire faire sa bière. Pourtant j'ai tenu bon, j'ai combattu le mal et les médecins, suivant beaucoup mon instinct, et me fesant* [sic] *défendre par un médecin ce que l'autre m'ordonnait et vice versa. De la sorte, j'ai passé entre la kinine* [sic], *le kalomel* [sic], *l'yode* [sic], *etc., et je me suis guérie avec de la glace et des sangsues. Mais figurez-vous comme c'est drôle d'avoir une maladie absolument contraire à son tempérament et à sa constitution. J'ai le tempérament nerveux, sanguin et du foie, je m'en suis toujours si peu souciée que je ne sais guère mieux que le médecin de Molière s'il était à gauche ou à droite. Et à présent, je sais où il est, je vous le jure, mieux que Broussais, mieux qu'aucun anatomiste passé et futur. On a répandu ici le bruit de ma mort, on a écrit de Vienne pour faire revenir Franz, il est donc possible que ce bruit aille à Paris et je ne veux pas vous laisser une minute d'inquiétude, mon bon, excellent et incomparable ami.*
   « *Malazzoni m'a soignée avec la patience, le dévouement et le calme d'une sœur de charité et maintenant tout ce qu'il a de charme dans l'esprit sert à faire couler plus vite les longues heures de la convalescence* [...] » (archives de monsieur Georges Alphandéry).
   Une autre lettre à Ferdinand Hiller (sans date, la dernière

page manquant) permet néanmoins de connaître ses impressions de Venise;

« [...] *Voulez-vous savoir ma première impression à Venise? C'est un étonnement triste, une sorte d'abattement inquiet. L'oreille cherche le bruit ici comme dans les ténèbres d'un cachot. L'œil cherche la lumière. Puis, toutes ces rues sales, ces canaux puants, ces gondoles qui ressemblent à des cercueils de pauvres, ces gondoliers aux vêtements grossiers, au cri rauque, tout cela est de "* prospect mal *" plaisant, comme disait Montaigne, et me porte fort peu aux rêveries poétiques. Je ne vous parle pas de Saint-Marc et de la Piazzetta, j'en pense ce que tout le monde en pense. Malgré tout ce que je savais à l'avance du coloris vénitien, je ne m'attendais pas à l'immense effet de* L'Assomption *du Titien et du* Banquet *de Paul Véronèse. N'est-il pas vrai que la galerie de la Pinacothèque est disposée avec infiniment d'intelligence? C'est la première où je n'ai pas ressenti l'esprit de la monotonie. J'ai entendu la Ungher dans* Parisina. *Savez-vous que c'est une cantatrice de premier ordre? Quel pathétique! Quelle vérité et quel art jusque dans les moindres détails! Enfin, elle se passionne et elle vous passionne pour la musique de Donizetti, c'est tout dire. On a déjà pêché Franz pour un concert de la Société phil je ne sais plus quoi. Quelqu'un m'a demandé hier s'il était vrai qu'il jouât mieux que Thalberg? A quoi j'ai répondu avec tout le sérieux que vous me connaissez : "Oh, c'est un peu autre chose, allez : il joue dix fois plus vite et dix fois plus fort! – Corpo di bacco! E cosi giovane! E una cosa stupenda!" A présent, on lui offre de jouer au théâtre :* e come sarebbe difficile di combinar un' accademia, si potrebbe dare una farza! *Vous jugez si nous rions dans notre coin de toutes ces "* farces *"! La baronne Wetzlar l'a mangé de caresses. J'en conclus qu'elle n'est pas abonnée à la* Gazette *de Schlesinger. Je ne suis pas de votre avis ou plutôt de votre sentiment sur Vérone. Les arènes m'ont paru mesquines (celles de Nîmes sont infiniment plus vastes) [...]* » (Korrespondenten Verzeichnis, Historiches Archiv, Cologne, fol. 910 à 912).

Le passage qui suit et qui figure entre crochets n'appartient pas au manuscrit, il apparaît seulement dans l'édition de Daniel Ollivier. Nous n'avons pu retrouver l'original auquel celui-ci l'a emprunté. Figurait-il sur les trois feuilles qui ont été arrachées à cet endroit?

171. *Lucie de Lammermoor,* opéra de Gaetano Donizetti, créé à Naples en 1835.

Lorenzo Salvi (Ancône, 1810-Bologne, 1879), ténor italien.

Charles François Armand Bancalis de Maurel (Lobez, 1812-Paris, 1848), comte d'Aragon (que ses contemporains écrivent souvent *«Arragon»*). Il épousa en 1830 une demi-sœur de la princesse Cristina de Belgiojoso, Teresa Visconti d'Aragona à laquelle Liszt dédia ses transcriptions de onze *lieder* de Schubert, en 1838.

172. Pour éclaircir le passage qui suit, rendu obscur par une feuille arrachée, citons une lettre de Marie d'Agoult à George Sand, datée de Gênes, 4 juillet 1838 :

« [...] Ce qui est charmant ici, ce sont les illuminations continuelles, les feux d'artifice, etc., qu'ils font en l'honneur de leurs saints. L'aspect de la ville vue de la mer par un de ces soirs de fête est vraiment féerique. Avant hier, nous sommes allés à Chiavari (mi-chemin de Livourne) où l'on se réjouit trois jours durant pour célébrer la madone del orto. L'église reste ouverte toute la nuit ; grande église assez simple pour une église d'Italie ; il faisait sombre quand j'y entrai. La balustrade du maître-autel était d'un marbre si blanc, si pur que je m'y agenouillai involontairement et comme attirée par un secret aimant religieux. J'y confessai mon néant et j'élevai mon ardent désir de croire vers le Dieu incompréhensible. En sortant de l'église, nous trouvâmes la promenade illuminée, on avait élevé un obélisque transparent sur lequel étaient les symboles des litanies : la " rosa mystica, turris eburnea, stella matutina ", etc. Un feu d'artifice excessivement fantastique termina par un viva la madonna del orto et un viva Carlo Alberto de toutes couleurs. De loin en loin au pied des madones ornées de fleurs, des jeunes filles à demi cachées dans leurs voiles de mousseline chantaient en chœur :

> Scende dal cielo
> Madonna dall'orto
> Per darci conforto
> Del nostro dolor.

Nous n'avons pas idée en France de ces fêtes religieuses au-dehors. Chez nous, la population qui prie et celle qui s'amuse sont séparées, hostiles l'une à l'autre. Ici la joie naît de la prière et la prière naît de la joie... C'est-à-dire j'ai rêvé cela ainsi. Je me suis rappelé les belles théories de mes amis les s[aints] *simoniens sur la sanctification de la matière et j'ai songé à ce que pourrait devenir une société vraiment religieuse. Car n'allez pas me croire assez niaise pour prendre au sérieux ce que je vois ici de grimaces pieuses. Je sais très bien que l'on s'enivre en l'honneur de Marie, que l'on blasphème en mémoire de s*[ain]*t Paul; et que l'on commet des adultères à la plus grande gloire de Dieu. La réalité n'est jamais poétique que par le sentiment Qu'elle éveille en nous de ce qui " pourrait être ". A minuit la ville rentra dans le silence, nous fûmes nous asseoir sur la grève. La mer était irritée : la lune " innamorata " (comme on dit à Venise). Franz se coucha sur le sable au pied d'ombrage d'aloès et appuyant sa tête sur mes genoux, il s'endormit... Je restai ainsi immobile de peur de l'éveiller une heure entière... »* (Copie à la Bibliothèque municipale de La Châtre.)

173. Voici ce qu'écrit Marie à Charles d'Agoult, de Gênes le 21 juin 1838 :

« *J'apprends à l'instant par mon frère que* " sans prévenir ma famille ", *vous avez fait une démarche qui va être une occasion de scandale et forcer ma mère et mon frère à comparaître devant les tribunaux. Cette nouvelle m'a profondément affligée et, je l'avoue, extrêmement surprise. Le courage ne me manquera jamais pour supporter tout ce qui m'est personnel mais mon cœur est navré à l'idée qu'une femme de l'âge de ma mère et un homme dont ni* " vous " *ni* " moi " *n'avons eu qu'à nous louer toujours vont être entraînés par* " votre volonté " *dans une affaire scandaleuse. Mon frère ajoute que vous avez assuré hautement avoir toute confiance en ma loyauté. Je crois en effet que les années que nous avons passées ensemble ne doivent vous laisser* " aucune espèce de doute " *à cet égard. Pourquoi donc alors ne pas faire un appel à cette loyauté? Ne pas m'écrire ou me faire écrire par notre notaire ce dont il s'agissait et prendre d'un commun accord les mesures que vous auriez jugées convenables (en admettant qu'elles n'eussent pas déjà été prises) et auxquelles vous deviez bien savoir que je ne m'opposerais jamais? Si j'avais des enfants illégitimes, pouvez-vous raisonnablement supposer, avec le caractère que vous me connaissez, que je voudrais par fraude leur assurer une part de votre héritage? Ne devez-vous pas être convaincu que ma volonté la* " plus expresse " *en ce cas serait au contraire d'établir une barrière* " infranchissable " *entre eux et vous?*

Pourquoi donc alors un scandale " inutile " qui retombe sur notre fille, qui afflige ma famille et appelle des gens d'" affaires " là où il n'était besoin que de gens d'" honneur "? Je ne sais quels perfides conseils, quels amis peu judicieux vous ont poussé à un acte si contraire à tout ce qu'il y a de fier, de loyal et de bon dans votre cœur. Je crains que vous ne vous en repentiez surtout en réfléchissant qu'il vous était facile d'arriver au même but et à un meilleur but sans l'intervention des avocats et du public. Il ne s'agissait que de vous souvenir que l'orgueil et la loyauté sont aussi au fond de tous les actes de la vie de celle qui fut votre femme et qu'au premier appel que vous lui eussiez fait elle se serait empressée à satisfaire à toute juste réclamation et à prendre de concert avec vous les mesures voulues par la loi si ces mesures n'avaient déjà été prises.

« J'espère assez en vous pour croire que s'il en est temps encore vous arrêterez cette malheureuse affaire. Pourquoi aggraver une position déjà si pénible par des procédés blessant [sic]? Ne saurions-nous donc achever en paix notre existence déjà si obscurcie sans ajouter par votre mauvais vouloir le souci au souci et la peine à la peine?

«Adieu. Je voudrais que vous fussiez bien persuadé d'une chose : c'est que dans toutes les affaires que nous pourrons avoir à traiter ensemble, dans tous nos rapports futurs, mon plus grand désir sera de faire ce qui pourra vous convenir et que jamais vous n'aurez de ma part l'ombre d'une prétention injuste à craindre.

Marie. »

(Archives du marquis Guy de Charnacé, château du Bois-Montbourcher.)

174. Palais Durazzo : aujourd'hui palais Durazzo-Pallavicini.
De Van Dyck, il s'agit sans doute de *Deux garçons et une petite fille, portraits de la famille Durazzo* (Valéry, *op. cit.*).
Guido Reni, *dit* le Guide (Bologne, 1575-*id.*, 1642), peintre italien. Ce n'est pas une *Madeleine* mais une *Porzia* (1625-1626) que conserve le palais Durazzo Pallavicini.

175. Henri Herz (Vienne 1803-Paris, 1888), pianiste et compositeur allemand.
Les Puritains, opéra de Vincenzo Bellini, créé à l'Opéra de Paris en 1835. Liszt en fit une transcription (voir note 162).
L'Orgie, pièce des *Soirées musicales* de Gioacchino Rossini

(1835), dont Liszt fit une transcription dédiée à la comtesse Samoïloff, en 1837.

Ignacy, comte Sobolowski (que la comtesse d'Agoult écrit « Sobolewski » sur son manuscrit) (1770-Quart, près de Gênes, 1846). Il fut ministre polonais de la Police en 1811, ministre de la Justice de 1825 à 1830.

Albert Grzymala (Dunajowczy, Podolie, 1793-Nyon, 1870). Ancien aide de camp du maréchal Poniatowski, cet ami de Chopin émigra en France après la révolution polonaise.

176. Le Polonais : sans doute le comte Ignacy Sobolowski, cité ci-dessus, note 175.

Cambaggio : très probablement la basse Carlo Cambiaggio (Milan, 1798-*id.*, 1880) qui était alors régisseur à Venise.

Il Ventaglio, pièce de Carlo-Maria Goldoni, créée en 1765.

177. Le marquis Gian Carlo di Negro (mort à Gênes en 1857) possédait un palais et un jardin célèbres, que visitaient même les souverains de passage dans la ville.

Circourt : s'agit-il du diplomate Adolphe Marie Pierre, comte de Circourt (Bouxière-aux-Chênes, 1801-La Celle-Saint-Cloud, 1879), littérateur et grand voyageur, notamment en Italie où il passa plusieurs années avec sa jeune épouse au début des années 1830? La comtesse avait fait sa connaissance à Paris vers 1830 (*cf.* colonel Huber-Saladin, *Le Comte Adolphe de Circourt, son temps, ses écrits,* Paris, A. Quantin, 1881, et Roger de Candolle, *L'Europe de 1830 vue à travers la correspondance de Augustin Pyramus de Candolle et madame de Circourt,* Genève, Éditions A. Jullien, 1966, p. 18).

Pour madame de Circourt, voir tome I, note 147.

Un extrait de « *La lettre d'un bachelier à monsieur L. de R.* » du 20 septembre 1838 permet d'expliciter ces lignes obscures :

« *Vous savez que j'aime les enfants [...]. Me trouvant donc ces jours passés à une fête de village, je m'amusais à livrer toute une boutique de gâteaux et de fruits au pillage de ces marmousets, prenant plaisir à les voir se ruer les uns sur les autres et se disputer avec une incroyable énergie des bribes de macarons tout imprégnés de poussière ou des figues écrasées entre leurs doigts poudreux... »*

178. C'est de toute évidence Liszt qui s'exprime ici.

179. La comtesse fait erreur en prenant sans doute pour une statue de saint Étienne celle du bienheureux Alexandre Sauli par le sculpteur français Pierre Puget (Marseille, 1620-*id.*, 1694), laquelle fait toujours l'admiration des visiteurs.

180. « *Palais Pallavicini, dit des Peschiere, à cause de la quantité de ses fontaines* » (Valéry, *op cit.*).

181. La comtesse a parfaitement exprimé ses impressions de Gênes dans une lettre à Ferdinand Hiller, datée de Lugano, 15 août 1838 :

« *Voici, mon cher Hiller, le peu de renseignements qu'il m'est possible de vous donner de Gênes. J'y ai logé à l'Italia Nuova. Les appartements y sont fraîchement meublés, la cuisine bonne, l'aubergiste voleur. On est à meilleur marché et mieux sous quelques rapports à la Croix de Malte et à l'hôtel de Londres. Madame Garcia* [la cantatrice Pauline Viardot] *avait* contrado [sic] sinora *un appartement qui vous conviendrait, je crois, et qu'elle payait 150 francs par mois. Tout compris. Les maisons de campagne sont affreuses, j'ai dû renoncer à m'établir un peu confortablement. Il n'y a point à proprement parler d'établissement de bain. J'ai pris des bains d'eau de mer dans une baignoire. On m'a dit pourtant qu'il y avait des bateaux organisés pour aller en mer mais cela doit être fort laid. Excepté les* " bouquets de fleurs " *qui sont uniques en leur genre, on ne fait rien de bien à Gênes et l'on y vit mal. La promenade autrement qu'en voiture y est fort désagréable, on n'a ni livres ni journaux ni société. Je vous envoie une lettre pour le marquis di Negro, excellent homme très ridicule! qui a la seule maison ouverte à Gênes. Il vous donnera à dîner et vous fera rire parce que jamais vous ne vous serez trouvé face à face avec une vanité aussi expansive, aussi sincère et aussi pleine de félicité. Franz en joint une pour le jeune Pescio, fils d'un négociant; charmant garçon, plein de complaisance, de bon sens et de tact.*

Quant aux curiosités de la ville, en deux jours vous les aurez vues. Je vous recommande de faire un soir la promenade du tour des forts. Il est difficile d'imaginer rien de plus pittoresque. Priez aussi Pescio de vous faire voir la galerie de la marquise Doria-Durazzo. On n'y entre qu'avec permission. Vous y verrez la Suzanne *de Paul Véronèse et un chef-d'œuvre de Léonard de Vinci, le portrait de la duchesse Sforza. Les Léonard sont si rares et si beaux qu'il*

*ne faut perdre aucune occasion d'en voir un. Allez aussi à
Pelly* [sic] *voir deux ou trois jardins avec bois d'orangers,
lauriers, magnolias, etc., et faites, si vous en avez le temps,
la route de la corniche jusqu'à Chiavari* [...]. (Korrespondenten Verzeichnis, Historisches Archiv, Cologne, fol. 869-
871.)
Note : La comtesse a clairement écrit *contrado* sans doute
pour *contratto* (« loué ») *sinora* (jusqu'à maintenant).
  Pelly, aujourd'hui Pegli.

182. Elena Chiara Maria Antonia, comtesse Carrara Spinelli,
épouse du poète Andrea Maffei (Bergame, 1814-Milan, 1886).
Son salon, auquel Balzac rendit visite en 1837, devint célèbre
à cette époque. Elle devint plus tard une amie, entre autres,
de Giuseppe Verdi (cf. Raffaello Barbiera, *Il Salotto della
contessa Maffei,* Casa Editrice Madella, Sesto San Giovanni,
1914).
  Casati : sans doute Gabrio, comte Casati (Milan 1798-*id.,*
1873), homme politique italien qui fut podestat de Milan à
partir de 1837. Notons toutefois que le curé de la cathédrale
de Côme, où fut célébré le baptême de Cosima Liszt, se
nommait Bartolomeo Casati.

183. *La Moda, giornale di scene della vita, mode di vario genere
e di teatri,* traduisit dans son numéro du 12 juillet 1838 la
« *Lettre d'un bachelier sur la Scala de Milan* » qu'avait
publiée *La Gazette musicale* du 27 mai 1838. Cet article mit
le feu aux poudres. Liszt répondit dans ce même journal le
jeudi 19 juillet suivant.

184. Cet article, qui paraît dans le numéro d'*Il Pirata, giornale
di letteratura, belle arti, varietà e teatri,* daté du mardi
17 juillet, figure à la une, dans la rubrique « *Polemica* ». Il
est titré « *Guerra al Signor Liszt* » et signé par F. Regli.
  Bassi : sans doute la cantatrice Carolina Bassi (Naples,
1781-Crémone, 1862), épouse du comte Pietro Manna.

185. Vitali : nous n'avons pu identifier ce personnage, à moins
qu'il ne s'agisse de Luigi Prividali, propriétaire d'*Il Corriere
dei Teatri.* La comtesse est coutumière de ce genre d'ap-
proximations en matière de noms italiens, qu'elle reproduit
phonétiquement.
  Pezzi : il s'agit sans doute de Giangiacomo Pezzi, frère de
la poétesse Giulietta Pezzi (voir note 164), directeur du jour-

nal *Glissons* et ardent soupirant de la comtesse Samoïloff qui lui inspira un recueil, *I Fiori.* La comtesse écrit « *Pezzy* ».

Alessandro Puttinati, que la comtesse orthographie « *Pultinati* » (Vérone, 1800-Milan, 1872), sculpteur italien qui fréquentait alors le salon de la comtesse Maffei. Il réalisa un buste de Balzac.

186. *Glissons, n'appuyons pas, giornale di scienze, lettere, arti, cronache, teatri, varietà e mode* (son titre français s'inspire du quatrain sur les patineurs de Pierre Charles Roy), publia une lettre de Liszt au rédacteur en chef, datée de vendredi matin 20 juillet, hôtel de la Bella Venezia. Elle s'achève par ces mots : «*Ainsi donc, je déclare, pour la centième et dernière fois, que mon intention n'a jamais été, n'a jamais pu être, d'outrager la société milanaise.* »

187. Voir note 171.

188. *Le Sourd* est le surnom d'Adolphe Pictet de Rochemont qui venait de publier *Une course à Chamonix,* racontant l'excursion qu'il avait faite dans les Alpes en septembre 1836 avec Liszt, la comtesse d'Agoult et George Sand. Rappelons que cette dernière a également publié un récit de ce voyage dans sa *Xᵉ Lettre d'un voyageur.*

Lors de son séjour à Genève, la comtesse fit connaissance d'une Anna d'Ivernois qui demeurait rue basse du Terraillet et qui confectionna un trousseau de voyage pour la petite Blandine (voir note 197), comme il appert de ses lettres à Adolphe Pictet (Robert Bory, *op. cit.,* p. 89-90). Le 8 janvier 1839, la comtesse écrivit à Louis de Ronchaud : « *Mˡˡᵉ d'Ivernois a attrapé un mari. Il paraît qu'elle fait une très bonne affaire.* » (Archives de M. et Mᵐᵉ de Bengy.) Les Archives d'État de Genève, que nous remercions de leur collaboration, n'ont cependant trouvé aucune trace d'un pasteur d'Ivernois.

189. Belle est l'un des surnoms que Liszt donnait à la comtesse.

Le Cavallino est un lieu de promenade près de Lugano. Il comprend une cascade et un jardin-restaurant.

190. Charles Louis Gay (Paris, 1815-*id.,* 1892) séjourna à Rome en 1839. Il devint à la fin de sa vie évêque d'Anthedon et resta l'ami de Franz Liszt et de Charles Gounod.

191. Gaspare Spontini (Majolati, 1774-*id.*, 1851), compositeur italien, naturalisé français. Il se fixa à Berlin en 1820. « *La XIIe Lettre d'un bachelier* » sur l'état de la musique en Italie, publiée par *La Gazette musicale* du 28 mars 1839 rapporte : «*Après une absence d'environ trente années, Spontini, désireux de repos, éprouvant peut-être le besoin de respirer l'air natal a demandé à son auguste protecteur, le roi de Prusse, la permission de retourner en Italie* [...]. *Quoi qu'il en ait été de ses désirs, de ses projets, de ses illusions à cet égard, Spontini dut les perdre bien vite. Je le vis à ses premiers pas en Italie ; je me trouvai avec lui la première fois qu'il assista à une représentation de la Scala. Il put se convaincre dès ce soir-là même, que la musique telle qu'il la comprenait et la voulait serait un langage inintelligible de ce côté des Alpes ; que la grande école de déclamation fondée par Gluck, et dont il est un des continuateurs, leur était inconnue* [...]. »

192. Bartolomeo Schedoni (Modène, 1578-*id.*, 1615), peintre italien.

Antonio Allegri, *dit* il Correggio (Correggio, 1489?-*id.*, 1534), peintre italien. Les tableaux suivants sont conservés à la Galerie nationale de Parme : la *Madonna di San Gerolamo* (vers 1523), la *Madonna della Scala* (vers 1523), la *Madonna della scodella* (1530) et le *Martyre de saint Placide et de sainte Flavie* (vers 1520-1528).

La crypte de l'église Notre-Dame de la Steccata servit de mausolée aux souverains de Parme.

193. Les deux colosses, Hercule et Bacchus, ont été découverts en 1724 dans le palais des Césars, sur le mont Palatin à Rome. « *La meilleure des diverses statues trouvées à Velleja est une Agrippine seconde* » (Valéry, *op. cit.*). Velleia, près de Parme, fut un important champ de fouilles archéologiques à la fin du XVIIIe siècle.

Les fresques du couvent de Saint-Paul par Carrache datent de 1519.

194. Giambattista Bodoni (Saluces, 1740-Parme, 1813), célèbre imprimeur de Parme.

Andrea d'Agnolo di Francesco, *dit* Del Sarto (Florence, 1486-*id.*, 1530), peintre italien. Il n'a peint aucun portrait de Dante, ni Titien, de Pétrarque.

Francesco Mazzola, *dit* il Parmigianino (Parme, 1503-

Casalmaggiore, 1540), peintre italien, qui ne semble pas avoir peint de portrait de Corrège.

La coupole de Carrache représente *L'Assomption de la Vierge* (1526-1528).

Le graveur et dessinateur Paolo Toschi (Parme, 1788-*id.*, 1854) dirigeait la Galerie ducale.

Augustin Carrache (Bologne, 1557-Parme, 1602), peintre italien. Il commença les fresques du palais Del Giardino en 1600.

Raphaël de Broca : artiste non identifié.

195. *Sainte Cécile :* il s'agit du très célèbre tableau (1514) de Raphaël, aujourd'hui conservé à la Pinacothèque de Bologne.

Jean de Bologne, *dit* Giambologna (Douai, 1529-Florence, 1608), sculpteur flamand installé à Florence.

196. La collection de la galerie Zambeccari a été léguée en 1884 à la Pinacothèque nationale.

Francesco Raibolini, *dit* il Francia (Bologne, vers 1450-*id.*, 1517), peintre italien.

L'ange de Michel-Ange est une œuvre de jeunesse (1473).

Elisabetta Sirani (Bologne, 1638-*id.*, 1665), femme peintre italienne.

Le palais Bacchiocchi abrite aujourd'hui le palais de justice.

Lavinia Fontana (Bologne, 1552-Rome, 1614), femme peintre italienne.

197. Bartolomeo Cesi (Bologne, 1556-*id.*, 1629), peintre italien.

Giovanni Francesco Barbieri, *dit* il Guercino (Cento di Ferrara, 1591-Bologne, 1666), peintre italien.

Cenni di Pepo, *dit* Cimabue (vers 1240-après 1302), peintre italien.

Franz Liszt revenait de Ferrare après avoir été invité à la cour du duc régnant de Modène, l'archiduc d'Autriche Ferdinand IV, du 2 au 5 octobre. Le 7, il quitta Padoue pour Ferrare et rejoignit la comtesse d'Agoult le lendemain, à Bologne.

Celle-ci attendait l'arrivée de sa fille Blandine, laissée en nourrice près de Genève sous la surveillance du pasteur Demellayer. Le 8 décembre 1838, elle écrivit à Adolphe Pictet :

« *Franz, en quittant Genève, a imaginé de laisser sa fille sous la haute surveillance de monsieur D*[emellayer] *avec tous les pleins pouvoirs attachés à semblables charges. Depuis lors notre pauvre enfant a été plusieurs fois malade assez gravement et malgré mes injonctions, mes prières, mes cris, on a fait tant de bêtises que, si elle vit encore, c'est assurément grâce à une intervention d'en haut : de ce triangle lumineux que les bonnes femmes appellent la Très Sainte Trinité et que vous appelez, vous, une " nécessité rationnelle " (je me souviens des termes). Depuis environ un an donc, je veux retirer ma fille des mains de la nourrice mais celle-ci qui, par le double intérêt du cœur et de la bourse, tient à garder l'enfant, a su si bien empaumer le pasteur que l'un et l'autre entassent obstacle sur obstacle, lettre sur lettre et ne concluent à rien»* (archives de monsieur Pierre Pictet, Genève).

Ce n'est que le 15 janvier 1839 que Blandine arriva à Florence.

198. Le Bachelier ne maintient pas ces réserves dans la « *Lettre sur la Sainte-Cécile* » qu'il publia dans *La Gazette musicale* du 14 avril 1839. Il y parle d'« *un prodige de grâce, de pureté, d'harmonie* ». Liszt fut certainement plus enthousiasmé par le tableau que la comtesse.

199. Brunetto Latini (Florence, vers 1220-1294), écrivain florentin. Il fut le maître de Dante qui lui donna une place dans *La Divine Comédie.*

200. Pierre Étienne, *dit* Petrus, Perlet (Lyon, 1804-Paris, 1843), peintre français, élève d'Ingres.

Franz Adolf von Stürler (Paris, 1802-Versailles 1881), peintre de genre et d'histoire, élève d'Ingres. Il fit un portrait de Liszt en 1838.

Jean Frédéric Possoz (Paris, 1797-1875) fut maire de Passy de 1834 à 1848, puis de 1852 à 1860 (aimable communication de la Société historique d'Auteuil et de Passy).

Seccatura, c'est-à-dire fâcheux pour ne pas employer un mot plus trivial.

Herpin, *possidente* (« propriétaire, rentier ») est très certainement le personnage du nom d'Arpin qui apparaît à plusieurs reprises dans la correspondance de la comtesse et de Liszt, ainsi que dans le Journal à la date du 18 juin 1839. On ne sait rien de lui.

Pour toute cette période, on consultera l'ouvrage très docu-

menté de Luciano Chiappari, *Liszt a Firenze, Pisa e Lucca,*
Pacini, Pise, 1989.

201. « *Deux heures sonnaient ; je quittais le bal du prince Ponia-
tovski.* » Ainsi commence la « *Lettre d'un bachelier* », intitulée « *Le Persée de Benvenuto Cellini* », datée de Florence
30 novembre 1838 et publiée dans *La Gazette musicale* du
13 janvier 1839. Il s'agit de Joseph, prince Poniatowski (Rome,
1816-Londres, 1873), patricien de Florence, ambassadeur du
grand duc de Toscane à Paris. Compositeur, il chantait aussi
d'une voix de ténor (cf. Marcello De Angelis, *La Musica del
Granduca, Vita musicale e correnti critiche a Firenze 1800-
1855,* Florence, Vallecchi, 1978, et l'ouvrage cité de
L. Chiappari).
  Simplice Gabrielle Armande Vignerot du Plessis de Riche-
lieu (Paris, 1778-Rome, 1840), marquise de Jumilhac.

202. Hortense Thérèse Sigismonde Sophie Alexandrine Allart
(Milan, 1801-Montlhéry, 1879), femme de lettres française.
Elle se lia très fort avec la comtesse d'Agoult et leur amitié
ne fut brisée que par la mort de celle-ci. Une bonne partie
des lettres de Hortense Allart ont été conservées (Bibliothèque
nationale et Archives départementales des Deux-Sèvres).

203. Félicie de Fauveau (Florence, 1802-*id.,* 1886), femme sculpteur français. Elle fit huit mois de prison pour avoir participé
à l'équipée vendéenne de la duchesse de Berry, en 1832, puis
s'installa à Florence. Elle rencontra Stendhal et Balzac.

204. Benvenuto Cellini (Florence, 1500-*id.,* 1571), orfèvre et
sculpteur italien. Il a laissé des *Mémoires* hauts en couleur.
  Jacob Frédéric Lullin de Châteauvieux (Genève, 1772-
Chouilly, près de Satigny, 1841), écrivain et agronome suisse.
Il a publié des *Lettres écrites d'Italie en 1812 et 1813 à
monsieur Charles Pictet* (Genève, J.-J. Paschoud, 2ᵉ éd., 1820),
et des *Lettres sur l'Italie* (Paris, A. Cherbuliez, 2ᵉ éd., 1834).
Le 28 octobre 1837, la comtesse d'Agoult a écrit à son ami
Adolphe Pictet : « *Faites-moi donc le plaisir de m'envoyer
par la diligence les* Lettres *de Goethe sur l'Italie, et celles
de Châteauvieux* » (Robert Bory, *op. cit.,* p. 125).

205. *Il Pensieroso,* célèbre statue de Michel-Ange à la chapelle
des Médicis.

La Fornarina, aujourd'hui appelé *Portrait de jeune femme*, tableau (vers 1512) de Raphaël, à la galerie des Offices.

Portrait de Léon X, entouré de deux cardinaux, tableau (1518-1519) de Raphaël, à la galerie des Offices.

Les Quatre Philosophes, tableau (1611-1612) de Pierre Paul Rubens (Siegen, 1577-Anvers, 1640), au palais Pitti.

Trois musiciens : il s'agit des *Trois Ages de l'homme*, conservé au palais Pitti. Certains voient trois chanteurs dans ce tableau de Giorgone (Castelfranco Veneto, 1478-Venise, 1510). Le personnage central tient une partition dans la main gauche.

Descente de croix, tableau (1495) du Perugin, au palais Pitti.

Portrait d'Andrea del Sarto et de sa femme : ce tableau du palais Pitti est seulement attribué à Andrea Del Sarto.

Autoportrait de Léonard de Vinci : le seul autoportrait, aujourd'hui authentifié, de Léonard est un dessin conservé à Turin. Sur quel tableau la comtesse a-t-elle été mal informée ?

Madonna del Cardellino, en français, *Madone au chardonneret,* tableau (1507) de Raphaël, à la galerie des Offices.

Les fresques de Masaccio (Tommaso di ser Giovanni, *dit,* San Giovanni Valdarno, Arezzo, 1401-Rome, 1428) dont parle la comtesse sont sans doute celles de la chapelle Brancacci, à l'église del Carmine.

Judith, tableau (1610-1612) de Cristofano Allori (Florence, 1577-*id.,* 1621), au palais Pitti.

206. Cette expression allemande peut se traduire par « marginale ».

207. Auguste Barbier (Paris, 1805-Nice, 1882), poète français. On peut confronter l'opinion de Marie d'Agoult à celle qu'Auguste Barbier a laissée dans *Souvenirs personnels et silhouettes contemporaines,* Paris, E. Dentu, 1883, p. 90, à la suite de cette rencontre : « *Madame d'A... est une grande charmeuse ; c'est un esprit d'analyse très fin, très érudit, très positif, joint à une vive sensibilité d'artiste et à un léger grain de fantaisie allemand. Elle me rappelle le mot de Saint-Évremond : il pensait qu'il était moins impossible de trouver la raison dans les femmes que de trouver dans les hommes les agréments de l'esprit des femmes.* »

Quant à Mathilde, il s'agit de la célèbre princesse (Trieste, 1820-Paris, 1904), cousine de l'empereur Napoléon III qu'elle faillit épouser.

208. Voici ce qu'écrit Marie d'Agoult à Louis de Ronchaud, le 3 décembre 1838 : «*A Florence, réparation entière à Raphaël. Sa seconde manière est le sublime de l'idéal chrétien. Dans la troisième, il est fort vigoureux, " réel " comme Titien avec une perfection de travail unique (*La Fornarina, *Le portrait de Léon X entre deux cardinaux, le portrait de Jules II,* La Madona della seggiola, *ravissante odalisque). La tribune de la galerie du Palais vieux est un véritable sanctuaire. Figurez-vous une salle ronde, dont la voûte est en nacre de perle et or. Un jour recueilli tombe d'en haut. La Vénus, l'Apollon, les Lutteurs, le Rémouleur, le faune antique, rangés en cercle, puis sur les parois des murailles. Cinq Raphaël, deux Vénus de Titien, un Van Dyck, un Luini, etc. Une autre très belle chose à Florence, c'est la chapelle de M*[ichel] *Ange à l'église des Médicis. Il y a sept statues de lui, le Jour, la Nuit, l'Aurore, le Crépuscule et surtout un Médicis assis, la tête appuyée sur sa main, surnommé* Il Pensiero [sic], *qui est admirable. Auguste Barbier disait très judicieusement que ce " Pensiero ", c'était Hamlet comme aussi son tableau des Trois Parques, ce sont les sorcières de Macbeth. M*[ichel] *Ange : sa place tout naturellement entre Dante et Shakespeare. Il ne s'est inspiré ni du beau antique ni du beau chrétien. On dirait qu'il a vécu avec les muses fortes et grandes des premiers temps. Un peintre que j'adore, c'est le Pérugin. J'ai vu aussi avec vénération les fresques de Masaccio à la chapelle del Carmine. C'est là où tous les g*[ran]*ds artistes de la renaissance sont venus étudier le dessin. Le campanile est un chef-d'œuvre du goût coquet, un bijou, une des choses de la renaissance qui me plaisent le plus. S*[anta] *Croce (le panthéon de Florence) n'a que des tombeaux détestables. Les vieux palais noirs avec leurs grands anneaux de fer et leurs immenses réverbères sont ce que j'ai vu de plus caractéristique. On comprend en les regardant les guerres de famille à famille, de citoyen à citoyen qui remplissent l'histoire de Florence. L'aspect général de la ville est gai. L'Arno est un vilain fleuve jaune sans courant. Si Florence n'est plus la ville des arts, elle est toujours la ville des fleurs. Quand on sort, on est assailli de bouquetières qui vous offrent de ravissants bouquets. Je suis très bien dans les papiers de la plus jolie qui ne manque jamais de m'envoyer une pluie de roses, de violettes de Parme, d'œillets, etc., dans ma voiture. Tout cela sans jamais demander un sou. Ma chambre est transformée en serre. Je vous écris entourée* *de cactus, de camélias, d'orangers. Vous jugez de la joie de petit Zio* [Liszt] *qui aime de plus en plus les fleurs à mesure qu'il aime moins l'humanité. Nous avons au théâtre des médiocrités de Donizetti, relevées par un talent de premier ordre, mademoiselle Ungher. C'est une grande cantatrice et une incomparable* " artiste ". *Elle m'a souvent émue jusqu'aux larmes. Le Crétin* [Liszt] *a donné deux beaux concerts très aristocratiques ; il a joué chez le Grand Duc qui raffole de lui. Le Crétin n'est plus si bête qu'il en avait l'air. Il songe à gagner de l'argent et fait de très bonnes affaires. Son crétinisme n'a pas fait grand progrès faute d'une âme qui le comprenne et l'apprécie. En revanche, vous le trouverez plus paresseux que jamais, très* " élégant ", *très occupé de sa toilette et aristocrate en diable...*

« *Le hasard m'a fait trouver sous le même toit qu'une examie de George, une femme de lettres, Hortense Allart. Elle me plaît beaucoup. C'est tout l'opposé de Piffoël* [George Sand]. *Elle n'est ni poète ni artiste, sans aucun goût ni soin de son ajustement, très avide de conversation, de discussion politique. Elle est pauvre et porte noblement sa pauvreté. Je ne sais pas grand-chose de sa vie si ce n'est qu'elle voudrait se faire épouser par quelqu'un qui est très égoïste et trop lâche pour cela. Je la crois* " sincèrement sincère ", *avantage réel sur ledit Piffoël.* » (Archives de monsieur et madame Raymond de Bengy.)

209. Olympe Pélissier, voir note 138.

Le pianiste Robert Müller (vers 1804-1855), frère du compositeur Charles William Maxwell Müller, entra au service du roi Frédéric-Auguste de Saxe en 1852. Il fut aussi le professeur de la princesse Mary, duchesse de Teck.

210. Lorenzo Bartolini (Prato, 1777-Florence, 1850), sculpteur italien qui fit en 1839 les bustes de Marie d'Agoult et de Franz Liszt. Il était fort lié à Ingres qui fit son portrait.

211. Bertel, *dit* Alberto Thorwaldsen, sculpteur danois qui passa la plus grande partie de sa vie à Rome. Marie d'Agoult en parle dans ses Mémoires (cf. supra, tome I, note 20).

212. Voir note 197.

213. L'écrivain Charles Didier avait épousé à Londres, le 27 août 1838, Alexandrine Aglaë Hannonet.

214. Clopin Trouillefou, personnage de *Notre-Dame de Paris* de Victor Hugo.

Voici ce qu'écrivit Marie d'Agoult à son ami Louis de Ronchaud, le 8 janvier 1839 :

« *J'ai prolongé mon séjour à Florence parce que Bartolini a commencé le buste de Franz et le mien. Vous occupez-vous assez d'art moderne pour savoir que Bartolini est actuellement le premier statuaire d'Europe? Les gens du monde le placent à côté de Canova et de Thorwaldsen, les artistes bien au-dessus... tant il y a que nos deux bustes sont des chefs-d'œuvre. Celui de Franz va partir avec celui de madame Thiers pour être exposé au salon prochain. Le mien viendra plus tard. Bartolini est un artiste fort curieux. Il ne croit pas au "beau idéal". Il trouve l'Apollon du Belvédère une chose détestable. Le Laocoon stupide, etc. La Vénus de M[ilo] n'a de bien que les jambes et les pieds. Enfin sur quoi ou qui qu'on l'interroge, il vous arrive une réponse qui bouleverse toutes les notions reçues et vous fait dresser les cheveux sur la tête. Phidias, Raphaël, monsieur Ingres, voilà ses seules admirations et encore ne sont-elles pas absolues. Il n'a d'autre principe que celui de copier la nature. L'étude de l'antique, selon lui, est funeste. Aussi se ruine-t-il en modèles; il en pensionne onze, tant hommes que femmes et enfants pour être à toute heure à ses ordres car il ne ferait pas le petit doigt d'une statue, pas un bout de draperie sans modèle. Il a connu une foule de personnages célèbres sur lesquels il sait des anecdotes très amusantes. Byron qu'il adore, madame de Staël, le Directoire, etc. Il nous a pris en grande tendresse, Franz et moi, et je me réjouis aussi toujours beaucoup quand l'heure de ma séance arrive. Je ne vois plus autant madame Allart parce qu'elle a quitté ma maison. Je n'ai point changé d'opinion. Je persiste à la croire sincère et vraiment estimable. Elle manque absolument de sens commun mais son esprit est brillant, animé, et les rapports avec elle sont faciles et sûrs autant qu'on peut l'exiger d'une femme. Elle m'a appris le mariage de Didier mais sans pouvoir me dire avec qui. Un Polonais en ski, fort insignifiant, que je vois quelquefois, m'a dit le malheur de Mickiewicz. Je lui ai écrit. Le voyez-vous?* [...] (Archives de monsieur et madame Raymond de Bengy.)

215. Moritz Adolph, *dit* Maurice, Schlesinger (Berlin, 1797-Baden-Baden, 1871), directeur de *La Gazette musicale.* « *La Lettre de Venise* » qu'il a refusé de publier, parut dans *L'Artiste,* numéros des 16 et 30 juin, 28 juillet et 11 août 1839.

216. Fra Giovanni da Fiesole, *dit* Beato Angelico (Vicchio di Mugello, vers 1400-Rome, 1455), peintre italien.
   La Charité, sculpture (1824) de Lorenzo Bartolini, actuellement conservée au palais Pitti à Florence.
   Cesare, marquis Boccella (Lucques, 1810-*id.,* 1877), poète italien. Il publia en 1842 un recueil de poésie, *Pensieri Poetici* (Lucca, Tipografia Giusti). L'une d'elle est dédiée à *M. di A,* c'est-à-dire Marie d'Agoult. Voici la première strophe :

> *Piangi, o povera afflitta, ed il tuo pianto*
> *Possan raccorre gli angioli pietosi,*
> *O lor sorella decaduta! e intanto*
> *Ti conceda quel Dio che gli affannosi*
> *Come i più cari frai suoi figli vede,*
> *Di speme un'ombra e un raggio sol di fede.*

(Cf. Luciano Chiappari, *op. cit.*)

217. Julian Brykczinski, mort à Genève en 1840, émigré polonais lié à Chopin. Marie en fit l'étude psychologique (Bibliothèque nationale, département des manuscrits, N.A.F., 14342).
   Le peintre Carl Ernst Heinrich Salem, *dit* Henri, Lehmann (Kiel, 1814 – Paris, 1882), élève d'Ingres, devint un ami intime de Marie d'Agoult. C'est lui qui accepta de veiller sur Daniel, le troisième enfant qu'elle eut de Franz Liszt, laissé en nourrice à Palestrina, lorsque ses parents quittèrent l'Italie. Sa correspondance avec Marie a été en partie publiée par Solange Joubert (Flammarion, 1947).

218. Puzzi, c'est Hermann Cohen (Hambourg, 1820-Spandau, 1871), élève de Liszt qui, après avoir mené une vie dissolue, devint carme déchaussé. Un procès de béatification est en cours.

219. A l'évidence c'est Liszt qui parle; nous avons donc ajouté des guillemets.

220. Émile Deschamps de Saint-Amand (Bourges, 1791-Versailles, 1871), écrivain français, propagateur des idées roman-

tiques, dont la comtesse d'Agoult aimait à se moquer genti-
ment dans sa correspondance.

221. Voici ce qu'écrivit Marie d'Agoult à Louis de Ronchaud le
18 mars :
   « *Rome antique est grande, imposante. Rome catholique
mesquine, absurde; le pape gourmand, le clergé, ignoble.
Beaucoup de choses sont trop vantées. Le Laocoon et l'Apollon sont détestables. Monsieur Ingres est un g[ran]d peintre,
absolu, exclusif, étroit de vues mais très respectable. Il a
pris Franz en passion. Ils font ensemble des trios de Beethoven. Le Crétin* [Liszt] *est très loué dans la société russe,
les ambassadeurs et les g[ran]des dames lui donnent leurs
salons pour ses concerts où il joue* " tout seul ". *Il gagne de
l'argent, de la célébrité et de l'aplomb. Je crois que vous le
trouverez* " amélioré " *dans ses rapports extérieurs. L'équilibre s'établit. Il sait maintenant vivre avec les hommes.*
[...] » (Archives de monsieur et madame Raymond de Bengy.)
   A Ferdinand Hiller, le 6 avril (1839) :
   « *Inutile de vous dire que la réputation des cérémonies
de la Semaine sainte est fort exagérée. On va là avec des
billets comme au spectacle; on se bat, on fait le coup de
poing avec de vieilles Anglaises; rien n'est moins religieux.
La musique est horriblement mal exécutée. Les soprani en
trop petit nombre chantent faux et chevrotent; les cardinaux
sont endormis ou distraits; pas un n'est dans son rôle. Une
seule chose malgré tout mon scepticisme m'a paru admirablement belle, imposante et solennelle : c'est la bénédiction du jour de Pâques* Urbi et Orbi. *Vers midi, par un
soleil radieux, la vaste place S[ain]t-Pierre s'emplit de
monde, les hommes du peuple si fiers et si pittoresques
dans leurs haillons, les femmes des environs avec leurs
costumes pleins de fantaisie. Tout cela au pied du vieil
obélisque égyptien, à l'entour des fontaines toujours jail-
lissantes qui mêlent au bourdonnement de la foule leur
éternel et mystérieux murmure. Tout à coup, on voit
apparaître au balcon supérieur de S[ain]t-Pierre un vieillard vêtu de pourpre, porté sous un dais. Il étend les bras
comme pour embrasser le peuple, les élève vers le ciel en
invoquant, puis d'un geste majestueux bénit la ville et le
monde!* [...] » (Korrespondenten Verzeichnis 1., Historisches
Archiv, Cologne, Personen-Verzeichnis, fol. 890).

222. Le 11 juin précédent, Franz Liszt et Marie d'Agoult ont fait une excursion à Tivoli en compagnie de Sainte-Beuve qu'ils ont rencontré alors qu'il revenait de Naples.

223. Paul Chevandier de Vendrome (Saint-Quirin, 1817-Pourville, 1877), peintre paysagiste français.

224. Claude Gellée, *dit* Lorrain (Chamagne, 1600-Rome, 1682) et Nicolas Poussin (Les Andelys, 1594-Rome, 1665), deux peintres français qui s'installèrent à Rome.

225. Johann Nepomuk Hummel (voir note 37 de *Mes souvenirs*).
André Georges Louis Onslow (Clermont-Ferrand, 1784-*id.*, 1853), compositeur français d'origine anglo-saxonne.

226. Moucheron, c'est Blandine Liszt. S'agit-il d'un jeu de la fillette?

227. Lire mardi *18* juin.
Le moine Guido Aretino, dit aussi Guido Monaco (vers 1000-vers 1050) est le père de la notation musicale moderne.

228. Lire mercredi *19* juin.
Othello, chien de la comtesse. Le 24 juin 1839, elle écrivit à Henri Lehamnn :
« *A propos, nous avons perdu Othello, en descendant ici à la pension S... où il ne s'est pas trouvé de place; le pauvre chien a disparu, on l'a vu sortir de Florence par la porte de Rome; il y a des exemples aussi étonnants. Parlez-en à toutes vos connaissances dans toutes les sphères de l'intelligence et de l'ordre social, afin que si on voit un chien noir à jabot à l'anglaise, on sache que c'est un chien à nous et qu'il y aura une récompense honnête. Nous en sommes fort mélancoliques. [...]* » (*Une correspondance romantique*, Flammarion, 1947, p. 18).
Sur le séjour de Liszt et de la comtesse à Florence, voir le livre très documenté de Luciano Chiappari, *op. cit.*, qui donne de nombreuses informations inédites.

229. Possoz : voir note 200.
Le père de l'enfant, prénommé Henri, de Hortense Allart est Jacopo Mazzei. Elle avait eu en 1826 un autre fils, Marcus, du comte Anthony Sampayo (1795-1841), d'origine portugaise.

230. Lire jeudi *27* juin. L'arrivée de la comtesse est indiquée dans le Registre des passeports sous le n° 3535 (cf. Luciano Chiappari, *op. cit.*).

231. C'est encore à l'évidence des propos de Liszt que rapporte la comtesse.

232. Qui est cette Ad.? Très certainement l'ancienne maîtresse de Liszt, Jeanne Frédérique Athénaïs, *dite* Adèle, de Pandin de Saint-Hippolyte, comtesse de Benoist de La Prunarède (1796-Montpellier, 1886), qui voyageait à l'époque en Italie. Le 18 mars 1839 à Rome, Marie d'Agoult écrivit en effet à Louis de Ronchaud : « *Madame de la Prunarède est ici avec les Cadore. Elle s'est séparée de son mari et se partage entre les amants et les confesseurs.* »
   Bien que cette liaison de Liszt fût antérieure de plusieurs années à sa rencontre avec la comtesse d'Agoult, celle-ci ne l'aimait guère, comme en témoigne une lettre cinglante qu'elle lui adressa en 1835 (Bibliothèque nationale, département des manuscrits N.A.F. 25184, fol. 26, publiée par Jacques Vier in *La Comtesse d'Agoult et son temps, op. cit.*, tome I, p. 384-385).

233. Friedrich Wilhelm Kalkbrenner (entre Cassel et Berlin, 1785-Enghien-les-Bains, 1849), pianiste et compositeur français, d'origine allemande.

234. Césarine Alexandrine Antoinette de Galard de Brassac de Béarn, marquise de Caraman (1803-Paris, 1876).
   Zoë Silvie Hippolyte Delarue (1804-Paris, 1858), sœur du général Aristide Isidore Jean Marie Delarue (ou de La Ruë). Elle fut chanoinesse de Sainte-Anne de Bavière.
   Les Cadore : il s'agit probablement de Louis Alix Nompère de Champagny, duc de Cadore (Saint-Vincent-de-Boisset, Loire, 1796-Boulogne-sur-Seine, 1870) et de son épouse Caroline Élisabeth Lagrange (morte à Boulogne en 1870).

235. Les Mouches : surnom de Blandine et de Cosima, trouvé à la suite d'une lecture du poète latin Lucrèce comme elle le révèle sur un carnet de notes (archives de madame Anne Troisier de Diaz).

236. « Couché à Pise sous la même clef » : faut-il entendre que Lehmann a occupé dans un hôtel de Pise la même chambre

que Liszt et madame d'Agoult préalablement? Le mot
« couché » est d'une lecture difficile sur le manuscrit. Il serait
évidemment absurde de tirer de cette phrase sibylline des
conclusions sur les relations de Lehmann et de madame
d'Agoult, probablement demeurée à San Rossore lors du
départ du peintre.

237. *La Haine dans l'amour,* pièce de George Sand acceptée par
le comité de lecture du Théâtre-Français le 26 septembre
1839. Elle sera créée le 29 avril 1840 sous le titre de *Cosima,*
en présence notamment de la comtesse d'Agoult.

Feuillets d'album

238. « Si l'amour peut tout supporter, il peut encore davantage
tout remplacer. »

239. L'empereur Ferdinand Ier d'Autriche (Vienne, 1793-Prague,
1875) fut couronné roi de Lombardie-Vénétie ce même jour.

240. Andrea di Cione, *dit* Orcagna (milieu du xive siècle), peintre
italien; il réalisa la fresque du *Triomphe de la mort* pour
l'église de Santa Croce de Florence (aujourd'hui au Musée
de l'église).
   Hans Holbein (Augsbourg, 1497-1498-Londres, 1543),
peintre allemand.

Journal d'un enfant

241. Annette Chevreuil, femme de chambre de madame d'Agoult,
à son service depuis plusieurs années déjà.

242. Henri Lehmann, peintre français : voir note 217.

243. Jean Dominique Auguste Ingres : voir note 43.

244. Maman Jean : madame Churdet, nourrice de Blandine.

245. Lire dimanche *16* juin.

246. Lorenzo Bartolini, sculpteur italien : voir note 210.

247. Cesare Boccella, poète italien : voir note 216.

248. Traduction : « Indépendance ».

249. Caroline Heulhard de Montigny, fille du président à la cour royale de Bourges, avait eu la charge de l'éducation de Blandine.

250. C'est rue Pigalle que demeurait Anna Liszt, la mère de Franz, chez laquelle logeaient les enfants.

251. John Flaxman (York, 1735-Londres, 1826), sculpteur, dessinateur et graveur anglais.

252. Traduction : « Elle est aussi belle que toi. » Madame d'Agoult avait d'abord écrit : « *Du bist so chön als Sie.* »
Ludwig Uhland (Tübingen, 1787-*id.*, 1862), poète allemand.

253. Traduction : « aussi gros ».

254. Ces deux phrases sont barrées sur le manuscrit. Tout cet ensemble reste assez incompréhensible : il s'agit de toute évidence de questions posées par la petite Blandine, que la comtesse d'Agoult a retranscrites sur le vif.

255. Adam Mickiewicz, poète polonais : voir note 47.
Sa fille, Marie (Paris, 1835-*id.*, 1922) épousa le peintre Tadeusz Gorecki (1825-1868) et fut traductrice.

256. Sandor (Alexandre), comte Teleki (1821-1892).

257. Philippe Kaufmann, écrivain allemand : voir tome I, note 42.

258. Fulgence Fiévée de Jeumont (Givry, 1794-Paris, 1858), médecin français. Le même jour, la comtesse écrit à Liszt :

« *Mon pauvre Joseph G... a une fièvre thyphoïde terrible.
J'ai vu pour lui Fiévée qui m'a parlé de Blandine et de
Daniel comme de deux têtes magnifiquement philosophiques.
Cosima a le front fuyant et sera niaise et originale. Cela
promet* » (*Correspondance de Liszt et de madame d'Agoult,*
Paris, Grasset, 1934, p. 314).

259. Madame Bernard, née de la Garde, tenait avec sa fille Laure
un pensionnat de jeunes filles rue du Montparnasse, à Paris.

260. Mignon : personnage célèbre de *Wilhem Meister* de Goethe.

261. Samuel Jesi (Milan, 1789-Florence, 1853), graveur italien.
C'est en 1840 qu'il grava le *Léon X* de Raphaël. Madame
d'Agoult lui écrivit ce billet à une date indéterminée :
« *Je donne samedi prochain une petite soirée au* " pape
Léon X " *et je vous prie, mon cher monsieur Jesi, de vouloir
bien ne pas vous engager pour ce jour-là. Sa Sainteté sera
ravie de prendre une tasse de thé avec vous. Marie, comtesse
d'Agoult* » (lettre datée *lundi.* Collection de monsieur Marcel
Ambrière).

L'épisode de Venise

262. Theodoro, c'est le comte Emilio Malazzoni, né en 1813, avec
lequel la comtesse n'entretint plus de relations après son
départ d'Italie.

263. Miri, autre aristocrate italien, amoureux de la comtesse
d'Agoult.

264. Le passage qui suit, à l'exception de quelques fragments, a
été publié par Daniel Ollivier, dans le volume de *Mémoires*
sous le titre de *Notes.*
Le comte de Saint-Priest d'Urgel possède ce fragment de
texte : « *Adieux à Gênes, 1839, octobre. Cet adieu n'était
dans nos pensées que le signe d'une* " séparation momenta-
née " *de circonstance. Par le fait, il fut* " définitif ", *non sans
de grands déchirements, des troubles profonds qui feront le
sujet du livre suivant.* »

265. D'évidence, la comtesse revient en arrière, au moment où
elle entama avec Liszt, juste revenu de Vienne, d'âpres

discussions sur l'avenir de leur couple. Ce texte n'a sans doute pas été rédigé dans la foulée du précédent car madame d'Agoult baptise maintenant le comte Malazzoni, Teobaldo.

266. L'édition de Daniel Ollivier se poursuit ici avec le texte suivant. Nous n'avons pas retrouvé l'original.

Il me reproche de manquer de précision; il prétend ne pas comprendre ce que je veux, ce qui me fait souffrir, les points sur lesquels nous nous sommes sentis différer. Il a beaucoup oublié et fait beaucoup de chemin depuis six mois...

Je n'ai jamais désiré, voulu, demandé qu'une chose; je n'ai jamais souffert, je ne me suis jamais plainte que d'une chose; je n'ai jamais été heureuse que par une seule chose... et il prétend ne pas comprendre!

Il comprenait mieux jadis...

Lorsqu'il m'avait avoué une première infidélité, il m'avait dit : « Je puis faillir encore, comme je puis me casser la tête contre un mur; dans l'un ou l'autre cas, vous ne me reverriez plus », et encore : « Je serai sur mes gardes désormais; j'étais comme un homme qui ne sait pas que le vin le grise et qui boit; maintenant je ne boirai plus. »

Écrit de la main de Franz Liszt :

Vous vous êtes souvenue de mes paroles, mais peut-être celles que vous m'avez dites dans ces diverses circonstances n'ont point laissé de traces dans votre mémoire. Pour ma part, je ne les ai point oubliées, quelque effort que j'ai fait pour cela. Quand vous pourrez vous les rappeler, elles vous expliqueront beaucoup de choses qui vous paraissent inexplicables par je ne sais quel inexplicable malentendu qui s'est perpétré entre nous jusqu'à ce jour.

20 juin 40.

Suis-je donc bien digne de colère, aujourd'hui que je souffre de ce que la légèreté de sa conduite et de ses discours heurte et froisse continuellement ma seule fierté, mon seul amour-propre? Souffrance de vanité, dira-t-il? Eh bien, si j'ai mis ma vanité dans les témoignages de son amour, si j'eusse voulu, comme il le disait un jour, m'en faire une couronne dont les femmes qui m'accordent leur pitié auraient été envieuses, est-ce à lui à me le reprocher? Si j'ai désiré que cette *réserve* qu'il juge lui-même convenable avec les hommes, il l'eût pratiquée également avec les femmes, était-ce une grande erreur de jugement, une trop grande exigence de cœur? Si enfin mon esprit est malade, mortellement malade, ne serait-il pas grand et généreux de ménager la maladie que l'on a causée et de ne pas mettre une sorte d'orgueil à heurter sans cesse mon indestructible instinct de femme passionnée?

Je sens que je ne pourrais vivre contente et par suite le rendre heureux, qu'autant que toute espèce de crainte serait déracinée en moi, qu'autant que je le verrais décidé à veiller sur son cœur et à garder dans sa conduite extérieure une réserve qui satisferait mes idées de convenance, mon orgueil de femme, et calmerait la perpétuelle inquiétude d'un cœur trop souvent troublé.

267. Un petit péché de coquetterie, dont elle est coutumière : la comtesse allait sur ses trente-quatre ans...

268. Madame d'Agoult séjourna sur l'île de Nonnenwerth pendant trois étés, de 1841 à 1843. Elle écrivit à sa mère, le 5 août 1841 : « [...] *J'ai trouvé Liszt malade, ayant tous les jours un accès de fièvre qui vient à la fois d'irritation et d'épuisement. Je suis arrivée à temps pour le sauver des mains d'un détestable médecin et je pense que bientôt il pourra reprendre sa vie d'artiste.*

Je suis établie dans un lieu charmant que vous connaissez sans doute. C'est l'île de Nonnenwerth. L'ancien couvent (la seule maison qui soit sur l'île) sert aujourd'hui d'auberge [...] *J'ai en face de moi le Drachenfels et Rolands'Eck* [sic]. *D'heure en heure je vois passer des bateaux à vapeur dont la fumée vient se perdre dans les mélèzes et les peupliers de l'île. Pas un ne s'y arrête de sorte que la solitude est complète au sein d'un mouvement prodigieux. Je me sens toute joyeuse de n'avoir plus les murailles de Paris sur les épaules. J'avais beau me raisonner, je ne pouvais plus tenir à cette vie " sociale " indéfiniment prolongée...* » (Archives du marquis de Charnacé).

Et à son amie, la baronne Marie de Czettritz-Neuhaus, elle raconta dans une lettre datée du 27 août 1846 : « [...] *Vous allez donc quelquefois à Nonnenwerth ! Lorsque j'y arrivai pour la dernière fois avec Liszt, il me dit : "Nonnenwerth sera le sanctuaire ou le tombeau de notre amour." Il avait par éclair le sentiment vrai des choses* [...] » (Bibliothèque municipale de Versailles, Ms F. 769, fol. 25.)

Palma

269. En marge et ajouté de la main de madame d'Agoult : « *me dit Franz* », précise Jacques Vier.

INDEX

A

ABRAHAM (François), t. I : 100-101, 212, n. p. 383.

AD. *Voir* LA PRUNARÈDE (Adèle de Benoist de).

ADAM (Louis), t. I : 135, n. p. 395.

ADAMI (Jakob), t. I : 44, 132.

ADÉLAÏDE (Eugénie Adélaïde d'Orléans, *dite* Mme), t. I : 198, 225, n. p. 400.

AGASTA (Mlle Molliet, Mme Alexis Pouradier-Duteil). *Voir* POURADIER-DUTEIL (Agasta).

AGOULT (Anne Charlotte de Choisy, vicomtesse d'), t. I : 213-214, 216-217, 224-225, 244, 249, 254, 257, 265, n. p. 400.

AGOULT (Antoine Jean, vicomte d'), t. I : 197, 214, 257, n. p. 401, 402.

AGOULT (Charles Louis Constance, comte d'), t. I : 7, 197, 213, 249, 257- 258, 295, 314, 323-324, 364, nn. pp. 397, 401, 412, 414-415; t. II : 13, 71, 173, nn. pp. 259, 261, 275, 278, 299.

AGOULT (Charles Louis, comte de Montmaur et d'), t. I : 257, n. p. 400.

AGOULT (Claire d', marquise de Charnacé), t. I : 7, 9, 14, 292, 295, 306, 314, 323-324, nn. pp. 384, 410, 414, 419; t. II : 13, 22, 37-40, 42, 45, 71, 244-245, nn. pp. 264, 268-269, 275-279.

AGOULT (Louise d'), t. I : 7, 247, 292, 295, 306, 311-312, 315, 325, nn. pp. 419-429; t. II : 75, 109, 190, 199, 247, nn. pp. 275, 278.

ALBANY (Louisa, comtesse de Stolberg, princesse d'), t. I : 67, n. p. 378.

ALBERA (M.), t. II : 136, n. p. 286.

AUGUSTIN (Saint), t. I : 28,
296; t. II : 103.
AUTICHAMP (Charles Marie de
Beaumont, comte d'), t. I : 83,
85, 233, 390, n. p. 381.
AUTICHAMP (famille d'), t. I :
155.
AUTICHAMP (Jean Thérèse de
Beaumont, marquis d'), t. I :
185, n. p. 400.
AUTICHAMP (Marie Antoine de
Beaumont, comte d'), t. I : 86,
n. p. 382.
AUTICHAMP (Marie Élisabeth
de Beaumont d'), t. I : n.
p. 399.
AUTRICHE (ambassadeur d').
Voir APPONYI (Antoine Rodolphe, comte).
AUTRICHE (Ferdinand Ier, empereur d'), t. II : 169.
AUTRICHE (François II, empereur des Romains, puis François Ier, empereur d'), t. I :
67; t. II : 159.
AUTRICHE (Rénier, archiduc
d'), t. II : n. p. 295.
AUVERGNE (Robert d'), t. I :
435.
AUVILLAIN (Me), t. II : 27, n.
p. 264.

B

BAECKER (Gertrud), t. I : n.
p. 380.
BAKOUNINE (Mikhaïl Alexandrovitch), t. II : 36, n. p. 267.

BALLANCHE (Pierre Simon),
t. I : 129, 274, nn. pp. 394,
416; t. II : 33, 132, nn.
pp. 266, 285.
BALZAC (Honoré de), t. I : 11,
242; t. II : 34, nn. pp. 265,
288, 291, 295, 303-304, 308.
BANOLDI (M.), t. I : n. p. 421.
BARANTE (Prosper Brugière,
baron de), t. I : 231, n. p. 404.
BARAT (Madeleine Sophie,
Sainte), t. I : 145-146, 150-
151, n. p. 396.
BARBAZAN (M.), t. I : 36.
BARBÉ-MARBOIS (François,
marquis de), t. I : 231, n.
p. 404.
BARBIER (Auguste), t. II : 187,
n. p. 309.
BARING (Alexander, Ier baron
Ashburton), t. I : 366.
BARROT (Odilon), t. I : 225, n.
p. 402.
BARTOLINI (Lorenzo), t. II : 40,
187, 189-193, 198, 226, nn.
pp. 311-313, 317.
BASSI (Carolina), t. II : 176, n.
p. 303.
BAUFFREMONT (Anne Élisa-
beth de Montmorency, prin-
cesse de), t. I : 231-232, 265,
n. p. 413.
BAUFFREMONT (Théodore,
prince de), t. I : nn. pp. 397,
404.
BAUTERNE (chevalier de), t. I :
169.
BAYARD (Hippolyte), t. I : 219.
BAYLE (Pierre), t. I : 41-42.

BEAUHARNAIS (Eugène de),
t. II : 163, n. p. 293.

BEAUHARNAIS (Hortense de,
reine de Hollande), t. I : 46;
t. II : 88.

BEAUHARNAIS (Joséphine de).
Voir TASCHER DE LA PAGE-
RIE (Joséphine, impératrice
des Français).

BEAUMONT (Pauline de Mont-
morin-Saint-Herem, comtesse
de), t. I : 29.

BEETHOVEN (Ludwig van), t. I :
153, 337, n. p. 412; t. II : 41,
123-124, 167, 197, 240, nn.
pp. 282, 314.

BELGIOJOSO (Antonino, prince
de), t. II : 164, n. p. 293.

BELGIOJOSO (Emilio Barbiano,
prince de), t. I : nn. pp. 415,
421; t. II : n. p. 287.

BELGIOJOSO (Maria Cristina
Trivulzio, princesse de), t. I :
270, 272, n. p. 415; t. II : nn.
pp. 287-288, 294, 298.

BELLAY (Joachim DU), t. I :
37.

BELLINI (Giovanni), t. II : 167,
184, n. p. 294.

BELLINI (Vincenzo), t. I : 235,
nn. pp. 406, 412, 421; t. II :
142, nn. pp. 288, 301.

BELLISSEN (Amélie Thérèse
Barrin de la Galissonnière,
marquise de), t. I : 260, 248,
n. p. 409.

BELLISSEN (famille de), t. I : n.
p. 419.

BENGY (M. et Mme Raymond

de), t. II : nn. pp. 295, 316,
323, 324, 326.

BENOIST D'AZY (comte). *Voir*
DENYS-BENOIST (Emma-
nuel).

BÉRANGER (Pierre Jean de),
t. II : 13, 24, 34-35, nn.
pp. 262, 266.

BÉRIOT (Charles-Auguste de),
t. I : 236, n. p. 407.

BERLIOZ (Hector), t. I : 264, nn.
pp. 392, 412; t. II : 189.

BERNARD (Laure), t. II : 240,
n. p. 331.

BERNARD (Mlle de la Garde,
Mme), t. II : 233, n. p. 319.

BERRY (Charles Ferdinand, duc
de), t. I : 84, 208, 212, 219-
223, 235, nn. pp. 381, 400.

BERRY (Marie-Caroline de
Bourbon, princesse des Deux-
Siciles, duchesse de), t. I :
197-198, 208, 210, 219-224,
260, n. p. 400; t. II : n.
p. 308.

BERRYER (Pierre-Antoine), t. I :
261, 248, n. p. 410.

BERTHELOT (Pierre Marcelin),
t. II : 41, n. p. 269.

BERTIN (François), t. I : 225, n.
p. 402.

BERTIN (Louis François), t. I :
225, n. p. 402.

BETHMANN (Catherine), t. I :
45, 66.

BETHMANN (famille), t. I : 7,
44-45, 65, 71, n. p. 375.

BETHMANN (Heinrich), t. I : n.
p. 375.

BOCAGE (Pierre Martinien Tousez, *dit*), t. II : 42, 112-113, n. p. 274.

BOCCELLA (Cesare, marquis), t. II : 193, 199-202, 204, 226, nn. pp. 282, 313, 318.

BOCQUET (Justine Cécile, baronne de Prulay), t. I : 118, n. p. 387.

BOCQUET (Louis Denis), t. I : n. p. 387.

BODONI (Giambattista), t. II : 182, n. p. 305.

BOÈCE, t. I : 37.

BOIS-LE-COMTE (Charles Edmond de), t. I : 233, n. p. 405 ; t. II : 36-41, nn. pp. 267, 269.

BOIVIN (M.), t. I : 185.

BOLOGNE (Jean de), t. II : 183, n. p. 306.

BONALD (Louis Gabriel, vicomte de), t. I : 117, 229, n. p. 403.

BONAMY (Mme), t. II : 157, 176, n. p. 290.

BONAPARTE (Napoléon Ier, empereur des Français), t. I : 64, 80, 83, 117, 157, 257, 367, nn. pp. 402, 409, 416 ; t. II : 88, 130, 137, 139, 159, 209, nn. pp. 277, 293.

BONCHAMP (Charles Melchior, marquis de), t. I : 85, n. p. 382.

BONNAY (Caroline O'Neill, marquise de), t. I : 256, 248, n. p. 409.

BONNAY (Charles François, marquis de), t. I : 125, 127, 233, nn. pp. 393, 405.

BOODE (Catherine Antoinette, *dite* Cathau, Mme Borski), t. I : 77-78, 81, n. p. 380.

BOODE (Jacobus Hendrick), t. I : n. p. 380.

BOODE (Louise, Mme Moritz Bethmann), t. I : 68-69, 77, 125, 132, n. p. 375.

BORDEAUX (Henri de Bourbon, comte de Chambord, duc de), t. I : 221, 224, n. p. 400.

BORÉ (Eugène), t. II : 21, n. p. 260.

BORGIA (famille), t. I : 272.

BORROMÉE (Charles, cardinal), t. II : 137.

BORSKI (Willem), t. I : n. p. 380.

BOSSUET (Jacques Bénigne), t. I : 75, 154, 296 ; t. II : 148, n. p. 289.

BOUCHÉ (Jeanne Pierrine, comtesse d'Agoult), t. I : n. p. 400.

BOURBON (famille de), t. I : 46, 53, 62-63, 83, 201, 205, 208, 212, 224, 244, 253.

BOURBON (Louis Henri Joseph, duc de, prince de Condé), t. I : 64, 84, n. p. 381.

BOURÉ DE VALROCHE (M.), t. I : n. p. 410.

BOURGOGNE (comte de), t. I : 346.

BOURGOING (Jean-Joseph), t. II : 121, n. p. 282.

BOURGOING (Paul Charles, baron de), t. I : 183, 233, nn.

nn. pp. 376, 384; t. II : 204, 248, n. p. 275.
BUSSMANN (Jakob), t. I : 45, nn. pp. 375-376; t. II : n. p. 275.
BYRON (George Gordon, *dit* LORD), t. I : 194, nn. pp. 400, 412; t. II : 94, 141, 152, 157, 175, nn. pp. 295, 312.

C

CADORE (Caroline Élisabeth Lagrange, duchesse de), t. II : n. p. 316.
CADORE (Louis Alix Nompère de Champagny, duc de), t. II : n. p. 316.
CADOUDAL (Georges), t. I : 248, n. p. 409.
CALDERON DE LA BARCA (Pedro), t. I : 290.
CAMB[I]AGGIO (Carlo), t. II : 174, n. p. 301.
CAMPLOIX (M.), t. II : 169.
CANDOLLE (Augustin Pyrame de), t. I : 290, n. p. 419.
CANNIZZARO (comte de Sant'Antonio, marquis, puis duc de), t. II : 142, n. p. 288.
CANOVA (Antonio), t. I : 68; t. II : n. p. 312.
CAPO D'ISTRIA (Jean Antoine, comte), t. I : 231, n. p. 404.
CARAMAN (Césarine de Galard de Brassac de Béarn, marquise de), t. I : 265, n. p. 413; t. II : 202, n. p. 316.

CARMAGNOLA (Francesco Bussone, comte), t. II : 170, n. p. 296.
CARNOT (Lazare), t. II : 41, n. p. 269.
CARO (Elme-Marie), t. I : 276.
CAROLATH-BEUTHEN (prince de), t. I : n. p. 378.
CARON (Mme), t. II : n. p. 290.
CARRACHE (Agostino), t. II : 183, 185, n. p. 305.
CARRACHE (Annibale), t. II : 182-183, 185, n. p. 305.
CASATI (Bartolomeo), t. II : n. p. 303.
CASATI (Gabrio, comte), t. II : 176, n. p. 303.
CASTAN (A.), t. I : 344, 347.
CASTELBAJAC (Barthélemy Dominique, marquis de), t. I : 183, nn. pp. 398, 403.
CASTELBAJAC (Françoise Sophie de La Rochefoucault, marquise de), t. I : 265, n. p. 413.
CASTELBAJAC (Marie Barthelémy, vicomte de), t. I : 229, 233, n. p. 403.
CASTELLANE (famille de), t. I : 197, 232.
CASTRIES (Armand Charles Augustin de la Croix, duc de), t. I : 232.
CATALANI (Angelica), t. I : 68, n. p. 379.
CATHAU (cousine). *Voir* BOODE (Catherine).
CATULLO (M.) t. II : 163.
CAUCHOIS-LEMAIRE (Louis

Auguste François), t. I : 224, n. p. 403.

CAUX (Louis-Henri de Cahuzac, comte de), t. I : 233, n. p. 405.

CAYLA (Zoé Talon, comtesse du), t. I : 235, 244-245, n. p. 405.

CAZES (Élie de). *Voir* DECAZES (duc).

CAZOTTE (Jacques), t. I : 113, n. p. 386.

CELLINI (Benvenuto), t. II : 184, 187, n. p. 308.

CÉRESTE (Henriette Pauline de Monestay de Chazeron, duchesse de), t. I : 228, n. p. 402.

CESI (Bartolomeo), t. II : 184, n. p. 306.

CH... (M.), t. II : 33, n. p. 266.

CHALON (Jean de), t. I : 346.

CHANALEILLES (Sosthènes, comte de), t. I : n. p. 383.

CHANTAL (Jeanne Françoise Frémiot, baronne de), t. I : 154, n. p. 396.

CHARDIN (Jean-Baptiste), t. I : 118.

CHARETTE DE LA CONTRIE (François Athanase), t. I : 85, n. p. 382.

CHARLEMAGNE (roi des Francs, empereur d'Occident), t. I : 130, 239.

CHARLES X (roi de France). *Voir* ARTOIS (comte d').

CHARNACÉ (Claire d'Agoult, comtesse puis marquise de). *Voir* AGOULT (Claire d').

CHARNACÉ (Ernest Guy de Girard de, comte puis marquis de), t. I : 9, n. p. 397; t. II : n. p. 278.

CHARNACÉ (famille de), t. I : 155.

CHARNACÉ (Guy Daniel de Girard de, marquis de), t. II : 40-41, n. p. 269.

CHARNACÉ (Guy de Girard de, marquis de), t. I : 19, nn. pp. 398, 402, 412, 415; t. II : nn. pp. 275, 279, 287, 312, 333.

CHARNACÉ (Hortense de Girard de), t. I : n. p. 397.

CHARONDAS (Loys Le Caron, *dit*), t. I : 350.

CHARTRES (Ferdinand Philippe d'Orléans, duc de, puis duc d'Orléans), t. I : 208, 224-226, n. p. 402.

CHASSIN (Charles-Louis), t. I : n. p. 384.

CHATEAUBRIAND (François-René, vicomte de), t. I : 13, 28, 92, 124, 127-130, 192, 205, 210, 216, 219-220, 237-238, 260, 264, 266, 274, 285, nn. pp. 393, 400, 408; t. II : 24, 132, 163.

CHÂTEAUVIEUX (Jacob Frédéric de), t. II : 187, n. p. 308.

CHESSOUS (M.), t. I : 86, 91.

CHEVANDIER DE VENDROME (Paul), t. II : 195-196, n. p. 315.

CHEVREUIL (Annette), t. II :

simir, époux de George Sand, baron), t. II : 29.

DUDEVANT (Maurice, puis Maurice Sand), t. II : 30, 115, 127, nn. pp. 265, 267, 281-283.

DUDEVANT (Solange), t. II : 30, 115, nn. pp. 265, 281-283, 286.

DU LAU (Anne Marguerite). *Voir* LAU (marquise du).

DUMAS (Alexandre), t. II : n. p. 292.

DUPIN (André, *dit* Dupin aîné), t. I : 41.

DUPONT-WHITE (Charles Brook), t. II : 41, n. p. 269.

DURAS (Amédée Bretagne Malo, duc de), t. I : 216, n. p. 402.

DURAS (Claire de). *Voir* RAUZAN (duchesse de).

DURAS (Claire Louise de Coëtnempren de Kersaint, duchesse de), t. I : 235, 238, 260-261, nn. pp. 407-408.

DURAS (Félicie de, princesse de Talmont, puis comtesse de La Rochejaquelein), t. I : 261.

DURAS (Louise Charlotte de Noailles, duchesse de), t. I : 228, 235, n. p. 402.

DURAZZO (Doria, marquise), t. II : n. p. 302.

DURAZZO (famille), t. II : n. p. 300.

DÜRER (Albert), t. II : 160, n. p. 292.

DUVERGIER DE HAURANNE (Prosper), t. I : 117, n. p. 387.

E

ECCHELLENSIS, t. I : 42.

ECKHARDT (Maria) : t. II, n. p. 290.

ECKSTEIN (Ferdinand, *dit* le baron d'), t. I : 261; t. II : 36, 41, nn. pp. 267, 269.

ÉDOUARD. *Voir* WOLFF (Pierre Étienne).

EHRMANN (Auguste). *Voir* BUSSMANN (Auguste).

EHRMANN (Johann August), t. I : 158-159, nn. pp. 376, 384, 420; t. II : 73-74, 76-78, 82, 84, n. p. 275.

EHRMANN (Johann Daniel), t. II : n. p. 275.

EHRMANN (Léon), t. I : 106, 144, 156, 159, nn. pp. 384, 397; t. II : 234, 247-248, 250-252, n. p. 275.

EHRMANN (Maurice), t. I : 159, n. p. 384.

EI BÉE (Maurice Joseph Gigot d'), t. I : 85, n. p. 382.

EMERSON (Ralph Waldo), t. II : 36, 41, nn. pp. 267, 269.

ENFANTIN (Prosper Barthélemy, *dit* LE PÈRE), t. II : 130, 132, n. p. 284.

ENGELMANN (Julius Bernhardt), t. I : 77-78, n. p. 380.

ÉPICTÈTE, t. II : 17, n. p. 260.

ÉPICURE, t. I : 37.

ESCARS (Rosalie Marguerite de Rancher de La Ferrière, duchesse d'), t. I : 228, n. p. 402.

ESCHYLE, t. I : 363.

ESTERBEN (M.), t. I : n. p. 398.

ESTERHAZY (Paul Anton, prince), t. II : 88.

ESTIENNE (Henri), t. I : 130.

ESTISSAC (duchesse d'). *Voir* LA ROCHEFOUCAULD (Marie-Françoise de Tott, duchesse de).

ESTRÉES (Gabrielle d'), t. II : 157.

ÉTIENNE (comte), t. I : 344.

EUGÉNIE (Eugenia Maria de Montijo de Palafox Guzman, comtesse de Teba, épouse de Napoléon III, impératrice des Français), t. I : 277, n. p. 418.

ÉVREMONT (Saint), t. II : n. p. 309.

F

FALLOUX (Frédéric, vicomte de), t. I : 261, 248, n. p. 410.

FARNÈSE (Alexandre), t. II : 182.

FAUVEAU (Félicie de), t. I : 105; t. II : 186, n. p. 308.

FAZY (Jean, *dit* James), t. II : 136, n. p. 286.

FERDINAND Ier (empereur d'Autriche), t. II : n. p. 317.

FERDINAND IV (archiduc d'Autriche), t. II : n. p. 306.

FERRAND (Antoine François, comte), t. I : 229, n. p. 403.

FEZENSAC (Raymond de Montesquiou, duc de), t. I : 264, n. p. 412.

FICHTE (Johann Gottlieb), t. II : 17, n. p. 259.

FIÉVÉE (Joseph), t. I : 112, 117.

FIÉVÉE DE JEUMONT (Fulgence), t. II : 233, n. p. 218.

FILLETS (M.), t. II : 230.

FLANDRIN (Hippolyte), t. II : 41, n. p. 269.

FLAVIGNY (Agathon, comte de), t. I : 42-43.

FLAVIGNY (Alexandre-Victor-François, vicomte de), t. I : 7, 36-37, 43-47, 51, 53-54, 56-57, 59, 62-64, 72, 74-77, 80, 82, 84, 86-91, 93-94, 96, 115-116, 118-122, 124-125, 134, 156, 158, 161, 164-165, 167-168, 205, 233, 244, 311, 324, 351-352, 354-356, 365-366, 368, nn. pp. 376, 380, 382, 387-388 ; t. II : 14.

FLAVIGNY (A. L. J.), t. I : 42.

FLAVIGNY (Balthazar de), t. I : 36.

FLAVIGNY (César François, comte de), t. I : 42.

FLAVIGNY (Charles de, sieur de Juilly), t. I : 37-38.

FLAVIGNY (Cil de), t. I : 343.

FLAVIGNY (Édouard de), t. I : 44, 47, n. p. 376.

FLAVIGNY (ex-comtesse des Vieux), t. I : 35, 42.

FLAVIGNY (famille de), t. I : 36.

FLAVIGNY (Gratien Jean-Bap-

G

La Briche (Alexis Janvier de La Live, seigneur de), t. I : n. p. 408.

Lacassagne (Jean-Pierre), t. II : n. p. 295.

Lacordaire (Henri), t. I : 136, n. p. 395; t. II : 21.

La Fare (Henri, cardinal de), t. I : 229, n. p. 403.

La Fayette (Joseph Paul, marquis de), t. I : 245, 253, n. p. 408.

Laffitte (Jacques), t. I : 225, 253, nn. pp. 402, 409.

Lafont (Charles Philippe), t. I : 236, nn. pp. 407, 421.

La Fontaine (Jean de), t. I : 59, 113, 263; t. II : 146.

Lagarde (Auguste, général, comte de Pelletier de), t. I : 182, 184-191, 194, 231, nn. pp. 399, 404.

La Grange (Constance de Caumont La Force, comtesse de), t. I : 262, n. p. 410.

La Grange (Édouard Le Lièvre, comte de), t. I : 233, n. p. 405.

Lagrenée (Théodore, marquis de), t. I : 233, n. p. 405; t. II : 36, n. p. 267.

La Guiche (famille de), t. I : 232.

Lainé (Joseph Henri, vicomte), t. I : 231, n. p. 404.

Lamarque (Maximilien, comte, général), t. I : 83, n. p. 381.

Lamartine (Alphonse de), t. I : 11, 15, 237, 242, 275, nn. pp. 398, 416-418; t. II : 26-27, nn. pp. 263-264, 286.

Lamartine (Mariane Birch, Mme Alphonse de), t. I : 276.

Lamb (William, 2e vicomte de Melbourne), t. I : 126, n. p. 393.

Lambert (Mlle), t. I : 204.

Lamennais (Félicité Robert de, dit M. Féli), t. I : 29, 136, nn. pp. 393-394, 416, 420; t. II : 13, 19-24, 26-29, 34-36, 115, 130, 132, 199, 244, nn. pp. 260-264, 275, 277, 281, 285.

La Myre (Sophie de), t. I : 138, n. p. 395.

Lancaster (Joseph), t. I : 102.

Lanfrey (Pierre), t. II : 41, n. p. 269.

La Prunarède (Jeanne Frédérique Athénaïs, dite Adèle, de Pandin de Saint-Hippolyte, comtesse de Benoist de), t. II : 200, n. p. 316.

La Roche d'Eure (Christine Rosette de), t. I : n. p. 419.

La Rochefoucauld (Anne Charlotte Cuillier-Perron, comtesse Frédéric de), t. I : 265, n. p. 413.

La Rochefoucauld (Fanny de, comtesse de Montault), t. I : 144-148, 156, 167, 183, 196, 265, nn. pp. 396, 413.

La Rochefoucauld (François, duc de), t. I, n. p. 396.

La Rochefoucauld (Frédéric, comte de), t. I : n. p. 413.

LUPPÉ (Louis Paul, vicomte de), n. p. 395.
LUPPÉ (vicomtesse de). *Voir* MENOU (Marie Auguste de).
LUTHER (Martin), t. I : 75, 133; t. II : n. p. 277.
LUTHY (Mᵉ), t. I : 353, 356.
LÜTZOW (Therese von Struve, comtesse de), t. II : 41, n. p. 269.
LUXEMBOURG (famille de), t. I : 232.
LUYNES (Guyone Élisabeth de Montmorency-Laval, duchesse de), t. I : 228, n. p. 402.
LUZ (Maurice de), t. I : 366.
LUZE (Charles-Henri de), t. I : n. p. 375.

M

M... (comtesse), t. I : n. p. 421.
MACCARTHY-LÉVIGNAC (Robert Joseph, comte de), t. I : 85, 265, n. p. 382.
MACHIAVEL, t. II : 187.
MACKAU (Ange René, amiral, baron de), t. I : n. p. 398.
MADAME ROYALE. *Voir* ANGOULÊME (duchesse d').
MAFFEI (Andrea), t. II : n. p. 303.
MAFFEI (Elena, comtesse Carrara Spinetti, Mme), t. II : 176-177, nn. pp. 303-304.
MAILLÉ (Blanche Joséphine Le Bascle d'Argenteuil, duchesse de), t. I : 235, 238, 260, nn. pp. 405, 407.

MAILLÉ (vicomte de), t. I : 43.
MAILLY (famille de), t. I : 249.
MAINTENON (Françoise d'Aubigné, marquise de), t. I : 238.
MAINZER (Joseph, abbé), t. II : 130, n. p. 284.
MAISTRE (Joseph, comte de), t. I : 117-229, n. p. 403.
MALARTIC (Charles Jean-Baptiste Alphonse de), t. I : 368, n. p. 424.
MALARTIC (Louis Hippolyte de Maurès, comte de), t. I : 82-83, nn. pp. 380-381.
MALAZZONI (Emilio, comte) t. II : 166, 169, 180, 238-242, 244, nn. pp. 269, 294, 319.
MALAZZONI (famille), t. II : 167.
MALIBRAN (Maria Felicia Garcia, Mme), t. I : 235-237, 329, nn. pp. 406-407; t. II : n. p. 292.
MALLEFILLE (Félicien), t. II : 127, 175, nn. pp. 293-295.
MALTZAHN (Auguste von der Glotz, comtesse de), t. I : 125, n. p. 392.
MANFRED (roi de Sicile, fils légitimé de l'empereur Frédéric II), t. I : n. p. 418.
MANIN (Daniele), t. II : 41, n. p. 269.
MANNA (Pietro), t. II : n. p. 303.
MANNATI (Giacinta, marquise di Marignano), t. II : n. p. 290.

MÉDICIS (famille de), t. II : 68;
t. II : 151, 308.

MELLERIO (maison), t. I : n.
p. 400.

MENDELSSOHN (Henriette),
t. I : 100, 105, n. p. 384.

MENDELSSOHN (Moses), t. I :
105-107.

MENDELSSOHN - BARTHOLDY
(Félix), t. I : n. p. 384.

MENOU (Marie Auguste de, vicomtesse de Luppé), t. I : 137-
138, 265, nn. pp. 395-396,
413.

MÉRANIE (Othon de), t. I :
344.

MERCADANTE (Saverio), t. II :
161, n. p. 292.

METTERNICH (famille de), t. I :
132.

METTERNICH (Klemens, prince
de), t. I : 67, n. p. 378.

METTINGH (Pierre Frédéric,
baron de), t. I : 71, nn.
pp. 371, 379.

METZ (Frédéric-Auguste de).
Voir DEMETZ (Frédéric Auguste).

METZLER (famille), t. I : n.
p. 67.

MEYENDORFF (Pierre Léonard,
baron de), t. I : 261, n. p. 392.

MEYENDORFF (Sophie von
Buol-Schauenstein, baronne
de). *Voir* BUOL-SCHAUENS-
TEIN (Sophie).

MEYER (Conrad Ferdinand),
t. I : n. p. 68.

MEYERBEER (Jakob Liebmann

Beer, *dit* Giacomo), t. II : 41,
123, n. p. 269.

MICHEL-ANGE (Michelangelo
Buonarroti, *dit*), t. I : 290;
t. II : 40, 149-151, 175, 184,
190, nn. pp. 306, 308-309.

MICHELET (Jules), t. I : 11;
t. II : 42, nn. pp. 269, 274.

MICKIEWICZ (Adam), t. I : 362,
n. p. 418; t. II : 41, 113, 174,
232, nn. pp. 269, 280, 312,
318.

MICKIEWICZ (Marie, Mme Gorecki), t. II : 232, n. p. 318.

MIGNET (Alexis François), t. I :
nn. pp. 384, 415; t. II : 18,
36, nn. pp. 260, 267.

MILTON (John), t. II : n. p. 127.

MINETTE (Mlle), t. I : n. p. 179.

MINSKI (prince), t. II : n.
p. 36.

MIRABELLA (nom d'emprunt de
l'auteur, princesse).

MIRI (comte), t. II : 174-175,
242, n. p. 319.

MME LA SUPÉRIEURE (du pensionnat des *Dames du Sacré-
Cœur*). *Voir* BARAT (Made-
leine-Sophie).

MOISANT (Adrien Philibert),
t. I : n. p. 400.

MOLÉ (Louis Mathieu, comte),
t. I : 231, 245, 266, n. p. 404.

MOLIÈRE (Jean-Baptiste Po-
quelin, *dit*), t. I : 59, 290;
t. II : 104, 146.

MONSIEUR (frère de Louis XVI,
futur Charles X). *Voir* AR-
TOIS (comte d').

P

P... (baron de), t. I : 182.
PACINI (Giovanni), t. II : 141, 165, nn. pp. 288, 293.
PAËR (Ferdinando), t. I : 109.
PAGANINI (Niccolo), t. II : 189.
PAHLEN (comte), t. II : 142.
PAHLEN (Julie Pavlovna). *Voir* SAMOÏLOFF (comtesse).
PAJOU (Augustin), t. I : 68.
PALISSY (Bernard), t. II : 58.
PALLADIO (Andrea di Pietro, *dit*), t. II : 157, 184, n. p. 292.
PALLAVICINI (Mlle), t. II : 174.
PAMIERS (Charles d'Agoult de Bonneval, évêque de), t. I : 257, n. p. 411.
PAPPENHEIM (Adélaïde, comtesse de), t. I : 125, nn. pp. 378, 392.
PAPPENHEIM (Lucie, comtesse de Hardenberg-Renventlow, comtesse de), t. I : 67, n. p. 378.
PARIS (archevêque de), t. I : 152.
PARME (Ferdinand, duc de), t. I : 42.
PARME (Marie-Amélie, archiduchesse d'Autriche, duchesse de), t. I : 42.
PARMIGIANINO (Francesco Mazzola, *dit* IL), t. II : 183, n. p. 305.
PASCAL (Blaise), t. I : 27, 154; t. II : 172.

PASQUIER (Anne Jeanne de Serre de Saint-Roman, baronne), t. I : 231, 245, n. p. 408.
PASQUIER (Étienne, baron, puis duc), t. I : 125, 233, 266, nn. pp. 392, 404, 408.
PASTA (Giuditta Maria Costanza Negri, Mme), t. I : 236, n. p. 406; t. II : 138, n. p. 287.
PATURLE (M.), t. II : 129.
PAULET (Mlle), t. I : 272.
PAUSANIAS, t. I : 367.
PECHLIN (Friedrich Christian, baron de), t. I : 126, n. p. 393.
PEDRONI (M.), t. II : 162, n. p. 292.
PÉLISSIER (Olympe), t. II : 157-158, 189, nn. pp. 291, 311.
PELLEGRINI (Felice), t. I : 236, n. p. 406.
PELLETAN (Eugène), t. II : 36, 41, nn. pp. 266-267, 269.
PENCO (famille de), t. I : 132.
PENHOEN (Auguste Hilaire Barchou de), t. II : 41, n. p. 269.
PÉRICLÈS, t. II : 151.
PERIER (Casimir), t. I : 225, n. p. 402.
PÉRIGORD (duc de). *Voir* TALLEYRAND - PERIGORD (Charles).
PERLET (Pierre Étienne, *dit* Petrus), t. II : 186, n. p. 307.
PERROT (Ch. Auguste de), t. I : 356.
PERRY (Antoine), t. I : n. p. 397.
PÉRUGIN (Pietro Vanucci, *dit*

PONT DE COMPIÈGNE (Joséphine du), t. I : n. p. 395.
POSSOZ (Jean Frédéric), t. II : 186, 198, nn. pp. 307, 310.
POTOCKA (Delphine Komar, comtesse), t. I : 261, n. p. 410.
POUMET (Me), t. II : n. p. 268.
POURADIER-DUTEIL (Agasta Molliet, Mme), t. II : 122-123, n. p. 282.
POURADIER-DUTEIL (Alexis), t. II : n. p. 282.
POUSSIN (Nicolas), t. II : 195, n. p. 315.
POZZO DI BORGO (Charles-André, comte), t. I : 231, n. p. 404.
PRASLIN (duchesse de). *Voir* SÉBASTIANI (Fanny).
PRASLIN (Théobald de Choiseul, duc de), t. I : 108, n. p. 384.
PRATTIN (M.), t. II : 198.
PRAXITÈLE, t. I : 370.
PRÉVOST (Mme), t. I : 150.
PRÉVOST-PARADOL (Lucien Anatole), t. I : 106, n. p. 384; t. II : 41, n. p. 269.
PRIMAT (prince). *Voir* DALBERG (Karl Theodor von).
PRIVIDALI (Luigi), t. II : n. p. 303.
PROCACCINI (Camillo), t. II : n. p. 287.
PROCACCINI (Carlo Antonio), t. II : n. p. 287.
PROCACCINI (Ercole), t. II : 140, n. p. 287.

PROCACCINI (Giulio Cesare), t. II : n. p. 287.
PRONDRE DE GUERMANTES (Emmanuel), t. I : n. p. 411.
PROTOGÈNE, t. II : 370.
PROUDHON (Pierre Joseph), t. I : n. p. 398.
PROVENCE (Louis Stanislas, futur Louis XVIII, roi de France, comte de), t. I : 42, 85, 117, 208-211, 220, 257, 367, nn. pp. 381, 405.
PRULAY (Jean Gabriel Poissonnier, baron de), t. I : n. p. 387.
PRUSSE (Louise de Mecklenburg-Stretitz, reine de), t. I : 69.
PRUSSE (Frédéric - Guillaume III, roi de), t. II : n. p. 304.
PUGET (Pierre), t. II : 175, n. p. 302.
PUTTINATI (Alessandro), t. II : 176-177, n. p. 304.
PUYSÉGUR (Eulalie de Tholozan, marquise de Brou, puis comtesse de), t. I : n. p. 411.
PUYSÉGUR (Gaspard Jules de Chastenet, comte de), t. I : 263, n. p. 411.
PUZZI (Hermann Cohen, *dit*). *Voir* COHEN (Hermann).
PYTHAGORE, t. I : n. p. 363.

Q

QUERINI (Alvise Maria), t. II : n. p. 269.

TABLE DES MATIÈRES

Le Temps retrouvé

COLLECTION DE MÉMOIRES
CRÉÉE PAR JACQUES BROSSE

L'Histoire racontée par ses acteurs et ses témoins. Textes intégraux, sauf exceptions expressément indiquées et justifiées. Chaque volume, au format 14 × 20,5, est enrichi d'ornements d'époque ou de gravures.

55. Madame d'Épinay, *Les contre-Confessions, Histoire de Madame de Montbrillant.* Préface d'Élisabeth Badinter. Notes de Georges Roth revues par Élisabeth Badinter. Index onomastique.

56. François Camille Cron, *Souvenirs Amers, Mémoires d'un déporté de la Commune en Nouvelle-Calédonie (1836-1902).* Texte établi et annoté par Philippe Venault et Philippe Blon. Présentation de Philippe Venault. Index onomastique et thématique.

58 et 59. Madame la comtesse d'Agoult, Mémoires, Souvenirs et Journaux. Présentation et notes de Charles F. Dupêchez. Index onomastique.

CET OUVRAGE
A ÉTÉ COMPOSÉ
ET ACHEVÉ D'IMPRIMER
PAR L'IMPRIMERIE FLOCH
À MAYENNE EN MAI 1990

N° d'éd. : 7408. – N° d'impr. : 29234.
D. L. : mai 1990